BOĞAZİÇİ ÜNİVERSİTESİ
DİL UYGULAMA ve ARAŞTIRMA MERKEZİ

TURKISH
FOR FOREIGNERS

YABANCILAR İÇİN
TÜRKÇE

vol. **1**
cilt

Hikmet Sebüktekin
1997

YAYIN KURULU

GÜNAY KUT
A. SUMRU ÖZSOY
HİKMET SEBÜKTEKİN
ESER E. TAYLAN

DANIŞMA KURULU

AYHAN AKSU-KOÇ
NEDRET KURAN BURÇOĞLU
EDHEM ELDEN
SELÇUK ESENBEL

Boğaziçi University Library Cataloging - In - Publication Data:

Sebüktekin, Hikmet
  Turkish for foreigners = Yabancılar
için Türkçe / Hikmet Sebüktekin.
  p.; cm.

  1. Turkish language. 2. Grammar,
comparative and general. I. Title.
494.35

ISBN: 975 - 518 - 058 - 3

Yayın No: 561
Yeni Basım: Haziran - 1995
2. Basım: Haziran - 1997
Boğaziçi Üniversitesi Matbaasında Basılmıştır.
Boğaziçi Üniversitesi 80815 Bebek / İstanbul. TÜRKİYE

Publication No : 561
Revised Edition : June - 1995
2. Edition : June - 1997
Printed at the Boğaziçi University Printhouse
Boğaziçi University, 80815 Bebek / İstanbul TURKEY

Kapak Tasarımı: İnci BATUK

PREFACE

This textbook, with accompanying recorded materials, applies in its methodology the general principles of the audio-lingual approach as modified by an enlightened eclecticism to teaching the Turkish language to speakers of English. It has been developed primarily for the college level and has been successfully used with students at the University of Michigan, Boğaziçi University and many other higher educational institutions in various countries. The textbook consists of two volumes, each intended to correspond to a semester of a one-year semi-intensive course with six to ten hours of classroom instruction per week. These materials can readily be used in a high-intensity language program by accelerating the speed and, where necessary, providing supplementary vocabulary. Considering the fact that many foreign students speak English as a second language, this book can be used in teaching Turkish to a larger audience. Hence the title Turkish for Foreigners.

In addition to basic principles of the audio-lingual approach, features which characterize more recent communicative trends to second language teaching have been carefully reviewed before the preparation of the Second Edition and included where they fit. A complete phonological and grammatical contrastive analysis of Turkish and English has been utilized and semantic relationships within Turkish and between Turkish and English have been explored. Consistent attention has also been given to such pedagogical principles as techniques of presentation which enhance the student's interest and motivation, avoidance of unnecessary discussions on grammatical and semantic question, provision of rigor and variety in drills and periodic review of the material.

Several features have been included which are generally lacking in Turkish language texts. Based on the results of linguistic investigation and teaching experience, grammatical materials have been presented in a different order from that usually followed. More efficient grammar drills with a variety of techniques and a complete treatment (with drills) of phonology and morphophonemics have been incorporated. A greater use of working examples has replaced extensive grammatical explanations in the illustration of grammatical points. And particular attention has been given to the development of dialogues on basic experiences in the Turkish culture.

Based on the students' and instructors' criticisms and comments the present Revised Edition includes a number of changes such as the replacement of full phonemic transcription with just stress and terminal marks in most grammar drills, the presentation of dialogues first in regular spelling and phonemically later in the pronunciation sections, and updating of the vocabulary and factual information.

I am greatly indebted to late Professor George G. Cameron, then Chairman of the Department of Near Eastern Languages and Literatures at the University of Michigan, for his constant encouragement and personal interest in the project which led to the publication of the First Edition in 1969. Special thanks are due the Committee for Inter-University Program in Near Eastern Languages and the Center for Near Eastern and North African Studies of the University of Michigan for providing financial support. Acknowledgement of indebtedness must be expressed for the professional advice of Professor Ernest N. McCarus of the same university and for some drill techniques borrowed from Spoken English for Turks, the monumental work of Professor Sheldon Wise of Robert College. I am particularly grateful to Mrs. Dorothy B. Keller, an experienced teacher trained in applied linguistics and bilingual speaker of Turkish and English, for rendering invaluable help by checking translations and offering suggestions which brought about innumerable improvements. My wife, Mrs. Leman Sebüktekin, who has long years of experience in teaching Turkish, not only relieved me from domestic responsibilities, but also contributed substantially to the actual writing of dialogues and drills. No word would be adequate to express my thankfulness to her. A word of special gratitute is due the inspiring students with whom portions of this work were tested in an intensive Turkish language program at Occidental College in the summer of 1968 and in the regular semi-intensive elementary Turkish course at the University of Michigan during 1968-1969 academic year.

I owe the idea of revising the original work to Professor Sumru Özsoy, Professor Eser Taylan, Mrs. Muammer Özdönmez and several other colleagues at Boğaziçi University who have used the book since its first appearance and offered sincere criticism. Comments expressed by students, especially those who participated in summer programs in Turkish Language and Culture at Boğaziçi University from 1982 to the present time have been most helpful in the preparation of the Second Edition. The typescript for this edition of the book was prepared by Ms. Zeynep Kulelioğlu, Administrative Assistant at the Language Center of Boğaziçi University, whose ingenuity and skill surmounted the difficulties of the job,

Of course, I take full responsibility for whatever shortcomings there may be in these materials and hope to receive further critical comments leading to improvements in subsequent editions.

April 1995   Hikmet Sebüktekin

iv

INTRODUCTION

1. Language learning and the Turkish language. Language is essentially verbal expression of meaning. In situations of face to face communication meanings are conveyed most effectively by the added presence of gestural expression. Every culture has arbitrarily established extremely complex systems of expression reflecting unique perceptions of its own experience with life for which the general term 'meaning' is used. Thus, learning a second language is not a simple matter of acquiring its observable systems of expression alone. It is, at the same time, the discovery of a new set of concepts for subsequent internalization. An awareness of this basic understanding will enable the learner to elicit valuable information from translation and stop him from searching for exact semantic correspondences between the language he is learning and the one which he speaks natively. In the case of Turkish and English, particularly, one should not expect to find very many formal or semantic correspondences since these two languages have no relationship; the former belonging to the Turkic group of the Altaic branch of the general Uralo-Altaic family and the latter, a member of the Germanic branch of Indo-European languages. Indeed, there are striking differences between these two languages. A list of the principal features that characterize Turkish will be sufficient to show these differences:

(1) Phonologically, the phonetic shape of a vowel is determined by the vowel which occurs in the immediately preceding syllable. This regular alternation is called vowel harmony. (English phonology does not have any feature that resembles it.)

(2) Morphologically, a great number of suffixes are used in a given order to express the majority of grammatical ideas such as person, number, tense, aspect, possession, etc. (English generally utilizes independent words to mark such functions as you, was, am, can.)

(3) Syntactically, rules governing Turkish word order are much less rigid than those of English. Words have a great freedom of occurrence in different positions in a Turkish sentence usually causing only stylistic differences. Single word structures with extensive suffixation and a relatively small number of phrases, of which the possessive construction is the most important, correspond to various types of English clauses.

(4) On the content side, Turkish is tradition-bound. The mere mention of a single word referring to a cliche, a proverb, or an anecdote, of which there are thousands, often suffices to activate complex meanings stored in the mind of every Turkish speaker.

Despite these basic differences between Turkish and English, the learner is pleasantly surprised when he discovers the regularity of the Turkish language. Forms are put together with almost mathematical precision and utmost economy - an unusual feature to find in natural languages. Therefore, it would not be wrong to say that Turkish is not difficult, but only different.

The variety of Turkish presented in these materials is 'Standard Turkish' spoken by educated speakers all over Turkey. It is also called 'Istanbul Turkish', since it originated as a prestige dialect in Istanbul, the cultural center of Turkey for many centuries. There are several regional dialects in Turkey. Nevertheless, dialectal differences do not impede mutual intelligibility. Varieties of Standard Turkish are spoken by a good number of people in the Balkan countries, Cyprus, Syria, Lebanon, and Iraq. Other Turkic languages are distributed over a vast geographical area extending from the eastern border of Turkey to the northwestern uppermost corner of Asia. There are approximately ninety million speakers of Turkic languages in the independent republics of Azerbaijan, Kazakhstan, Kirghizstan, Tadzhikistan, Turkmenistan and Uzbekistan; in Afghanistan, China, Iran and Russia, in addition to sixty million Turkish speakers within the boundaries of the present day Turkish Republic. Linguistic differences among these languages are surprisingly small.

2. The content and structure of these materials. These materials consist of a text and tape recordings. For reasons of convenience, the text has been prepared in two volumes, each one intended to correspond to one semester's work. There are twenty regular lessons and four review lessons in this volume. All regular lessons introduce new phonology (Lessons 1-17), vocabulary, and grammar followed by extensive drills. The structure of a typical regular lesson is as follows:

I. Dialogue. Brief explanation of the situation in English, translation of each sentence, explanation of vocabulary (All lessons)

II. New words. Groups of vocabulary related to those which occur in the dialogue (All lessons)

III. Pronunciation. Dialogues in phonemic transcription (Lessons 1-23). Phonological points which cause learning problems, morphophonemic rules, drills on the points presented (Lessons 1-17),
Spelling. Introduction of the spelling system, differences between phonemic transcription and regular orthography (Lesson 11, also Review Lesson 12),

<u>Various meanings of suffixes, words, and word groups.</u> Illustrations of various meanings of forms which were presented before and their correspondence to English (Lesson 19 through end of Second Volume)

<u>IV. Grammar.</u> Illustration of grammar points, brief notes where absolutely necessary, substitution, transformation, and dialogue drills (All Lessons)

<u>V. Questions</u> (also Dictation, Reading, or Translation). Intended for review and homework, some include new lexical items whose meanings can be guessed easily by the student (All lessons)

Phonological and grammatical structures of Turkish with about 2000 vocabulary items are presented in these regular lessons.

Every sixth lesson is devoted to systematic review. These lessons do not include any new materials. But content words which present no special learning problem have been used in the review lessons of the second volume. The games described at the end of each review lesson are meant for optional use. They may be most beneficial in the more intensive teaching situations.

A separate glossary is given at the end of each volume. Assuming that the learner will use the glossary mainly for the purpose of looking up a word for which he cannot remember the Turkish equivalent, entries have been made from English to Turkish. Certain Turkish expressions which do not have one-word English translations have been entered in Turkish in a separate list. Suffixes as well as person and place names have also been listed separately. No Turkish-English glossary is given at the end of the book because students are encouraged to make their own word lists as they go along.

An important feature of this book is the use of special phonemic transcription. The orthographic system of Turkish was designed in 1928 on phonemic principles. It is a near perfect representation of segmental phonemes. That is, each vowel or consonant sound is represented essentially by one letter in the alphabet. However, it leaves out, just as other orthographic systems do, the representation of stress, pitch, and juncture. Therefore, either full phonemic transcription or just marks for stress and terminal junctures have been used in Lessons 1-12 as an aid to spoken reproduction. Phonemic transcription has also been provided wherever regular ortography fails to represent correct pronunciation. (See pp. 3-4 for the list of special phonemic symbols used in this book.)

3. How to use these materials.

A. General comments

FOR THE TEACHER

(1) Your enthusiasm, imagination, and ingenuity will bring life to the use of these materials in the classroom.

(2) Do everything possible to create a warm atmosphere in which there is a real rapport between you and each individual in class.

(3) Let the students do the talking for the most part. You will simply provide the model and guidance.

(4) Create opportunities for the students to use their Turkish in free conversation.

(5) Always give an adequate number of illustrations for what you want the students to do.

(6) Correct mistakes, but don't let your corrections cause discouragement.

(7) Use English only to save time in teaching vocabulary, explaining the situation for a dialogue, and clarifying a grammatical or cultural point. Set aside some time to answer the students' questions in English.

(8) Go over the drills which cause special difficulty until the students are able to do them satisfactorily.

(9) Teach extra vocabulary required by the students' communicative needs only.

(10) Use all the necessary classroom expressions in conducting the class: 'Çok güzel, Bir daha söyleyin,' etc. Avoid using such expressions when they might break the continuity of a drill or dialogue. Instead, use a set of gestural signals.

(11) Have each student make flash cards of all new vocabulary which then should be arranged alphabetically to produce in cumulative fashion his own Turkish-English dictionary.

(12) Change the type of activity temporarily as soon as you notice that the students' attention begins to diminish. Drills which require a lot of repetion may easily become boring. Use your judgement as to when to stop. Always avoid the waste of time caused by monotony.

(13) Use your voice, gestures, and facial expressions in as many ways as possible to stimulate interest. Sometimes, a few seconds of silence can bring a dull drill session alive.

(14) Move around in the classroom, but the students should be able to see and hear you at all times.

(15) Call the students by their names if pointing to them might cause confusion.

(16) Follow a scrambled order in calling on the students.

(17) Check to see that the students understand what they say.

(18) Write very little on the board before Lesson 11 and, when you do, use phonemic transcription.

(19) Review frequently and systematically.

(20) Give a major test after each review lesson in the book. Also give frequent unannounced quizzes.

FOR THE STUDENT

(1) Don't be afraid of making mistakes. It is impossible to learn a language without making them and being corrected.

(2) Use what you learn as soon as you have a chance. Language is not meaningful unless you use it as a tool in real communication.

(3) Don't let any interruption break the continuity of your involvement with the Turkish language. Missing a language class, for instance, causes more damage than missing one in other subjects.

(4) Retain what you learn. Review old lessons frequently. Make your own flash cards using words in context. Spend at least half an hour for review before each class.

(5) Imitate your teacher's speech and gestures as well as you can.

(6) Use English only in asking for clarifications during the time set aside for this purpose.

(7) You should know the meaning of what you are saying at all times except for some words included in the pronunciation drills.

(8) Keep this book closed in class unless your teacher instructs otherwise, as, for instance, while doing transformation or reading drills.

(9) Always speak loudly and clearly.

(10) Participate in choral repetition fully. This helps develop mechanical skills and prepares you for subsequent individual production.

(11) You will sound funny to yourself when you attempt to make an exact imitation of a native speaker. This is a good sign. In fact, your pronunciation is usually wrong when you think you sound perfect. Therefore, don't feel frustrated when there is repeated correction. Be patient and cooperative.

(12) After Lesson 11, take notes in class as your teacher explains the vocabulary and grammar. You will need them for review outside the classroom.

(13) You should be able to recognize phonemic transcription. You will never be asked to write it.

(14) Don't ask too many questions about the grammar. Each grammar drill is designed to illustrate a point. With the added clarification of the grammar notes,

an intelligent student can easily figure out the structure being presented at the time. Use a reference grammar if you believe extensive grammar explanations will help. (15) Refer to these instructions occasionally.

B. Instructions for each lesson
  Roughly four hours of class time should be devoted to each lesson in this book: One hour for the dialogue, one hour for vocabulary and pronunciation, and two hours for grammar. The student should spend an equal amount of time outside of class for review and laboratory work. Here are instructions for each section of the regular lessons:

While the teacher does this ... ... the student does this:

I. KONUŞMA (Dialogue)
(Dialogues represent cultural settings in which the student is expected to perform both linguistically and non-linguistically in order to communicate. They are not intended for reading or just repeating.)

(1) Just as in the book, set the scene by giving a brief summary of the dialogue in English and by drawing a simple picture on the board representing the situation. (This should not take more than a few seconds.)

(1) Listen and watch.

(2) Perform the act twice speaking at normal speed and using appropriate gestural expressions. Point to the picture, change your voice, or move around to indicate which part you are playing. (Memorize the dialogue beforehand, but have it written on a small piece of paper in case you might need a reminder.)

(2) Listen and watch trying to concentrate your attention on such general features as intonation and gestures.

(3) Break each sentence into smaller sentences by building up from the end. For instance, the sentence ' ^{32}Bu ders-> ^{31}çok kolay.\' will yield the following build-ups:

(3) Repeat. You may have persistent problems in producing certain vowels and consonants, but don't let this distort the intonation or slow down your speed.

X

^{2}Ko$\underline{31}$lay.\
^{31}Çok kolay.\
^{32}Ders-> ^{31}çok kolay.\
^{32}Bu ders-> ^{31}çok kolay.\

As you expand each sentence this way,
ask the students to repeat after you
chorally and individually until they
are able to produce acceptable pronun-
ciation. If a part has more than one
sentence, begin with the first one.
Maintain the normal speed and the same
intonation pattern. Don't expect all
students to pronounce every sound per-
fectly. Have them repeat problem
utterances several times. Pass on to
the next utterance and return to the
problem later. Insist on normal speed
and correct intonation.

(4) Explain the meaning of vocabulary
and whole sentences by pointing to ob-
jects, acting out, using them in famil-
iar linguistic contexts, or giving short
English translations (as in the book).
Give the students a chance to guess and
enjoy the fun of discovery. Explana-
tion of meaning is done orally by using
build-ups. Ask the question '... ne
demek?' frequently to make sure that
the meaning is understood correctly.

(5) Perform each part again with
build-ups wherever necessary. Have the
students repeat after you chorally.
Assigning roles to large groups, small
groups, and finally individuals, have
the dialogue repeated several more times
until the whole dialogue is memorized
almost automatically.

(4) Be an active participant in this
guessing game. Indicate clearly
whether you understand the message or
not. Your reaction is the most valu-
able aid to guide the teacher as to
how much time should be spent in
teaching the meaning of each form.
(Use your book to review meanings at
home.)

(5) Repeat after the teacher, paying
more attention to individual sounds
as well as speed and intonation. Be
sure that you remember the meaning
of what you are saying.

(6) Assign roles to individual students asking them to perform before the class.

(6) Act out the dialogue without fear of making mistakes. Your friends will whisper help if you need it.

With additional work in the language laboratory and at home, each dialogue should be learned thoroughly and well-rehearsed for the following day's performance. Here are the steps for <u>dialogue review</u>:

(1) Draw simple picture representing the situation in the preceding dialogue.

(1) Bring the situation before your eyes. The picture on the board will help you.

(2) Perform the preceding dialogue.

(2) Listen and watch.

(3) Say each part and ask the students to repeat chorally after you. Also check the meaning of each sentence by asking individual students to give a quick translation.

(3) Listen to the teacher carefully and repeat after him reproducing each part as precisely as you can.

(4) Assign roles to students and ask them to perform the preceding dialogue. (After Lesson 11, assign small sections of the dialogue to different students or let them glance at the written text occasionally without losing fluency.)

(4) Perform just as your teacher did. If you have not been called on yet, listen, watch, and be ready for your turn. (After Lesson 11, you can use the written text as a reminder. Have it copied on a small piece of paper to glance at while performing.)

II. YENİ SÖZCÜKLER (New words)
Words presented in this section are closely associated with each other as well as with those which have occurred earlier. Therefore, they are easy to learn. These words are used in subsequent grammar drills of the same lesson. The teacher should make sure that the students pronounce them correctly.

III. SÖYLEYİŞ (Pronunciation)
(The purpose of these drills is to help the students acquire skill in producing the Turkish sounds and sound patterns. Therefore, meanings of words are not important. Some drills include words which have not occurred in lessons preceding them. Don't attempt to translate these words. With very few exceptions, they will all be presented in later lessons.)

a. <u>Dinleme ve tekrar alıştırmaları</u> (Listening and repetition drills)

(1) Read each word with (2)31\ intonation pattern and normal speed in columns, rows, or small groups, as given in the book.

(1) Listen and watch your teacher's visible articulatory movements: rounding of the lips, opening of the mouth, use of upper teeth, etc. (Books closed.)

(2) Read each word again and ask the students to repeat after you chorally and then individually. Correct mistakes by additional repetitions, brief verbal explanations of articulation, and diagrams showing the position of speech organs.

(2) Imitate your teacher as closely as you can. When your production is correct, repeat it several times and try to retain it.

b. <u>Dinleme, tekrar ve karşılaştırma alıştırmaları</u> (Listening, repetition, and contrast drills)

(1) Read the first word of each pair. (Minimal pairs selected for drills in this book illustrate contrasts which cause problems in discrimination and production for speakers of English.)

(1) Listen and watch.

(2) Read them again and ask the students to repeat chorally and individually.

(2) Repeat.

(3) Read the second word of each pair.

(3) Listen and watch.

(4) Read them again and ask the students to repeat chorally and individually

(4) Repeat.

(5) Read each pair with (2)31\ _ (2)31\ intonation pattern.

(5) Listen and watch for the contrast.

(6) Read the pairs again and ask the students to repeat chorally and individually.

(6) Repeat the pair producing the contrast.

(7) Write symbols for sounds which are contrasted (e.g. u - ü) on the opposite ends of the board. Say words of each pair at random and ask the students individually to point to the appropriate symbol.

(7) Point to the appropriate symbol immediately.

(8) Read one word of a pair and ask the students individually to produce the contrasting word.

(8) Say each word clearly. Production of non-comittal, blurred in-between sounds will not do.

c. Ekleme alıştırmaları (Addition drills)
(These drills are designed to demonstrate and teach phonological alternations caused by suffixation.)

(1) Read each word, first without the suffix, and then with the suffix added as given in the frame.
(2) Read the same words again and have the students repeat after you chorally and individually.
(3) Give the words which are listed below the frame. Ask the students individually to produce the suffixed form.

(1) Listen carefully and notice all vowel, consonant, and stress changes. Look at the examples in your book.
(2) Repeat. You can still look at your book.

(3) Say the suffixed form as a whole. Don't pause before the suffix. (Books closed.)

ç. Tanıma alıştırmaları (Recognition drills)

(1) Explain which sound is to be recognized.
(2) Read each word. Ask the students to raise their hands when they hear the sound they are listening for.

(1) Listen to the instructions or read them in the book.
(2) Listen and raise your hand as soon as you recognize the sound you are listening for.

d. Karşılaştırma alıştırmaları (Contrast drills)
Do as 'b' above. Steps (5), (6), (7), and (8) only.

EK, SÖZCÜK VE SÖZCÜK GRUPLARININ ÇEŞİTLİ ANLAMLARI (Various meanings of suffixes, words, and word groups) These drills replace pronunciation drills under Section III after Lesson 17. If necessary, the teacher may use some sentences given in this section for substitution drills.

IV. DİLBİLGİSİ (Grammar)

a. Değiştirme alıştırmaları (Substitution drills)

(These drills involve substitution of one word by another in a given sentence. Positions for substitution are underlined. Sometimes, words are replaced in more than one position, in which case the substitution is always made in the immediately preceding sentence.)

(1) Read the sentence given in the frame.

(2) Read it again and have the students repeat after you chorally and individually. Use build-ups if necessary.

(3) Ask a student for a quick translation of the frame sentence.

(4) Illustrate the drill by doing the first few substitutions. (This is not needed in later lessons.)

(5) Say the whole sentence, give the cue (word to be substituted) and have the students make the replacement chorally and individually. (In sentences with two substitution slots, give the unstressed cues by whispering, thus setting them apart from the stressed cues. Failure to make this distinction may cause confusion in some drills.)

(6) Repeat the sentence with correct substitution for confirmation. (This step is not needed in later lessons.)

(1) Listen.

(2) Repeat. Your production should be automatic at this point.

(3) Be sure that you understand the meaning of the frame sentence.

(4) Listen. Ask for clarification if you do not understand how this drill is to be done.

(5) Repeat the sentence replacing the word in a given slot by the cue. In sentences with two substitution slots, semantic and grammatical evidence will guide you to place the cue in the correct slot.

(6) Repeat after your teacher for the correction or confirmation of what you said.

b. Çevirme alıştırmaları (Transformation drills)

(These drills are designed to teach syntactic structures and their interrelations. It is recommended that the students listen to them from tapes before coming to class. There are two types of transformation drills:

(1) Frames include sentences one of which has an underlined word. These frames are followed by a list of cues such as (+), (-), (+?), (-?), or a word for substitution indicating the type of transformation to be done. (2) The first sentence is transformed into a second (sometimes, into a third or fourth) sentence, all given in the same frame. Sentences which are listed below the frame are to be transformed just as in the

illustration. Both the teacher and students should keep their books open to facilitate an orderly application of transformations in rapid tempo.)

(1) Read the sentences given in the frame.

(1) Listen. (Books open.)

(2) Read them again and have the students repeat after you chorally and individually.

(2) Repeat. Be sure that you understand the mechanics of formal changes and grammatical meaning represented by them.

(3) Illustrate the drill by doing the first few transformations.

(3) Listen and look at your book.

(4) Say the first sentence, give the cue (read the whole sentence for the second type), and ask the students to do the necessary transformation individually. Follow a regular order in calling on the students.

(4) Do the transformation required by the cue.

c. Konuşma alıştırmaları (Dialogue drills)
(These are minimal dialogues with underlined vocabulary items for substitution. Grammar and vocabulary presented earlier should be mastered thoroughly by the time dialogue drills are introduced. Therefore, students are expected to act them out with relative ease using all expressional devices they have learned. Books should be closed.)
(1) Do all the substitution in sentences where words are underlined.
(2) Assign roles and proceed as in the basic dialogues. The teacher will supply the cues.

V. SORULAR - CEVAPLAR (Questions - Answers), YAZI - ÇEVİRİ) (Dictation - Translation), OKUMA - ÇEVİRİ (Reading - Translation) and other combinations of these activities are intended for assignment as homework. Dictation should be done in the classroom with the teacher repeating continuously at normal speed either whole sentences or phrases.

4. Recorded materials. Tapes[1] which accompany this book include all dialogues, new words, pronunciation, vocabulary, and transformation drills with space provided for the appropriate student response. Use these recordings to review work done in class.

[1]All inquiries should be directed to the Language Center, School of Arts and Sciences, Boğaziçi University, 80815 Bebek, İstanbul, TURKEY.

SYMBOLS AND ABBREVIATIONS

adj	:	adjective	X	:	semantic opposites
adv	:	adverb	=	:	same as
C	:	consonant	Ø	:	nothing
Krş.	:	(Karşılaştırınız) Cf.	( )	:	placed around (1) an utter-
n	:	noun			ance needed for English,
pl	:	plural			but not expressed in Turkish,
s.	:	(sayfa) page, p., pp.			(2) an utterance needed for
sg	:	singular			Turkish, but not expressed
v	:	verb			in English,
V	:	vowel			(3) alternative meanings or
V:	:	long vowel			expressions
vs.	:	(ve saire) etc.	' '	:	literal meaning, quotations
. (with no space before and after) :			/ /	:	placed around phonemic
		syllable boundary			transcription in vocabulary
					lists only
'	:	separates proper nouns from	(+)	:	affirmative
		certain suffixes in conven-	(-)	:	negative
		tional Turkish spelling	(+?)	:	affirmative question
- (with no space before or after) :			(-?)	:	negative question
		marks suffix boundaries			
		(okul-lar-da), infinitives			
		(konuş-), suffixes (-de)			

(See pp. 3 - 4 for symbols used in phonemic transcription.)

CONTENTS

(This table includes only the phonological, grammatical, and orthographic points presented in each lesson.)

v

Deletion of personal suffixes in ...-ir/ ...ir conjunction

Sound sequences difficult to pronounce
-im, -imiz, -in, -iniz, -si(n-) / possessive suffixes
-l'er + -si(n-) = -l'er-i / third person plural possession
-nin / genitive suffix

Possessive construction
Possessive suffixes + -de, -ye, -den, or -yi

Shift of sentence stress causing change of meaning

-ci / professional suffix

Nouns or personal pronouns + -nin as predicate

biz-im or siz-in + noun

Numerals + possessive suffixes

-yl'e / by (means of), with, and
Possessive construction + var or yok / have, have not

Possessive compounds

Possessive compounds + possessive suffixes

Possessive constructions with three or more nouns

-ydi / was

-ymiş / is (reportedly), was (reportedly)

Echo questions with mi

-ydi and -ymiş after participles

Echo questions : Question-word questions + mi

Shift of sentence stress causing change of meaning (continued)

BİRİNCİ DERS

I. KONUŞMA

(Bir sabah Gönül, okul arkadaşlarından Uğur'la yolda karşılaşıyor. Konuşmağa başlıyoı lar./
Gönül runs into her schoolmate Uğur on the street one morning. They begin to talk.)

Gönül: Merhaba, Uğur. Günaydın.

>Hello, Uğur. Good morning.

| merhaba | hello |
| gün-aydın | good morning |

Uğur : Günaydın. Nasılsınız?

>Good morning. How are you?

| nasıl | how, what kind |
| nasıl-sınız | how are you |

Gönül: İyiyim, teşekkür ederim. <u>Siz</u> nasılsınız?

>I'm fine, thank you. How are <u>you</u>?

iyi	fine, well, good
iyi-yim	I'm fine
teşekkür et-	(to) thank
teşekkür ed-er-im	(I) thank you
siz	you

Uğur : Ben de iyiyim.

>I'm fine, too.

| ben | I |
| ... de | too, also |

Gönül: Oğuz nasıl?

>How's Oğuz?

| Oğuz | a man's name |

Uğur : Hangi Oğuz? Oğuz Öztürk mü?

> Oğuz who? (Which Oğuz?) Oğuz Öztürk?

> hangi   which
> Öz-türk   a family name

Gönül: Evet.

> Yes.

Uğur : İyi.

> (He's) fine.

II. YENİ SÖZCÜKLER

Erkek isimleri / men's names : Çetin, Ömer, Turgut, Kaya

Kadın isimleri / women's names : Fatma, İnci, Sevim, Pınar, Jale / Ja:l'e /

İsimler ve soyadları / names and surnames : K'emal' Atatürk', İsmet İnönü, Cemal' G'ürsel', Sül'eyman Demirel', Burhan Fel'ek', Osman Böl'ük'başı

Öğretmenlerinizin isimlerini öğrenin. / Learn your teachers' names.

III. SÖYLEYİŞ

(1) Konuşma

Gönül   : 32Merhaba,-> 2U21ur .\ 2G'ünay31dın.\

Uğur   : 2G'ünay21dın\. 32Nasısınız?/

Gönül   : 2İ22yiyim,->2teşek'31k'ür ederim.\ 32Siz nasısınız?/

Uğur   : 31Ben de iyiyim.\

Gönül   : 2O32uz nasıl'?/

Uğur   : 31Hang'i Ouz? 2Ouz Öz31türk' mü?\

Gönül   : 31Evet.\

Uğur   : 2İ31yi.\

(2) symbols used to represent pronunciation

i	iyiyim, siz, hang'i, iyí
e	merhaba, teşek'k'ür ederim, ben de, evet
ü	G'önül', g'ünaydın, teşek'k'ür, Öztürk'
ö	G'önül', Öztürk'
ı	g'ünaydın, nasısınız, nasıl
a	merhaba, g'ünaydın, nasısınız, hang'i
u	Uur, Ouz, Turgut
o	Ouz, Osman
p	Pınar
b	merhaba, ben
t	teşek'k'ür, Öztürk', evet
d	g'ünaydın, ben de
k	teşek'k'ür, Öztürk'
g	G'önül', g'ünaydın, hang'i
k	Kaya
g	Turgut
ç	Çetin
c	İnci, Cemal'
f	Fatma
v	evet, Sevim
s	nasısınız, siz
z	nasısınız, siz, Ouz
ş	teşek'k'ür
j	Ja:l'e
h	merhaba, hang'i, Burhan
m	merhaba, iyiyim, Fatma
n	g'ünaydın, nasısınız, ben
r	merhaba, Uur, teşek'k'ür, Öztürk', Turgut
l'	G'önül', Ja:l'e, K'emal', Cemal', Sül'eyman
l	nasıl
y	g'ünaydın, iyiyim, Kaya
:	vowel length : Ja:l'e
	stress
1	low pitch
2	medium pitch
3	high pitch

4 _____

3 _____

2 _____/_____

1 _____

32Mérhaba, -> 2U21úr.\ 2G'ünay 31dın. \

4

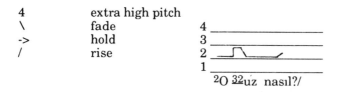

4	extra high pitch
\	fade
->	hold
/	rise

^{2}O ^{32}uz nasıl?/

__   no word boundary   (e.g. ^{2}G'ünay^{31}dın.\)

(2) Short vowels- Dinleme ve tekrar alıştırması

i	e	ü	ö	ı	a	u	o
in	en	ün	ön	kın	an	sun	on
din	ben	dün	bön	kış	aç	uç	son
bin	sen	yün	sön	dış	aş	suç	koç
iç	seç	üç	yön	kıs	as	kum	ol
hiç	eş	tüm	dön	çık	ak	mum	yol
diş	beş	üs	öç	yık	ay	sus	boş
fiş	em	süs	döş	kıl	kal	kuş	çok
çim	bey	düş	öf	yıl	ham	pul	soy
beni	dişe	önü	-	ayı	aya	onu	-
seni	beye	yünü		salı	kuşa	yolu	
dişi	öne	süsü		kışı	kışa	mumu	
beyi	süse	ünü		dışı	ona	suçu	
beşi	düne	yönü		yılı	yola	soyu	
eni	dine	üçü		aşı	pula	kuşu	
ben mi	diş te	dün mü	-	kıştı	kış ta	o mu	-
diş mi	bey de	üç mü		hamdı	ay da	bu mu	
dişti	ben de	dündü		aç mı	yol da	sondu	
beydi	üç te	ön mü		kış mı	onla	boştu	
bey mi	dün de	üçtü		kıldı	mumla	suçtu	
beşti	ön de	süs mü		ay mı	kuş ta	on mu	

IV. DİLBİLGİSİ

Single substantive as minimal sentence

(1) Konuşma alıştırmaları

a.
| - Merhaba, ->Uğur.\ | -Hello, Uğur.
| - Merhaba. \ | -Hello.

/ Gönül / Oğuz / Ömer / Çetin / Cemal / Kaya / Fatma / İnci / Sevim / Pınar / Jale /

/ Kemal / Turgut / Osman / Burhan /

b.

| - Günaydın, -> <u>Uğur</u>. \   -Good morning, Uğur.
| -Günaydın. \   -Good morning.

(a) için verilen sözcüklerle.

c.

| -<u>Oğuz</u> nasıl?/   -How is Oğuz?
| -İyi. \   -(He's) fine.

(a) için verilen sözcüklerle.

ç.

| -Nasılsınız? /   -How are you?
| -İyiyim, -> teşekkür ederim. \ Siz nasılsınız? /   -I'm fine, thank you. How are you?
| - Ben de iyiyim. \   -I'm fine, too.

d.

| -<u>Oğuz</u> nasıl? /   -How is Oğuz?
| -Hangi Oğuz? \ Oğuz Öztürk mü? \   -Which Oğuz? Oğuz Öztürk?
| - Evet. \   -Yes.
| -İyi. \   -(He's) fine.

(a) için verilen sözcüklerle.

İKİNCİ DERS

I. KONUŞMA

(Gönül'le Uğur konuşmağa devam ediyorlar. Uğur'un Oğuz ismindeki öbür arkadaşından ve okuldaki yabancı öğrencilerden bahsediyorlar. Gönül dersine gidiyor. / Gönül and Uğur go on talking. They speak about Uğur's other friend named Oğuz and the foreign students in school. Gönül goes to her class.)

Gönül : Öbür Oğuz kim?

> Who is the other Oğuz ?

öbür	the other
kim	who

Uğur : Yeni bir arkadaş. Çok iyi İngilizce konuşuyor.

> He's a new student (friend). He speaks English very well.

yeni	new
bir / bir, bi /	a
arkadaş	friend, schoolmate
İngiliz-ce	English (language)
konuş-	(to) speak, talk
konuş-uyor	he speaks

Gönül : Hep yabancı öğrencilerle geziyor. O çocuk mu?

> Is he the boy who always goes around with the foreign students?
> (He always goes around with the foreign students. Is he that boy?)

hep	always
yabancı	foreign
öğrenci	student
öğrenci-ler	students
öğrenci-ler-le	with students
gez-	(to) go around, walk about
gez-iyor	he goes around
o	that
çocuk	boy

Uğur : Evet. Bu sene okulda çok yabancı öğrenci var. İngilizler, Amerikalılar, Ruslar, Araplar, Fransızlar, Almanlar...

Yes. There're many foreign students in school this year. Englishmen, Americans, Russians, Arabs, Frenchmen, Germans...

sene	year
okul	school
okul-da	in school
çok	there is (are)
İngiliz	Englishman, English
Amerika	America, the United States
Amerika-lı	American (person)
Amerika-lı-lar	Americans
Rus	Russian
Rus-lar	Russians
Arap	Arab
Arap-lar	Arabs
Fransız	Frenchman, French
Fransız-lar	Frenchmen
Alman	German
Alman-lar	Germans

Gönül : Uğur, saat kaç ?

Uğur, what time is it ?

| saat | hour |
| kaç | what, how much (many) |

Uğur : Dokuz.

Nine.

Gönül : Dokuz mu? Aman, derse geç kalıyorum. Şimdilik allahaısmarladık.

Nine? Oh no, I'm going to be late for class. Goodbye now.

aman	oh no, good heavens
ders	class
ders-e	for (to) class
geç	late
geç kal-	(to) be late
geç kal- ıyor-um	I'm going to be late
şimdilik	for now
allah-a ısmarla-dı-k	goodbye (said by person leaving)

Uğur : Güle güle.

Goodbye (said by person staying).

II. YENİ SÖZCÜKLER

Sayılar / numbers : bir 1, iki 2, üç 3, dört 4, beş 5, altı 6, yedi 7, sekiz 8, dokuz 9, on 10, on bir 11, on iki 12

Türk : Turk, Turkish

III. SÖYLEYİŞ

(1) Konuşma

Gönül : 2Ö32bür Ouz k'im?/

Uğur : 2Ye31ni´ bir arkadaş.\ 32Çok iyi-> 2İng'i31l'izce konuşuyor.\

Gönül : 32Hep->2 yaban31cı´ ö:rencil'erl'e g'eziyor.\ 31O´ çocuk mu ?\

Uğur : 31E´vet.\ 22 Bu´ sene-> 2okulda 31çok yabancı ö:renci var.\ 32İng'il'izl'er, -> 2Ame32rikalılar,-> 2Rus32lar,-> 2Arap32lar,-> 32Fransızlar,-> 2Alman32lar..->

Gönül : 2U22ur,-> 2saat 33kaç´ ?/

Uğur : 2Do31kuz.\

Gönül : 2Do42kuz mu ?/ 2A32man, -> 2derse 31g'eç kalıyorum.\ 22 Şindil'ik'-> 2al31la:smaladık.\

Uğur : 2G'ü31l'e´ g'ül'e.\

(2) ü, ö, ı - Dinleme, tekrar ve karşılaştırma alıştırmaları

u - ü		o - ö		u - ı		ü - ö	
un	ün	on	ön	kuş	kış	ün	ön
uç	üç	of	öf	duş	dış	üç	öç
sus	süs	son	sön	kul	kıl	yün	yön
duş	düş	don	dön	kus	kıs	düş	döş

(3) Stress shift and e - a harmony - Ekleme alıştırmaları

a.

		-l'er		-lar
i	diş	diş-l'er	ı kış	kış-lar
	isim	isim-l'er	balık	balık-lar
e	bey	bey-l'er	a ay	ay-lar
	bil'et	bil'et-l'er	Alman	Alman-lar
ü	üç	üç-l'er	u kum	kum-lar
	üzüm	üzüm-l'er	çocuk	çocuk-lar
ö	yön	yön-l'er	o yol	yol-lar
	rek'tör	rek'tör-l'er	doktor	doktor-lar

/ okul / yön / ay / kum / bil'et / üzüm / Arap / bey / doktor / Rus / isim /

/ kış / diş / ö:renci / balık / çocuk / rek'tör / ders / yol / arkadaş / üç /

/ Alman / Türk' / kuş /

b.

		-l'er		-lar
i	İng'il'iz	İng'il'iz-l'er	ı Amerikalı	Amerikalı-lar
e	müze	müze-l'er	a masa	masa-lar
ü	pardesü	pardesü-l'er	u Samsunlu	Samsunlu-lar
ö	-	-	o radyo	radyo-lar

/ banka / taksi / pardesü / patates / karınca / teyze / sinema / çikolata /

/ İng'il'iz / numara / piyano / efendi / İstanbullu / l'ise / sigara / metre /

/ póstacı / áyna / isk'éml'e / péncere / mása / rádyo / Amerikalı / müze /

/ l'okánta /

c . -l'ér , -lár , -l'er veya -lar ekleyin :

/ Fránsız / ö:rencí / çocúk / Sámsunlu / Amerikalı / arkadáş / péncere /

/ üzüm / doktór / sigára / táksi / Almán / isk'éml'e / bil'ét / numára / isím /

/ sinéma / póstacı / İng'il'iz / balık / Aráp / métre / okúl / rek'tör / eféndi /

IV. DİLBİLGİSİ

-lér / plural suffix

Simple modification of singular and plural nouns

Adjective(s) + (bir +) noun

Numeral + noun ·

bú or ó + singular or plural nouns

Indefinite article bir and numeral bír

vár / there is, there are

Singular and plural nouns as subject

(1) Değiştirme alıştırmaları

a.

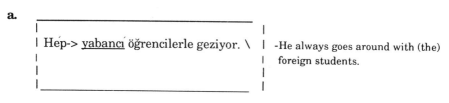

| Hép-> yabancı öğrencilerle geziyor. \ | -He always goes around with (the) foreign students.

/ yeni / o / İngiliz / Amerikalı / Türk / öbür / Rus / Arap / bu / Fransız /

/ öbür yabancı / o Amerikalı / yeni Türk / Alman /

b.

| Oğuz İngilizce konuşuyor. \ | Oğuz speaks English.

/ Gönül / o arkadaş / Amerikalılar / Oğuz Öztürk / öğrenciler / öbür

arkadaşlar / o çocuk / yabancı öğrenciler / arkadaşlar / bu öğrenciler /

/ çocuklar / Pınar / öbür Oğuz / yeni arkadaş /

(2) Çevirme alıştırmaları

a.

| Yeni bir arkadaş var. \ | There's a new student (friend)

| Yeni arkadaşlar var. \ | There're new students (friends)

/ öğrenci / çocuk / ders / okul / Amerikalı / yabancı öğrenci / Amerikalı

arkadaş / arkadaş /

b.

| Bir öğrenci var. \ | There's a student.

| Bir öğrenci var. \ | There's one student.

/ okul / çocuk / Amerikalı / yabancı arkadaş / Amerikalı öğrenci / arkadaş /

/ Türk arkadaş / ders / Fransız öğrenci / öğrenci /

c.

| Okulda çok öğrenci var. \ | There're many students in school.

| Okulda öğrenciler var. \ | There're (some) students in school.

/ on Amerikalı / sekiz Fransız / dört Rus öğrenci / iki İngiliz / çok Alman /

/ üç öğrenci / on bir yabancı öğrenci / sekiz yeni arkadaş / çok Arap öğrenci /

(3) Konuşma alıştırmaları

a.

- Öbür <u>Oğuz</u> kim? /
- Yeni bir arkadaş. \

-Who is the other Oğuz?
-He's a new student (friend).

/ Turgut / Fatma / öğrenci / Jale / çocuk / Amerikalı / Kaya / Uğur /

/ yabancı öğrenci / Çetin / İnci / Ömer / Alman çocuk / İngiliz öğrenci /

b.1.

- Allahaısmarladık. \
- Güle güle. \

-Goodbye.
-Goodbye.

b.2.

- Şimdilik -> allahaısmarladık. \
- Güle güle. \

-Goodbye now.
-Goodbye.

b.3.

- Şimdilik -> allahaısmarladık, -> Uğur. \
- Güle güle. \

-Goodbye now, Uğur.
-Goodbye.

/ Ömer / Sevim / Oğuz / Gönül / İnci / Fatma / Turgut / Kaya / Pınar /

/ Çetin / Jale /

c.

```
-------------------------------
|                             |
|  - Uğur, -> saat kaç? /      |        -Uğur, what time is it?
|  - Dokuz. \                  |        -Nine.
|                             |
-------------------------------
```

/ Kaya / dört / yedi / Jale / on iki / bir / Fatma / Gönül / üç / sekiz /

/ on bir / Pınar / beş / on / Turgut / altı / iki /

ç.

```
-------------------------------
|                             |
|  - Oğuz nasıl bir öğrenci ? / |      -What kind of a student is Oğuz?
|  - İyi bir öğrenci. \          |      -He's a good student.
|                             |
-------------------------------
```

/ Gönül / Pınar / Uğur / Jale / İnci / Turgut / Kaya / Fatma / Çetin /

/ Oğuz Öztürk / o çocuk / öbür Oğuz / o Amerikalı arkadaş /

ÜÇÜNCÜ DERS

I. KONUŞMA

(Oğuz Kathy'yi okul idarecilerinden Ömer Bey'in odasına götürüyor. Kathy Türkçe derslerine devam etmek istiyor. / Oğuz takes Kathy to the office of Ömer Bey, one of the school administrators. Kathy wants to attend the Turkish classes.)

Oğuz : Günaydın, efendim.

   Good morning, sir.

   efendim   sir, ma'am (my master)

Ömer : Günaydın. Buyurun, oturun.
Bey

   Good morning. Please, sit down.

   Bey   Mr., gentleman (used after first names)
   buyrun   please (come in and make yourselves comfortable)
   otur-   (to) sit (down)
   otur-un   sit down

Oğuz : Efendim, bu arkadaş Türkçe öğrenmek istiyor.

   Sir, this friend wants to learn Turkish.

   bu   this
   Türk-çe   Turkish (language)
   öğren-   (to) learn
   öğren-mek   to learn
   iste-   (to) want
   isti-yor   she wants

Ö.B. : İngiliz mi ?

   Is she English ?

Oğuz : Hayır efendim, İngiliz değil. Amerikalı.

   No, sir. She's not English. She's American.

   hayır   no
   değil   not

Ö.B. : Hiç Türkçe bilmiyor mu ?

Doesn't she know any Turkish at all ?

hiç	at all
bil-	(to) know
bil-me-	not (to) know
bil-mi-yor	she doesn't know
bil-mi-yor mu	doesn't she know

Oğuz : Biliyor, ama çok değil.

She does (knows), but not much.

ama	but
çok	much

Ö.B. : Biraz konuşalım.

Let's talk (speak) a little.

az	little
bir-az	a little
konuş-alım	let's talk (speak)

II. YENİ SÖZCÜKLER

Diller / languages : Fransız-ca, Alman-ca, Arap-ça, Rus-ça

III. SÖYLEYİŞ

(1) Konuşma

Oğuz : 2G'ünay32dın, -> 2e21fendim.\

Ö. B.: 2G'ünay31dın.\   31Buyrun,\ 2o31turun.\

Oğuz : 2 E22fendim,-> 32bu arkadaş-> 31Türk'çe ö:renmek' istiyor.\

Ö.B. : 31İng'il'iz mi ?\

Oğuz : 31Hayır efendim,-> 2İng'il'iz di31il'.\ 2Ame31rikalı.\

Ö.B. : 2Hiç Türk'çe 31biİ'miyor mu ?\

Oğuz : 2Bi31l'íyor,\ 2ama çok di31iİ'.\

Ö.B. : 2Biraz konuşa31lım.

(2) i - ü - ı - u harmony - Ekleme alıştırmaları

a.

mi		mü		mı		mu	
i	bír mi	ü	üç mü	ı	altí mı	u	bu' mu
e	beş mi	ö	dört mü	a	Arap mı	o	ón mu

/ G'önül' / ben / dokúz / Fatma' / Ja:l'e / çocuk / Türk' / Fransız / ö:rencí /

/ Amerikalı / K'emal' Atatürk' / Ouz / yeni' / yabancí / İsmet İnönü /

/ çok / g'éç / Rús / Sevím / Pınar /

b.

İng'il'íz. \	İng'il'iz-l'er. \	İng'il'iz-l'er mi? \
Türk'. \	Türk'-l'ér. \	Türk'-l'ér mi? \
Fránsız. \	Fránsız-lar. \	Fránsız-lar mı? \
Almán. \	Alman-lár. \	Alman-lár mı? \

/ Amerikalı / ö:rencí / çocuk / yabancı ö:rencí / arkadaş / ders / okuİ /

/ yeni ö:rencí / Arap / öbür ders / bu' arkadaş / Türk' / o' çocuk / öbür

Amerikalı /

Note : There are two types of suffixes : Those which have either **e** or **a** as their vowel and those which have **i , ü , ı**, or **u**. In this book, these suffixes will be referred to as **e- type** and **i- type** respectively for convenience in citing. So **-l'ér** is used to represent both **-l'ér** and **-lár**

(also unstressed **-l'er** and **-lar**, see p.9, (3)b) and **mi** represents the whole range of variation **mi** , **mü** , **mı** , and **mu** . Suffixes fall in two categories also with regard to their occurrence with stress. Some suffixes, for instance **mi** , are never stressed, whereas others like **-l'ér** may occur with or without stress. The latter type will be cited with a stress mark. If a word includes a sequence of several stressable suffixes or stressed syllables , the stress moves to the right to occur on the final stressable suffix (as in **Almán** - **Alman-lár**). The stress cannot move if an unstressable suffix or other unstressed syllables intervene (as in **Fránsız** - **Fránsız-lar**). (Ekleme alıştırmaları given above for **-l'ér** and **mi** illustrate these points.)

IV . DİLBİLGİSİ

mi / question suffix

Substantive predicate negation : değil

(+) (-) (+ ?) (- ?) forms of minimal sentence

Answers with evet and hayır

Plural subject with -ler + singular predicate

(1) Değiştirme alıştırmaları

a.

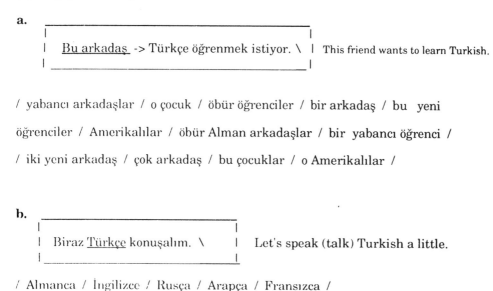

| Bu arkadaş -> Türkçe öğrenmek istiyor. \ | This friend wants to learn Turkish.

/ yabancı arkadaşlar / o çocuk / öbür öğrenciler / bir arkadaş / bu yeni

öğrenciler / Amerikalılar / öbür Alman arkadaşlar / bir yabancı öğrenci /

/ iki yeni arkadaş / çok arkadaş / bu çocuklar / o Amerikalılar /

b.

| Biraz Türkçe konuşalım. \ | Let's speak (talk) Turkish a little.

/ Almanca / İngilizce / Rusça / Arapça / Fransızca /

c.

| Uğur Almanca biliyor, \ ama Rusça bilmiyor. \ | Uğur knows German, but he doesn't know Russian . |

/ Turgut / Pınar / Fransızca / Ömer Bey / Oğuz / Sevim / Jale /

/ İngilizce / o arkadaşlar / Arapça / Fatma / Kaya /

(2) Çevirme alıştırmaları

a.

(+) Affirmative	(-) Negative	(+?) Affirmative question	(-?) Negative question
İyí. \	İyi değil. \	İyí mi? \	İyi değil mi ? \
He's well.	He isn't well.	Is he well?	Isn't he well ?

Note : As in the case above, no grammatical form is used to represent the idea of _be in the present and the third person singular subject. Further examples : Yení. (It's new.) Arkadáş. (He's a friend.). These minimal sentences are not used to begin a discourse. Also notice that the stress moves over to değil unless iyí needs to be emphasized for contrast.

/ Türk / +? / - / -? / + / yabancı / - / +? / + / -? / Amerikalı / - / + /

/ +? / Turgut / + / - / -? / öğrenci / +? / - / iyi / + /

b.

| O çocuk iyi. \ | That boy is good (well, fine). |

/ bu okul / - / -? / +? / dersler / - / + / -? / yeni öğrenciler / +? / + / - /

/ öbür okul / + / +? / -? / o çocuk / - / +? / + /

(3) Konuşma alıştırmaları

a.

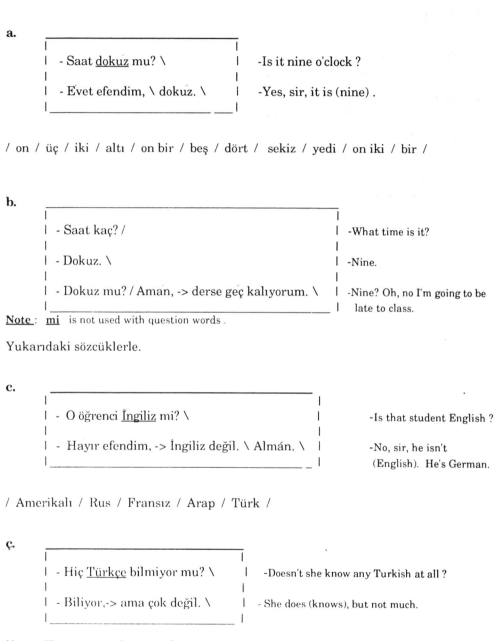

- Saat <u>dokuz</u> mu? \
- Évet efendim, \ dokuz. \

-Is it nine o'clock ?
-Yes, sir, it is (nine) .

/ on / üç / iki / altı / on bir / beş / dört / sekiz / yedi / on iki / bir /

b.

- Saat kaç? /
- Dokuz. \
- Dokuz mu? / Aman, -> derse geç kalıyorum. \

-What time is it?
-Nine.
-Nine? Oh, no I'm going to be late to class.

Note : **mi** is not used with question words .

Yukarıdaki sözcüklerle.

c.

- O öğrenci <u>İngiliz</u> mi? \
- Hayır efendim, -> İngiliz değil. \ Almán. \

-Is that student English ?
-No, sir, he isn't (English). He's German.

/ Amerikalı / Rus / Fransız / Arap / Türk /

ç.

- Hiç <u>Türkçe</u> bilmiyor mu? \
- Biliyor,-> ama çok değil. \

-Doesn't she know any Turkish at all ?
- She does (knows), but not much.

Note : The presence of **evet** or **hayır** is optional in answering **mi** - questions if the affirmative or negative idea is expressed elsewhere in the answer.

/ Rusça / Fransızca / Arapça / Almanca / İngilizce /

V. SORULAR - CEVAPLAR

1. - Buyurun, oturun.
   - Teşekkür ederim.

2. - Kathy İngiliz mi ?
   - Hayır, (İngiliz değil.) Amerikalı.

3. - Oğuz Amerikalı mı ?
   - Hayır, (Amerikalı değil.) Türk.

4. - Kathy Türk mü ?
   - Hayır, (Türk değil.) Amerikalı.

5. - Oğuz kim ?
   - Bir öğrenci.

DÖRDÜNCÜ DERS

I. KONUŞMA

(Ömer Bey Kathy'yle Türkçe konuşuyor ve dersler hakkında bilgi veriyor. / Ömer Bey speaks with Kathy in Turkish and gives her information about courses.)

Ö.B.　: Hoş geldiniz, kızım.

> Welcome, my dear (my daughter).

> | hoş gel-di-niz | welcome |
> |---|---|
> | kız | daughter, girl |
> | kız-ım | my daughter |

Kathy : Hoş bulduk, efendim.

> Glad to be here, sir.

Ö.B.　: Oo, güzel Türkçe konuşuyorsunuz. İsminiz ne ?

> Oh, you speak Turkish beautifully. What's your name ?

> | oo | oh (shows surprise) |
> |---|---|
> | güzel | beautiful, beatifully |
> | konuş-uyor-sunuz | you speak |
> | ism-iniz | your name |
> | ne | what |

Kathy : Kathy Williams, efendim.

> Kathy Williams, sir.

Ö.B.　: Affedersiniz, anlamadım. Bir daha söyler misiniz ?

> Excuse me, I didn't understand. Would (will) you say (it) again ?

> | aff-et- | (to) excuse, forgive |
> |---|---|
> | aff-ed-er-siniz | excuse me, (you'll forgive) |
> | anla- / anla, anna / | (to) understand |
> | anla-ma-dı-m | I didn't understand |
> | daha / daha , daa　/ | more |
> | bir daha | once more, again |
> | söyle- / söyl'e, sö:l'e　/ | (to) tell, say |
> | söyle-r mi-siniz | will (would) you say (tell) |

Kathy : Kathy Williams.

Ö.B.   : Haa, Keti Vilyams! Çok güzel. Şimdi gidin, Türkçe öğretmeni Sevim Hanım'ı görün. Dersler yarın sabah başlıyor.

> Oh, I see, / K'eti Vil'yams / ! Very nice. Now go (and) see Sevim Hanım, the Turkish teacher. Classes start tomorrow morning.

haa	oh, I see (realizing)
çok	very ·
güzel	nice, pretty
şimdi	now
git-	(to) go
gid-in	go ·
öğretmen	teacher, instructor
Türk-çe öğretmeni	Turkish teacher
Sevim	a woman's name
Hanım	Miss, Mrs., lady (used after first names)
gör-	(to) see
gör-ün	see
yarın	tomorrow
sabah	morning
başla-	(to) begin, start
başlı-yor	they begin (with plural subject : ders-ler)

Kathy : Saat kaçta, efendim ?

> At what time, sir ?

Ö.B.   : Sekizde, şu binada.

> At eight. In that building (over there).

şu	that(visible), that (over there) (speaker pointing to the object)
bina / bina: /	building
bina-da	in the building

II. YENİ SÖZCÜKLER

Şehir isimleri / City names :

Van, Kars, Diyarbakır

İzmir, Mersin, Samsun, Bursa, İzmit, Sivas, Tokat, Ankara

İstanbul, Adana, Edirne, Eskişehir, Gaziantep

III. SÖYLEYİŞ

(1) Konuşma

Ö.B. : 32Hoş g'el'diniz,-> 2kı21zım.\

Kathy : 32Hoş bulduk,-> 2e21fendim.\

Ö.B. : 32O:o , 2g'ü31zel' Türk'çe konuşuyorsunuz. \ 2İsmi32niz ne ?/

Kathy : 2Kathy 32Williams,-> 2e21fendim.\

Ö.B. : 31Afedersiniz,\ 2an31lamadım.\ 2Bi daa söy31l'er misiniz ?\

Kathy : 2Kathy 31Williams.\

Ö.B. : 31Ha:a,\ 2K'eti 31Vil'yams!\ 31Çok g'üzel'.\ 2Şindi 32g'idin, / 32Türk'çe ö:retmeni-> 2Se31vim anım'ı g'örün.\ 2Ders32l'er/ 32 yarın sabah/ 2baş31lıyor.\

Kathy : 2 Saat kaç32ta,-> 2e32fendim ?/

Ö.B. : 2Sek'iz32de,-> 31şu bina:da.\

(2) t, d, n - Dinleme ve tekrar alıştırmaları

t-   ten, tüm, tık, taş, tut, tok

-t   bit, et, süt, öt, kıt, yat, yut, ot

d-   din, de, düş, dön, dış, dam, dut, dok

n-   ne, nal, nuh

-n   in, ben, dün, yön, kın, yan, un, son

(3) Consonant harmony - Ekleme alıştırmaları

a.

	-de	-da			-te	-ta	
-v	ev-de	manav-da		-p	dip-te	k'itap-ta	
-z	biz-de	dokuz-da		-t	dört-te	kat-ta	
-j	kol'ej-de	garaj-da		-k'	g'ök'-te	-	
-m	Sevim-de	dam-da		-k	-	çocuk-ta	
-n	ön-de	yan-da		-ç	üç-te	kaç-ta	
-l'	otel'-de	-		-f	tek'l'if-te	sınıf-ta	
-l	-	yol-da		-s	ders-te	Kars-ta	
-r	yer-de	kar-da		-ş	beş-te	baş-ta	
-y	k'öy-de	ay-da		-h	ta:rih-te	Allah-ta	
After all final vowels :							
	ik'i-de	su-da					
	ütü-de	altı-da					
	tepe-de	sa:-da					

/ sek'iz / okul / beş / ik'i / k'itap / yedi / Uur / ders / Van / Kars / kol'ej / üç /
/ su / biz / dam / g'ök' / ben / baş / ta:rih / Turgut / ön / yol / altı / ev / tek'l'if /
/ tepe / kaç / sá: / Allah / manav / Fatma / yer / kat / dokuz / dip / çocuk /
/ Ja:l'e / kar / otel' / sınıf / k'öy / ay / ütü / dört / ö:retmen / bina: / garaj /
/ Sevim / G'önül' / k'itap / yan / Diyarbakır /

b.

-de	-da		-te	-ta	
İzmir-de	İstanbul-da		İzmit-te	Tokat-ta	
Edirne-de	Ankara-da		Ga:ziantep-te	Sivas-ta	

/ Búrsa / Mérsin / Ga:ziántep / Esk'íşehir / İstánbul / Edírne / Sámsun / İzmit /
/ Sivas / Ánkara / İzmir / Adána / Tókat /

c. -dé, -dá, -té, -tá, veya **-de, -da, -te, -ta** ekleyin :

/ dokúz / bina: / Ánkara / ö:retmén / Tókat / k'itáp / tepé / altí / Edírne / sınıf /
/ İzmir / İzmit / Kayá / Búrsa / çocúk / otel' / İstánbul / Diyarbakır / ta:ríh /
/ Sámsun / Turgút / Sevím / Esk'íşehir / ik'í / óm bir / G'önül' / Sívas / Ouz /
/ ón ik'i / garaj /

ç.

Okul. \	Okul-lar. \	Okul-lar-dá. \	Okul-lar-da mı? \
O okul. \	O okul-lar. \	O okul-lar-da. \	O okul-lar-da mı? \

/ ders / öbür ders / bina: / bu bina: / yení ders /

IV. DİLBİLGİSİ

-dé / in, at, on

Noun + -dé as predicate

Adjectives used adverbially

(1) Değiştirme alıştırmaları

a.

Oo, \ güzel Türkçe konuşuyorsunuz. \	Oh, you speak Turkish beautifully.

/ İngilizce / iyi / Fransızca / Arapça / çok iyi / Almanca / Rusça /

/ Arapça / İngilizce / çok güzel / Almanca / Fransızca / güzel / Rusça /

/ Almanca / Türkçe /

b.

> Şimdi gidin, / Türkçe öğretmeni -> Sevim Hanımı görün. \
>
> Now go (and) see Sevim Hanım, the Turkish teacher.

/ Jale / Fransızca / Gönül / Almanca / Rusça / İnci / İngilizce / Pınar /

/ Arapça / Türkçe / Sevim /

c.

> Dersler / yarın sabah / başlıyor. \ Classes start tomorrow morning.

/ bu sabah / saat sekizde / onda / yedide / saat on birde / yarın sabah

dokuzda / dokuzda / dörtte / bu sabah yedide / beşte / saat üçte /

/ yarın on ikide /

ç.

> Dersler -> sekizde, -> şu binada. \ Classes start (are) at eight
> (o'clock), in that building.

/ on iki / dört / bir / bu / altı / on / üç / yedi / o / dokuz / öbür / beş /
/ iki / on bir /

(2) Çevirme alıştırmaları

> O okul İstanbulda. \ That school is in İstanbul.

/ Eskişehir / - / -? / +? / Sivas / + / - / -? / İzmit / - / + / +? / Kars / -? / - / + /
/ Diyarbakır / - / -? / +? / Gaziantep / + / - / -? / Mersin / - / + / +? / İstanbul /
/ -? / - / + /

(3) Konuşma alıştırmaları

a.

> - Dersler saat kaçta başlıyor ? / -What time do classes start?
>
> - Sekizde. \ -At eight.

/ bir / altı / dokuz / on iki / üç / yedi / on / iki / dört / on bir / beş /

b.

- <u>Dersler</u> hangi binada? /	-Which building are classes in?
- Şu binada. \	-In that building.

/ öğrenciler / Ömer Bey / Türkçe öğretmeni / yeni arkadaşlar / Sevim Hanım /
/ yabancı öğrenciler / Fransızca öğretmeni / o çocuklar / öbür öğrenciler /
/ Amerikalı arkadaşlar / öbür yabancı öğrenciler /

c.

- <u>Dersler</u> şu binada mı? \	-Are classes in that building?
- Evet, \ o binada. \	-Yes, they are (in that building).

Yukarıdaki sözcüklerle.

ç.

- <u>Dersler</u> bu binada mı? \
- Hayır, -> bu binada değil. \ Şu binada. \

-Are classes in this building?
-No, (they are) not in this building. (They are) in that building.

Yukarıdaki sözcüklerle.

d.

- İsminiz ne? /	-What's your name?
- <u>Kathy Williams.</u> \	-Kathy Williams.
- Affedersiniz, \ anlamadım. \	-Excuse me, I didn't understand.
Bir daha söyler misiniz? \	Would (will) you say (it) again?
- Kathy Williams. \	-Kathy Williams.

Öğrencilerin kendi isimleriyle.

e.

- Bu <u>oda</u>da -> kaç <u>öğrenci</u> var? / - <u>On</u> öğrenci var. \

-How many students are (there)
in this room?
-There're ten students.

/ okul - öğretmen - on bir / oda - yabancı öğrenci - beş / bina - oda - on iki /
/ oda - kız - dört / okul - Türkçe öğretmeni - üç / oda - öğretmen - bir /
/ okul - Amerikalı öğrenci - yedi /

V. SORULAR - CEVAPLAR

1. - Hoş geldiniz.
   - Hoş bulduk.

2. - Oo, güzel Türkçe konuşuyorsunuz.
   - Teşekkür ederim.

3. - Sevim Hanım kim?
   - Türkçe öğretmeni.

4. - İsminiz ne?
   - _____

5. - Bu okulda dersler saat kaçta başlıyor?
   - Sekizde.

BEŞİNCİ DERS

I. KONUŞMA

(Kathy üniversiteye yakın kiralık bir oda arıyor. Oğuz ona yardım etmeğe çalışıyor. / Kathy looks for a room to rent near the university. Oğuz tries to help her.)

Oğuz : Kathy, nerede oturuyorsunuz?

    Kathy, where do you live?

ne-re-de	where (in/at what place)
otur-	(to) live
otur-uyor-sunuz	you live

Kathy : Şimdilik, Taksim'de bir otelde kalıyorum.

    For the time being, I'm staying at a hotel in Taksim.

Taksim	a district in İstanbul
otel	hotel
kal-	(to) stay
kal-ıyor-um	I'm staying

Oğuz : Size üniversiteye yakın bir yer lâzım.

    You need a place near the university. (For you a place near the university is necessary.)

siz-e	for you, to you
üniversite	university
üniversite-ye	to the university
yakın	near
yer	place
lâzım	necessary

Kathy : Doğru. Küçük, rahat ve ucuz bir oda arıyorum.

    That's right. I'm looking for a small, comfortable, (and) inexpensive room.

doğru	right, correct
küçük	small, little
rahat	comfortable
ve	and
ucuz	cheap, inexpensive
oda	room
ara-	(to) look for, search
arı-yor-um	I'm looking for

Oğuz   : Burada da oda bulmak çok zor.

> But it's very difficult to find a room here. (And to find a room here is very difficult.)

bura-da	here (in / at this place)
bura-da da	and / but here, as for here, speaking of...
bul-	(to) find
bul- mak	to find ·
zor	difficult

Kathy : Amerika'da da böyle (bö:l'e).

> It's like this (this way) in the States, too.

böyle / bö:l'e /	this way, like this

Oğuz : Bir arkadaş var. Belki bize yardım eder. Siz bir dakika bekleyin. Ben ona bir telefon edeyim.

> I have (there's) a friend. Perhaps she'll help (to) us. You wait a minute. Let me call her.

belki	perhaps
biz	we, us
yardım	help (n)
yardım et-	(to) help
biz-e yardım ed-er	she'll help (to) us
dakika / dak'i:ka, dakka/	minute
bekle-	(to) wait, expect
bekle-yin	wait
o	he, she, it; him, her
on-a	to him, to her, to it
telefon	telephone (n)
telefon et-	(to) telephone
bir telefon ed-eyim	let me phone (call)

Kathy : Çok zahmet ediyorsunuz.

> You're going to too much trouble.

zahmet	pain, trouble
zahmet et-	(to) go to trouble (over something)
zahmet ed-iyor-sunuz	you're going to (too much) trouble (over this matter)

Oğuz : Rica ederim.

> Please. (I beg you not to mention it.)
>
> | rica | request (n) |
> | rica et- | (to) request |
> | rica ed-er-im | I request / beg. Please. |

II.YENİ SÖZCÜKLER

küçük : small, little	X	büyük : big, large
ucuz : inexpensive, cheap	X	pahalı : expensive
zor : difficult, hard	X	kolay : easy

III. SÖYLEYİŞ

(1) Konuşma

Oğuz :   22Kathy,-> 32nerde oturuyorsunuz ?/

Kathy :   22Şindil'ik',->2Taksim'de bir otel'31dé kalıyorum.\

Oğuz :   2Si22ze -> 2üniversiteye ya31kın bir yer l'a:zım.\

Kathy :   2Do:31ru. \ 2K'ü22çük',/ 2ra22hat/ 2ve u22cuz->2 bir o31dá arıyorum.\

Oğuz :   22Burda da-> 2o32da bulmak-> 21çok zor.\

Kathy :   2Ame31rika'da böyl'e (bö:l'e) .

Oğuz :   2Bir arka31daş var.\ 2Bel'k'i bize yar31dım eder.\ 2Siz bi dakka
                 bek'33l'íyin. / 22Ben ona-> 2bir tel'e31fon ediyim. \

Kathy :   2Çok zah31met ediyorsunuz.\

Oğuz :   2Ri31ca: ederim.\

32

(2) r

a. Dinleme ve tekrar alıştırmaları - (.) has been used to mark syllable boundaries.

r-	-.r-	-r.-	Cr-	-rC		-r
rica:	de.rí	G'ür.sel'	gri	ders	bir	Ömer
resím	ö:.rén	g'ör.dü	tren	Türk'	yer	Pınar
rüya:	k'öp.rü	kır.dı	gram	dört	öbür	teşek'k'ür
rahat	A.rap	yar.dım	grup	kırk	g'ör	İzmir
roman	do:.ru	Tur.gut	kravat	Kars	var	
Rus	ya.rın	çor.ba	tel'graf	kurt	otur	
	tiyat.ro	Mer.sin	el'ek'trik'	kork	zor	
		Edir.ne	probl'em		hayır	

b. -r, -ş - Dinleme, tekrar ve karşılaştırma alıştırmaları

kar - kaş, kır - kış, kur - kuş, dur - duş, kor - koş

g'el'ir - g'el'iş, g'örür - g'örüş, alır - alış, u:rar - u:raş, bulur - buluş

(3) Internal vowel harmony

a. Dinleme ve tekrar alıştırmaları

i - i	ik'i		i - e	iste
e - i	Sevim		e - e	sene
ü - ü	büyük'		ü - e	g'üzel'
ö - ü	G'önül'		ö - e	Ömer
ı - ı	ışık		ı - a	Pınar
a - ı	altı		a - a	Arap
u - u	Turgut		u - a	Bursa
o - u	dokuz		o - a	oda

b. Tanıma alıştırmaları - Find the words which do not have internal vowel harmony:

Çetín	Uur	Ja:l'e	Osmán	Fatmá	teşek'k'ür
Kayá	Taksim	yardım	İncí	çocuk	Adana
rica:	İsmét	Tokat	Mérsin	Cemal'	Amerika
İzmir	nasıl	Alman	otur	yení	İstanbul
böyl'e	saat	konuş	bina:	rahat	İng'il'iz
kolay	ö:ren	yarın	Samsun	evet	tel'efon
hang'i	hayır	otél'	sek'íz	hanım	Edírne
Fransız	yedí	Burhán	dahá	zahmét	Sül'eymán
do:ru	K'emal'	okul	bel'k'i	şíndi	üniversite
isím	k'üçük'	sabah	Sívas	yakín	merhaba

(3) de - Ekleme alıştırmaları

de	da	te	ta
G'önül de	Ouz da	ders te	Turgut ta

/ ben / okul / okullar / okullarda / çocuk / çocuklar / çocuklarda / biz / siz /
/ ders / dersl'er / dersl'erde / Kars / Karsta / o / Ja:l'e / İzmit / İzmitte /
/ Ankara / Ankarada / üniversite / üniversitel'er / üniversitel'erde / Ouz Öztürk' /
/ Tokat / Tokatta /

IV. DİLBİLGİSİ

...**de** \ / also, too, either

...**de** -> / and, as for, etc.

Infinitives as subject

Shift of sentence stress for contrastive emphasis

(1) Değiştirme alıştırmaları

a.

| Otel iyi. \ | The hotel is good.

/ güzel / pahalı / büyük / yeni / rahat / yakın / küçük / ucuz / burada /
/ Taksim'de /

34

b.

```
 _____
|                   |
|  Oda bulmak -> çok zor. \ |     Finding (to find) a room is very difficult.
|_____|
```

/ otel / iyi bir okul / ucuz bir yer / büyük bir oda / arkadaş / rahat bir otel /
/ güzel bir oda / iyi bir öğretmen / oda /

c.

```
 _____
|                   |
|  Oda bulmak -> çok zor. \ |     Finding (to find) a room is very difficult.
|_____|
```

/ Türkçe öğrenmek / kolay / bu ders / iyi / öğrenciler / o otel / pahalı / ucuz /
/ büyük / öbür otel / rahat / bu oda / oteller / güzel / odalar / küçük / çocuklar /
/ iyi / bu üniversite / İngilizce öğretmeni / dersler / zor / Rusça öğrenmek /
/ üniversiteye yakın bir yer bulmak / oda bulmak /

(2) Çevirme alıştırmaları

a.

```
 _____
|                   |
|  Türkçe de \ kolay. \ |     Turkish is easy, too.
|                   |       As for Turkish, it's easy. (And Turkish is easy. As far as
|  Türkçe de -> kolay. \ |    Turkish is concerned, it's easy. Well, Turkish is easy.
|_____|       Speaking of Turkish, it's easy.)
```

/ İngilizce / Arapça / bu ders / dersler / oda bulmak / öğrenmek / Türkçe
öğrenmek / yeni dersler / otellerde yer bulmak / Rusça /

b.

```
 _____
|                   |
|  Türkçe de\ kolay değil. \ |     Turkish isn't easy, either.
|                   |
|  Türkçe de -> kolay değil. \ |   As for Turkish, it isn't easy.
|_____|
```

Yukarıdaki sözcüklerle.

c.

```
 _____
|                   |
|  Gönül de \ öğrenci. \ |     Gönül's a student, too.
|                   |
|  Gönül de -> öğrenci. / |    As for Gönül, she's a student.
|_____|
```

1. O okul da \ İstanbul'da. \
   That school is in İstanbul, too.

2. Oteller de \ pahalı. \
   Hotels are expensive, too.

3. Almanca da \ kolay değil. \
   German isn't easy, either.

4. Adana da \ küçük değil. \
   Adana isn't small, either.

5. Şu bina da \ otel. \
   That building is a hotel, too.

6. Turgut da \ burda değil. \
   Turgut isn't here, either.

7. Dersler de \ sekizde. \
   Classes are at eight, too.

8. Türkçe de \ bilmiyor. \
   He doesn't know Turkish, either.

9. Bu arkadaş da \ Türkçe öğrenmek istiyor. \
   This friend wants to learn Turkish, too.

10. Burada da \ oda bulmak -> çok zor. \
    Finding a room is very difficult here, too.

ç.

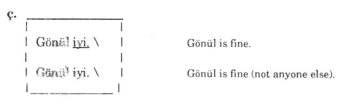

| Gönül iyi. \ | Gönül is fine. |
| Gönül iyi. \ | Gönül is fine (not anyone else). |

/ rahat / güzel / Türk / öğrenci / öğretmen / okulda / burada / İstanbul'da /
/ odada / üniversitede /

(3) Konuşma alıştırmaları

a.

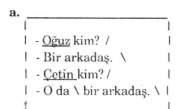

- Oğuz kim? /	-Who's Oğuz?
- Bir arkadaş. \	-(He's) a friend.
- Çetin kim? /	-Who's Çetin?
- O da \ bir arkadaş. \	-He's a friend, too.

/ Çetin - Oğuz / İnci - Fatma / Fatma - İnci / Kaya - Gönül / Gönül - Kaya /
/ Jale - Pınar / Pınar - Jale / Turgut - Uğur / Uğur - Turgut /

b.

- <u>Bu oda</u> nasıl? /
- İyi. \
- <u>Öbür oda</u> nasıl? /
- O da -> iyi. \

-How's this room ?
-(it's) fine.
-How's the other room?
-It's fine, too.

/ öbür oda - bu oda / şu kız - öbür kız / öbür kız - şu kız / bu - şu / şu - bu /
/ bu otel - o otel / o otel - bu otel / Jale - Pınar / Pınar - Jale / o - bu / bu - o /

c.

- <u>Pınar</u> nerede? /
- Okulda. \
- <u>Uğur</u> nerede? /
- O da -> okulda. \

-Where's Pınar?
-She's in school.
-Where's Uğur?
-He's in school, too.

/ Uğur - Pınar / İnci - Çetin / Çetin - İnci / Fatma - Turgut / Turgut - Fatma /
/ Gönül - Oğuz / Oğuz - Gönül / Jale - Kaya / Kaya - Jale /

ç.

- Uğur <u>İstanbul</u>da mı? \
- Hayır, -> değil. \
- Nerede? /
- Ankarada. \

-Is Uğur in İstanbul?
-No, he isn't.
-Where is he?
-He's in Ankara.

/ İzmir / Kars / Edirne / Diyarbakır / Gaziantep / Van / Sivas / Adana /
/ Eskişehir / İzmit / Bursa / Tokat /

d.

- Burada da -> oda bulmak -> çok zor. \
- <u>Amerika</u>da da böyle. \

-But it is very difficult to find a room here.
-It's like this in the States, too.

Yukarıdaki sözcüklerle.

V. SORULAR - CEVAPLAR

1. - Nerede oturuyorsunuz?

    - _____

2. - Çok zahmet ediyorsunuz.

    - Rica ederim.

3. - Taksim nerede?

    - _____

4. - Taksim Ankarada mı?

    - Hayır, İstanbulda.

5. - İyi oteller de çok pahalı.

    - Doğru.

38

ALTINCI DERS

TEKRAR

(1) Konuşma alıştırmaları

a.

- Şu otel ucuz mu? \	-Is that hotel (over there) inexpensive?
- Hayır, \ hiç -> ucuz değil. \	-No, it isn't inexpensive at all.

/ o üniversite - büyük / bu ders - kolay / Jale - güzel / Türkçe - zor / öbür oda - küçük / Fransızca öğretmeni - iyi / oda - rahat / o yeni otel - pahalı /

b.

- Şu -> ucuz bir otel mi? \	-Is that (over there) an inexpensive hotel?
- Evet, -> çok ucuz bir otel. \	-Yes, it's a very inexpensive hotel.

/ o - büyük - üniversite / Sevim Hanım - iyi - öğretmen / bu - kolay - ders / / Ankara - pahalı - yer / Pınar - iyi - öğrenci / İngilizce - zor - ders / Gönül - güzel - kız / o - küçük - okul /

c.

- Size -> ne lâzım? /	-What do you need?
- Ucuz bir otel. \	-An inexpensive hotel.

/ büyük bir bina / iki küçük oda / böyle bir yer / yardım / rahat bir yer / / telefon / üniversiteye yakın bir yer / otel /

ç.

- Burada kaç <u>öğretmen</u> var? /   -How many teachers are there here?
- Üç öğretmen var.\   -There're three teachers.

/ okul / üniversite / kız / çocuk / İngilizce öğretmeni ' oda / Amerikalı / otel /
/ arkadaş / Fransız / bina /

d.

- Saat kaç? / <u>Beş</u> mi? \   -What time is it? Is it five?
- Evet, \ beş. \   -Yes, it's five.

/ 12 / 6 / 1 / 9 / 7 / 4 / 11 / 10 / 8 / 3 / 2 / 5 /

e.

- Ders kaçta başlıyor? / <u>Beş</u>te mi? \   -What time does the class start? At five?
- Hayır, \ beşte değil. \ <u>Altı</u>da. \   -No, not at five. At six.

/ 1 - 2 / 7 - 8 / 12 - 1 / 3 - 4 / 10 - 11 / 8 - 9 / 2 - 3 / 11 - 12 / 6 - 7 /
/ 9 - 10 / 4 - 5 / 5 - 6 /

f.

- Affedersiniz, -> efendim. \ <u>Sevim Hanım</u> -> burada mı? \

- Evet, -> kızım. \ Şu odada. \

- Teşekkür ederim.   \

- Rica ederim. \

-Excuse me, sir(ma'am). Is Sevim Hanım here?
-Yes, my dear (daughter). (She's) in that room (over there).
-Thank you.
-Please (don't mention it).

/ Turgut Bey / G'önül'anım / Uur Bey / Ja:l'a:nım / Ömer Bey / Ouz Bey /
/ Fatma:nım / Sül'eyman Bey / Cemal' Bey / Pınaranım / Burhan Bey / K'emal'
Bey / İnci Hanım / İsmet Bey / Kaya Bey / Osman Bey / Çetin Bey /

(2) Çevirme alıştırmaları

a. Olumsuz şekle çevirin / Change to the negative :

```
| _____ |
| Dersler kolay. \    |
|                     |
| Dersler kolay değîl. \   |
|.....................|
| Dersler kolay mı? \ |
|                     |
| Dersler kolay değîl mi? \   |
| _____ |
```

1. Bu iyi.
2. Öğretmen burada.
3. Uğur okulda mı?
4. Şimdi saat üç mü?
5. Otel üniversiteye yakın.
6. Tokat küçük bir yer mi?
7. O oda da küçük.
8. Bu güzel bir bina.
9. Yer bulmak zor mu?
10. Şu size lâzım mı?

b. **mi** 'li soru şekline çevirin / Change to **mi** - questions :

```
| _____ |
| Dersler kolay. \    |
|                     |
| Dersler kolay mı? \ |
|.....................|
| Dersler kolay değîl. \   |
|                     |
| Dersler kolay değîl mi? \   |
| _____ |
```

1. İyi oteller Taksim'de.
2. Öbür çocuk Amerikalı değil.
3. Turgut Gaziantep'te.
4. Yarın ders var.
5. Bu çocuklar Alman değil.
6. Şu kız Rus.
7. Okul Bursa'da değil.
8. Telefon şu odada.
9. O ders saat dokuzda.
10. Öğretmen Türk.

(3) Çeviri - Konuşmalar / Translation - Dialogues

Türkçe cümleleri İngilizceye, İngilizce cümleleri de Türkçeye çevirin / Translate Turkish sentences to English and English sentences to Turkish :

a.1. - Şu bina ne?

   _____ ?

     - (A) hotel.

   _____ .

2. - Hangi bina otel ?

   _____?

     - That building (over there) .

   _____ .

3. - Şu bina otel mi ?

   _____ ?

     - Yes, it's (a) hotel.

   _____ .

4. - Kim Almanca öğrenmek istiyor?

   _____ ?

     - That girl (over there) .

   _____ .

5. - Şu kız ne öğrenmek istiyor ?

   _____ ?

     - German.

   _____ .

6. - Şu kız Almanca öğrenmek istiyor mu?

_____?

- Yes, she does (wants).

_____.

7. - Ucuz bir oda arıyorum.

_____.

- Isn't this room inexpensive?

_____.

- Ucuz, ama çok küçük.

_____.

8. - Şu çocuk Amerikalı mı?

_____.

- Which boy? That (one) (over there)?

_____.

- Evet, o.

_____.

- No, he isn't American. He's English.

_____.

9. - Ankara nasıl bir yer?

_____.

- It's a very nice (beautiful) place.

_____.

- İzmir nasıl?

_____.

- İzmir's nice, too.

_____.

10. - Oğuz, şu çocuk kim?

_____.

- He's a new friend. (An) American.

_____.

- Öbür çocuk ta Amerikalı mı?

_____.

- No. That (one)'s English. And (as for) that girl (over there)'s French.

_____.

- Bu sene okulda çok yabancı öğrenci var.

_____.

- (That's) right.

_____ .

b.1. - What's that building (over there)?

_____ .

     - Otel.

_____ .

2. - Which building is the (a) hotel?

_____ .

     - Şu bina.

_____ .

3. - Is that building (over there) a hotel?

_____ .

     - Evet, otel.

_____ .

4. - Who wants to learn German?

_____ .

     - Şu kız.

_____ .

5. - What does that girl (over there) want to learn?

_____ .

     - Almanca.

_____ .

6. - Does that girl (over there) want to learn German?

_____ .

     - Evet, istiyor.

_____ .

7. - I'm looking for an inexpensive room.

_____ .

     - Bu oda ucuz değil mi?

_____ .

- It's inexpensive, but very small.

_____ .

8. - Is that boy (over there) (an) American?

_____ .

     - Hangi çocuk? Şu mu?

_____ .

- Yes, that (one).

_____ .

    - Hayır, Amerikalı değil. İngiliz.

_____ .

9. - What kind of a place is Ankara?

_____ .

    - Çok güzel bir yer.

_____ .

- How's İzmir?

_____ .

    - İzmir de güzel.

_____ .

10. - Oğuz, who's that boy (over there)?

_____ .

    - Yeni bir arkadaş. Amerikalı.

_____ .

- Is the other boy (an) American, too?

_____ .

    - Hayır. O İngiliz. Şu kız da Fransız.

_____ .

- This year there're many foreign students in school.

_____ .

    - Doğru.

_____ .

c. Dikkat etmiş olacağınız gibi, a ve b' deki konuşmalar birbirinin aynıdır. Şimdi öğretmeniniz bu konuşmaları tamamiyle İngilizce veya Türkçe olarak verecek. Çevirin. / As you must have noticed the dialogues in **a** and **b** are the same. Now your teacher will give them to you entirely in English or in Turkish. Translate them.

(4) Cevaplandırma alıştırmaları / Response drills

Bu alıştırmaları önce sözlü olarak serbest cevaplar vermek yoluyla, sonra da aşağıda belirtildiği şekillerde olmak üzere iki defa yapın. / Do these drills twice, first by giving free responses orally and then by following the instructions below.

a. Uygun karşılıkları bulun / Find the appropriate responses :

1. Buyrun, oturun.	a. Ben de.
2. Güzel Türkçe konuşuyorsunuz.	b. Affedersiniz, anlamadım.
3. Günaydın, efendim.	Bir daha söyler misiniz?
4. Ucuz bir otel arıyorum.	c. Rica ederim.

5. Türkçe öğrenmek çok zor değil,   ç. Teşekkür ederim.
   ama kolay da değil.   d. Teşekkür ederim.
6. Zahmet ediyorsunuz.   e. Üç mü? Aman derse geç
7. Allahaısmarladık.   kalıyorum.
8. Bunu anlayacağınızı zannetmiyorum. f. Doğru.
9. Hoş geldiniz.   g. Günaydın.
10. Saat üç.   h. Güle gül.
                     i. Hoş bulduk.

Uygun karşılıklar / appropriate responses : 1ç, 2d, 3g, 4a, 5f, 6c, 7h, 8b, 9i, 10e .

b. Parantez içinde verilen İngilizce cümleleri Türkçeye çevirerek aşağıdaki soruları cevaplandırın. / Answer the following questions by translating the Englih sentences given in parentheses :

1. İsminiz ne?   (It's _____.)
2. Nasılsınız, efendim? (I'm fine, sir. Thank you.)
3. Şu arkadaş kim?   (That one over there? He's a new student.)
4. Şu bina ne?   (It's a hotel.)
5. Burada oteller ucuz mu? (No, they're very expensive.)
6. Nerede oturuyorsunuz? (For the time being, in Taksim.)
7. Size nasıl bir yer lâzım? (An inexpensive and comfortable place.)
8. Yarın sabah hangi dersler var? (Turkish and English.)
9. Hangi öğrenciler Amerikalı? (Those students over there.)
10. Sevim Hanım Almanca öğretmeni mi ? (No, she's (a) Turkish teacher.)
11. Ömer Bey de Türkçe öğretmeni mi? (No, Ömer Bey isn't a teacher.)
12. Kathy Türkçe bilmiyor mu? (She knows a little.)
13. Kathy kim ?   (A very nice friend.)
14. Kathy ne öğrenmek istiyor? (She wants to learn Turkish.)
15. Kathy nasıl bir oda bulmak istiyor? (A room near the university.)
16. Kim Türkçe öğrenmek istiyor? (An American girl.)
17. Ankara'da kaç üniversite var? (Five.)
18. Taksim nerede? (It's in İstanbul.)
19. Taksim'de oteller nasıl? (They're very good, but a little expensive.)
20. Burada telefon var mı? (Yes. There is. It's in the other room.)

(5) Karşılaştırmalı çeviri / Contrastive translation

Aşağıda her numaranın karşılığında dilbilgisi açısından birbirine benzeyen cümleler verilmiştir. Türkçe cümleleri İngilizceye, İngilizceleri de Türkçeye çevirirken bu benzerlikten yararlanın. / Given opposite each number below are some Turkish and English sentences which are grammatically alike. Make use of this resemblance while translating the Turkish sentences to English and English sentences to Turkish.

a . 1 . İyi oteller çok pahalı.
The new lessons are very difficult.

2 . O okulda çok iyi yeni öğretmenler var.
There are very inexpensive small rooms in this hotel.

3 . Şu yabancı arkadaşlar İngiliz değil, Alman.
These small children aren't French. They're Russian.

4 . İstanbul'da böyle güzel binalar var mı?
Are there big hotels like this in Gaziantep?

5 . Yeni dersler de böyle kolay mı?
Are the other girls beautiful like this (also)?

6 . Bu arkadaş da Türkçe öğrenmek istiyor.
As for (and, etc.) that girl over there, she wants to learn Russian.

7 . O Amerikalı kız hiç Almanca bilmiyor mu?
Doesn't the other foreign student know any Arabic at all ?

8 . Şimdi gidin, İngilizce öğretmeni Fatma Hanım'ı görün.
Tomorrow go (and) see Jale Hanım, the German teacher.

9 . Şu çocuk belki bize yardım eder.
Perhaps the Turkish teacher will help you.

10 . Bu sene okulda çok yabancı öğretmen var.
This year there're few foreign students at the university.

b . 1 . Good hotels are very expensive.
Yeni dersler çok zor.

2 . There're very good new teachers in that school.
Bu otelde çok ucuz küçük odalar var.

3 . Those foreign friends (over there) aren't English. They're German.
Bu küçük çocuklar Fransız değil, Rus.

4 . Are there nice buildings like this in İstanbul ?
Gaziantep'te böyle büyük oteller var mı ?

5 . Are the new lessons easy like this (also)?
Öbür kızlar da böyle güzel mi?

6 . As for (and, etc.) this friend, he wants to learn Turkish.
Şu kız da Rusça öğrenmek istiyor.

7 . Doesn't that American girl know any German at all?
Öbür yabancı öğrenci hiç Arapça bilmiyor mu?

8 . Now go (and) see Fatma Hanım, the English teacher.
Yarın gidin, Almanca öğretmeni Jale Hanım'ı görün.

9 . Perhaps that boy (child) over there will help us.
Türkçe öğretmeni belki size yardım eder.

10 . This year there are many foreign teachers in school.
Bu sene üniversitede az yabancı öğrenci var.

c. a ve b kısımlarını karşılaştırarak çevirilerinizi kontrol edin. / Check your translations by comparing sections a and b.

(6) Çeviri - Aynı konulu cümleler / Sentences on a given topic :

a. Kathy

Kathy çok iyi bir kız.

Kathy Amerikalı bir kız.

Kathy üniversitede öğrenci.

Kathy Ankara'da değil, İstanbul'da.

Kathy Türkçe öğrenmek istiyor.

Kathy Türkçe biliyor, ama çok değil.

Kathy şimdilik bir otelde.

Kathy üniversiteye yakın bir yer bulmak istiyor.

b. Oğuz

Oğuz da üniversitede öğrenci.

Oğuz Amerikalı değil.

Oğuz İngiliz de değil.

Oğuz Türk, ama çok iyi İngilizce konuşuyor.

Oğuz iyi bir öğrenci.

Oğuz hep yabancı öğrencilerle geziyor.

Oğuz bu sene İstanbul'da.

Oğuz bu üniversitede yeni bir öğrenci.

(7) Oyun / Game

Charades. This is a slightly modified version. Students are divided to form two teams. Each team selects several sentences from the dialogues or drills of the previous lessons or makes its own sentences which should be checked by the instructor. These sentences may include proper nouns. Taking turns, a member of each team is given a sentence and asked to describe its meaning to his teammates by acting it out. In addition to gestures, he may draw or make use of pictures and maps, but he is not permitted to speak or write. Meanwhile, other members of the team keep asking questions and making guesses. The normal time limit for each player is three minutes. Failure to guess the sentence within this time results in one minus point.

YEDİNCİ DERS

I. KONUŞMA

(Oğuz Pınar'a telefon ediyor. Kathy belki Pınarlarda kalacak. / Oğuz calls Pınar.
Perhaps Kathy can stay at Pınar's home.)

Pınar : Alo ?

    Hello ?

    alo   hello (talking on the telephone only)

Oğuz : Pınar? Sen misin? Ben Oğuz.

    Pınar, is that you? This is (I am) Oğuz.

    sen   you (singular, familiar)
    sen mi-sin   is it you

Pınar : Merhaba. Ne var, ne yok?

    Hi. What's new? (What's there, what isn't there?)

    yok   there is (are) not

Oğuz : İyilik sağlık, vallahi. Amerikalı bir kız arkadaş için oda arıyorum.

    Fine. Nothing new, really. (Goodness and health, really.)
    I'm looking for a room for an American friend, a girl.

    iyi-lik   goodness
    sağ   alive, living
    sağ-lık   health
    vallahi   really, truly, well
    kız arkadaş   a friend who is a girl
    için   for

Pınar : Acaba bizle oturmak ister mi?

    I wonder if she would like to live with us.

    acaba / ácaba, acaba: /   I wonder (if), do you know (if)
    biz-le   with us
    otur-mak   to live
    iste-r mi   will she want, would she like

Oğuz : Her halde çok memnun olur.

She'd (will) probably be very pleased.

her halde	probably
memnun	pleased
ol-	(to) be, become
memnun ol-	(to) be pleased
memnun ol-ur	she'll be pleased

Pınar : Öyleyse hemen gelin, görüşelim. Yalnız geç kalmayın, çünkü dört buçukta dersim var.

Then, come right away (and) let's talk it over. But don't be late, because I have a class at four-thirty.

öyle-yse	then, in that case, (if) so
hemen	right away, at once
gel-	(to) come
gel-in	come
gör-üş-	(to) talk together, discuss
gör-üş-elim	let's discuss (it)
yalnız	but, only, though
geç kal-ma-yın	don't be late
çünkü	because
buçuk	half
dört buçuk-ta	at half-past four
ders-im	my class
ders-im var	I have a class. (There is my class)

Oğuz : Peki, üçte orada oluruz. Çok teşekkürler.

All right, we'll be there at three. Thanks a lot.

peki (pek iyi)	all right, OK
ora-da	there (in/at that place)
ol-ur-uz	we'll be
teşekkür-ler	thanks

Pınar : Estağfurullah.

Don't mention it.

II. YENİ SÖZCÜKLER

kız öğrenci : girl student   X   erkek öğrenci : boy student

Sayılar / numbers : yirmi 20, otuz 30, kırk 40, elli 50,

  altmış (atmış) 60, yetmiş 70, seksen 80,

  doksan 90, yüz 100, bin 1000, : ilyon 1.000.000,

  sıfır 0

  yarım : twelve-thirty (12.30)

III. SÖYLEYİŞ

(1) Konuşma

Pınar : 2A33l'o ?/

Oğuz : 2Pı33nar ?/ 31 Sen misin?\ 22Ben-> 2O31uz.\

Pınar : 31Merhaba.\ 22Ne var,-> 2ne 33yok ?/

Oğuz : 2İyi22l'ik'->2sa:31lık,\ 21valla:hi (vallaa).\ 2Amerikalı bir kız arka32daş için / 2o31da arıyorum.\

Pınar : 2Acaba: bizl'e oturmak is31ter mi?\

Oğuz : 22Heral'de-> 2çok mem31nun olur.\

Pınar : 2Öy22l'eyse (2ö:22l'i:se) -> 2hemen 32g'el'in, / 2g'örüşe31l'im.\ 22Yalnız -> 2g'eç 31kalmıyın,\ 2çünk'ü dört buçukta der31sim var.\

Oğuz : 31Pek'i:,\ 2üç22te / 31orda oluruz.\ 2Çok teşek'k'ür31l'er. \

Pınar : 2Es31ta:furullah.\

(2) k' , g' , l' , and k , g , l

a. Regular distribution - Dinleme ve tekrar alıştırmaları

k'-	.k'-	-k'.	-k'
i k'im	i.k'i	dik'.miş	il'k'
e k'es	şe.k'er	bek'.çi	.çek'
ü k'ül'	müm.k'ün	yük'.l'ü	Türk'
ö k'ör	l'i.k'ör	dök'.tü	g'ök'
k-	.k-	-k.	-k
ı kış	ya.kın	çık.tı	çık
a kan	ban.ka	sak.la	bak
u kum	o.kul	çocuk.ta	çabuk
o kol	bal.kon	yok.muş	yok

g'-	.g'-	-g'.	-g'
i g'it	sil'.g'i	-	-
e g'ez	g'öl'.g'e	-	-
ü g'ün	vir.g'ül'	-	-
ö g'ör	G'ün.g'ör	-	-
g-	.g-	-g.	-g
ı gıda:	say.gı	-	-
a garaj	kav.ga	-	-
u grup	yor.gun	-	-
o goril'	va.gon	-	-

l'-	.l'-	-l'.	-l'
i l'íse	ev.l'í	bil'.méz	bil'
e l'ek'e	bek'.l'é	el'.má	tel'
ü l'ük's	ö.l'üm	gül'.dü	k'ül'
ö -	suf.l'ör	öl'.dü	böl'

l-	.l-	-l.	-l
ı -	sa.lı	akıl.lı	yıl
a -	ya.lan	al.tı	dal
u -	tuz.lu	bul.du	bul
o -	sa.lon	ol.maz	sol

b. Tanıma alıştırmaları - Okuyun / Read:

zenginlik, çalışkan, meslek, gözlük, konsol, sevgili, ılık, yüksek, asker, yorgun, gümrük, alçak, bisiklet, saygı, iskele, yolculuk, yorgan, lokanta, bulut, tekerlek, gece, kızgınlık, ekmek, ilgi, balık, karakol, gürültü, kelime, bozuk, program, kalabalık, lokum, bulaşık, dökmek, kürek, korku, gülmek, kilit, leylek, Bulgar, iklim, köpek, kumral, çilek, gizli, eksik, koku

(3) **k'** , **g'** , **l'** preceding or following **a** , **o** , **u** in borrowed vocabulary.

a. Dinleme ve tekrar alıştırmaları

k'- k'ar, bek'ar, imk'an, ink'ar, nik'ah, dük'k'an, sanatk'ar, k'aat, k'a:fí, k'a:sé, k'a:tip, hik'a:ye, mük'a:fat, şik'a:yet

g'- rüzg'ar, ika:metg'ah

l'- l'af, fil'an, ifl'as, il'aç, i:l'an, pil'av, rek'l'am, pl'aj, pl'ak, pl'an, l'amba, l'ahana, l'astik', pl'astik', l'abratuar
l'a:zım, l'a:yık, il'a:ve, vil'a:yet, ha:l'a:, evvel'a:, mesel'a:, peka:l'a:, l'ugat
l'okum, l'odos, l'okanta, kal'orifer, k'il'o

-l'   hal', kal'p, ihmal', işgal', ithal', normal', ihtil'al', sandal'ye, kabul', mesul', meşgul', hol', al'kol', futbol' (futbol), vol'eybol' (voleybol)

b. Tanıma alıştırmaları - k' , g' , l' 'yi bulun / Find k' , g' , l' :

il'aç	çatal	imk'an	kar	gazete
yılan	mesul'	makas	arka	dalga
salon	yorulduk	kalın	nik'ah	rüzg'ar
l'odos	kala	k'ar	bek'ar	ga:yet
normal'	sel'am	k'a:tip	bakar	sigara

(4) kr- , kl'- , gr- , gl'-   before front vowel - Dinleme ve tekrar alıştırmaları

kr-	**kl'-**	**gr-**	**gl'-**
kriz	kl'işe	gri	gl'ikoz
krem	kl'inik'	grip	gl'iserin
kredi	kl'üp	grev	

(5) Ekleme alıştırmaları

a . 1 . -me ekleyin :

-me		-ma	
g'it	g'it-me	çalış	çalış-ma
bek'l'e	bek'l'e-me	başla	başla-ma
g'örüş	g'örüş-me	bul	bul-ma
g'ör	g'ör-me	sor	sor-ma

/ konuş / söyl'e / g'ez / ara / otur / bek'l'e / çalış / g'örüş / kal / başla / sor / / ö:ren / bul / g'el' /

2 . -me ekleyin :

-me		-ma	
yardım et	yardım et-me	Türk'çe konuş	Türk'çe konuş-ma

/ teşek'k'ür et / Almanca ö:ren / oda bul / affet / yardım et / zahmet et /
/ İng'il'izce konuş / tel'efon et /

b . 1 . -yin ekleyin :

-in	g'ir	g'ir-in		-ın	çalış	çalış-ın
	g'el'	g'el'-in			kal	kal-ın
-ün	g'örüş	g'örüş-ün		-un	bul	bul-un
	g'ör	g'ör-ün			sor	sor-un

/ konuş / g'ez / otur / sor / g'el' / kal / g'ör / bul / g'örüş / g'ir / ö:ren /

2 . -yin ekleyin :

g'it	g'id-in	/ tel'efon et / affet / g'it / teşek'k'ür et /
yardım et	yardım ed-in	/ yardım et /

3 . -yin ekleyin :

acı	acı-yın	/ iste / ara / anla / kal-ma / git-me /
yürü	yürü-yün	/ konuş-ma / acı / affet-me / söyl'e-me /
oku	oku-yun	/ oku / ara-ma / zahmet et-me / yürü /
bek'l'e	bek'l'i-yin	/ tel'efon et-me / g'it-me / bek'l'e-me /
başla	başlı-yın	/ bek'l'e / g'ör-me / otur-ma / g'el'-me / başla /

Note : As in -yin , an initial ' y ' in the citation form of any suffix is dropped when that
suffix is added to a word ending in a consonant . Thus, -yin , -yim , -yiz, -yi , -ye,
-yecék' change to -in, -im , -iz , -i , -é, -ecék

IV. DİLBİLGİSİ

-me / negative suffix for verbs
Imperative forms
-yin / imperative suffix
/ as conjunctive : and, then. so
Verb -mek iste- / to want to (do something)

(1) Değiştirme alıştırmaları

a.

```
 _____
|            |
|  Gídin, / görün. \  |
|_____|
```

Go and (so, then) see (him, her, it).
(plural, singular and plural formal)

/ gez / otur / söyle / konuş / başla / ara / bul / yardım et / bekle / telefon et /
/ görüş / teşekkür et /

b.

```
 _____
|                |
|  Şimdi başlamayın. \  |
|_____|
```

Don't begin now.

/ konuş / telefon et / otur / söyle / git / ara / yardım et / görüş / bekle / zahmet
et / gel /

c.

```
 _____
|            |
|  Gelin, / bulun. \ |
|_____ _|
```

Come and (so, then) find (it).

/ otur - bekle / gel - konuş / ara - bul / otur - başla / bekle - gör / gel - kal /
/ otur - konuş / gel - yardım et / gez - gör / git - görüş /

ç.

```
 _____
|                  |
|  Beklemeyin, \ başlayın. \  |
|_____|
```

Don't wait, begin.

/ git - otur / otur - yardım et / bekle - git / yardım et - otur / söyle - bekle /
/ bekle - gel / İngilizce konuş - Türkçe konuş / gez - otur / başla - bekle /
/ bekle - söyle / git - bekle /

(2) Çevirme alıştırmaları

a.

+ sg	- sg	+ pl	- pl
Gel.	Gel-me.	Gel-in.	Gel-me-yin.
Come (familiar)	Don't come (familiar)	Come (formal)	Don't come (formal)

/ otur / - / pl / bekle / + / sg / - / git / pl / + / sg / başla / - / pl / + / gör /
/ sg / - / pl / telefon et / + / sg / - / konuş / + / pl / - / Türkçe söyle / + / sg / - /

Note: -yiniz, another plural imperative suffix as in 'Gel-iniz' denoting extreme formality, is much less frequently used than -yin.

b.

Dokuz buçukta da -> ders var. \
Dokuz buçukta da -> ders var mı? \

-There's a class at nine-thirty, too.

-Is there a class at nine-thirty, too?

/ yedi buçuk / ? / altı / + / sekiz / beş / ? / on iki / yarım / + / üç / ? / dokuz /
/ + / dört / ? / dört buçuk / + / on bir buçuk / ? / dokuz buçuk / + /

(3) Konuşma alıştırmaları

a.

- Acaba bizle oturmak ister mi? \
- Her halde -> çok memnun olur. \

-I wonder if she would like to live with us.

-She'd (will) probably be very pleased.

/ konuşmak / gezmek / gitmek / başlamak / kalmak / gelmek / görüşmek /
/ İngilizce konuşmak / Türkçe öğrenmek / oda aramak / biraz konuşmak /

b.

- Alo? /
- Pınar? / Sen misin? \ Ben -> Oğuz. \
- Oo, \ merhaba -> Oğuz. \

-Hello?

-Pınar, is that you? This is Oğuz.

-Oh, hello Oğuz.

Öğrencilerin isimleriyle.

c.

- Geç kalmayın. \
- Peki efendim. \

-Don't be late.

-All right (sir).

/ bekle / telefon et / git / başla / İngilizce konuş / ara / söyle / otur / yardım et / / Türkçe söyle /

ç.

| - Burada kaç öğrenci var? /   -How many students are there here ?

| - <u>Yirmi beş</u> öğrenci var. \   -There are twenty-five students.

/ 32 / 48 / 19 / 90 / 80 / 20 / 50 / 76 / 65 / 100 / 40 / 27 / 9 / 70 / 30 / 54 / / 1000 / 13 / 36 / 41 /

d.

| - Saat kaç? /   - What time is it?

| - <u>Dört buçuk.</u> \   -It's four-thirty.

/ 2.30 / 8.30 / 6 / 4 / 7.30 / 1 / 12.30 / 11.30 / 9 / 10.30 / 1.30 / 2 / 6.30 / 11 / / 3.30 / 5 / 3 / 5.30 / 12 / 7 / 8 / 10 / 9.30 /

V. SORULAR - CEVAPLAR

1. - Ne var, ne yok ?
   - İyilik sağlık, vallahi.

2. - Geç kalmayın.
   - Peki.

3. - Bu odada kaç erkek öğrenci var ?
   - _____

4. - Çok teşekkürler.
   - Estağfurullah.

5. - Dersler saat kaçta başlıyor?
   - On bir buçukta.

SEKİZİNCİ DERS

I. KONUŞMA

(Oğuz Pınar'la Kathy'yi tanıştırıyor. Pınar Kathy'nin evlerinde kiracı olarak değil, misafir olarak kalmasını teklif ediyor. / Oğuz introduces Kathy to Pınar. Pınar proposes that Kathy stay in their house as a guest, not as a tenant.)

Oğuz : Sizi tanıştırayım. Pınar Uysal, Kathy Williams.

Let me introduce you (to each other). Pınar Uysal, Kathy Williams.

siz-i	you (object)
tanı-ş-tır-	(to) introduce, have people meet each other
tanı-ş-tır-ayım	let me introduce you to each other
Uysal	Pınar's family name

Pınar : Hoş geldiniz. Çok memnun oldum.

Welcome. I'm very pleased (to meet you).

memnun	pleased, glad, happy
memnun ol-	(to) be (become) pleased
memnun ol-du-m	I'm (became) pleased

Kathy : Ben de çok memnun oldum.

I'm also very pleased.

Pınar : Dışarıda hava çok sıcak, değil mi? Şöyle (şö:l'e) buyrun, dinlenin. Soğuk bir şey içelim.

It's very hot outside, isn't it? Do sit down and rest awhile. (Come over this way and rest.) Let's have something cold to drink. (Let's drink something cold.)

dışarı	outside, exterior
dışarı-da	outside (adv)
hava	air, weather
sıcak	hot
değil mi	isn't it, is it, won't you, can't we, did he, etc.
şöyle	that way, like that
dinlen-	(to) rest
soğuk	cold
şey	thing
iç-	(to) drink
iç-elim	let's drink

Oğuz : Vallahi pek yorgun değiliz. Ne dersiniz, Kathy ? Biraz oturalım mı?

We're not really very tired. What do you say, Kathy? Shall we stay awhile (a little) ?

pek	very
yorgun	tired
değil-iz	we are not
de-	(to) say
de-r-siniz	you say
otur-alım	let's stay
otur-alım mı	shall we stay

Kathy : Hiç rahatsız etmeyelim. İsterseniz, hemen kiralık odayı görelim.

We don't want to be any trouble. (Let's not disturb at all.) If you wish, let's see the room for rent right away.

rahat-sız	uncomfortable, disturbed
rahat-sız et-	(to) disturb
rahat-sız et-me-yelim	let's not disturb
iste-r-se-niz	if you wish (want)
kira	rent
kira-lık	for rent
kira-lık oda	room for rent
kira-lık oda-yı	the room for rent (object)
gör-elim	let's see

Pınar : Affedersiniz, ama yanlış anlıyorsunuz galiba. Siz bizde misafir olacaksınız.

Excuse me, but I think you don't understand. You're going to be a guest at our place.

yanlış	incorrectly, mistake
yanlış anlı-yor-sunuz	you misunderstand
galiba	I think, it seems, presumably
biz-de	at our place, with us
misafir	guest, visitor
ol-acak-sınız	you're going to be

Kathy : Misafir mi? Nasıl olur?

A guest? How can (will) that be?

Pınar : Görüyorsunuz, ev büyük. Biz de yalnız üç kişiyiz. Annem, babam, ben.

You see, the house is big, and we are only three people. My mother, my father, and me.

gör-üyor-sunuz	you see
ev	house
yalnız	only
kişi	person, people
yalnız üç kişi-yiz	we're only three people
anne	mother
anne-m	my mother
baba	father
baba-m	my father

II. YENİ SÖZCÜKLER

dışarıda : outside   X   içeride : inside
aşağıda : below, downstairs   X   yukarıda : above, upstairs
o : that; he, she, it   onlar : those, they

III. SÖYLEYİŞ

(1) Konuşma

Oğuz : 2Sizi tanıştırı31yım.\ 2Pınar Uy32sal,-> 2Kathy 31Williams.\

Pınar : 31Hoş g'el'diniz.\ 2Çok mem31nun oldum.\

Kathy : 31Ben de çok memnun oldum.\

Pınar : 2Dışarda hava 31çok sıcak,\ 2di21il' mi ?\ 31Şöyl'e (şö:l'e) buyrun,\
2din31l'enin.\ 2Souk bir 31şey içel'im.\

Oğuz : 22Valla:hi-> 2pek yorgun di31il'iz.\ 32Ne dersiniz,-> 32Kathy?/ 2Biraz
otura31lım mı? \

Kathy : 32Hiç-> 2rahatsız 31etmiyel'im.\ 2İs22terseniz, / 32hemen-> 2k'ira:31lık
odayı g'örel'im.\

Pınar : 31Afedersiniz,\ 2ama yan31lış anlıyorsunuz gal'ba:.\ 2Siz bizde misa:31fir
olucaksınız.

Kathy : 2Misa:32fir mi?/ 31Nasıl olur ?\

Pınar : 2G'ö32rüyorsunuz,-> 2ev bü31yük'.\ 22Biz de-> 22 yalnız-> 31üç k'işiyiz. \
2An22nem, / 2ba22bam, / 31ben.\

(2) Long vowels

a. Dinleme ve tekrar alıştırmaları

i: i:ne, i:l'an, i:zah, i:timat, i:tiraz, i:tiraf, hazi:ran, hemşi:re, tabi:,
       İ:ran, mevk'i:, mil'l'i:, resmi:

e: me:mur, me:zun, te:hir

ü: dü:me, hük'ü:met

ö: ö:l'e, ö:renci, ö:retmen, bö:l'e

ı: çı:, sı:, tı:, yı:mak

a: da:, sa:, bina:, cuma:, kaza:, fena:, dünya:, rica:, rüya:, a:l'a, a:şık, ca:mi, k'a:tip, sa:lam, ta:ne, va:l'i, ya:mur, ba:zan, ba:zı, ga:yet, ma:dem, ya:ni, misa:fir, bera:ber, posta:ne, mina:re, müna:kaşa, ma:na, ma:cera, ha:l'a:

u: u:ra, u:raş, husu:si:, mecbu:riyet, mesu:l'iyet, tu:la

o: do:ru, o:lan, do:du, bo:mak, foto:raf

b. Short and long vowels - dinleme, tekrar ve karşılaştırma alıştırmaları

il'mi - il'mi:, Vel'i - vel'i:, resmi - resmi: / demek' - de:mek', el'endi - e:l'endi, dedir - de:dir / dümen - dü:men / ören - ö:ren / arı - a:rı, aşık - a:şık, salam - sa:lam / olan - o:lan

(3) Ekleme alıştırmaları

a. -yim ekleyin :

- im	zeng'in-im ö:retmen-im	-ım	hazır-ım rahat-ım
-üm	Türk'-üm k'ör-üm	-um	yorgun-um doktor-um

-yim	iyi-yim evde-yim	-yım	Amerikalı-yım hasta-yım
-yüm	k'öyl'ü-yüm -	-yum	komşu-yum -

/ ö:renci / İng'il'iz / Rus / Fransız / Alman / kız / yabancı / burda / içerde / / dışarda / memnun / evde / üniversitede / misa:fir / aşa:da / yukarda /

b. -yiz ekleyin :

Yukarıdaki sözcüklerle.

c. -sin ekleyin :

-sin	iyi-sin ö:retmen-sin	-sın	Amerikalı-sın rahat-sın
-sün	Türk'-sün k'ör-sün	-sun	yorgun-sun doktor-sun

/ yabancı / ö:renci / İng'il'iz / aşa:da / içerde / memnun / g'üzel' / k'üçük' / rahat /
/ burda / misa:fir / Rus / yukarda / Fransız / üniversitede / Türk' /

ç. -siniz ekleyin :

Yukarıdaki sözcüklerle.

IV. DİLBİLGİSİ

-yim , -yiz , -sin , -siniz / personal suffixes
-ler as personal suffix
Personal pronouns as subject + substantive predicates :
(+) (-) (+?) (-?) forms in the present
değil mi / confirmatory question

(1) Değiştirme alıştırmaları

a.

| Dışarıda hava <u>çok sıcak</u>, \ değil mi? \ |

It's very hot outside, isn't it?

/ iyi / soğuk / biraz sıcak / çok güzel / soğuk değil / çok iyi / güzel / biraz soğuk /
/ çok sıcak değil / çok soğuk /

b.

| <u>Onlar pahalı.</u> \ |

They (those) are expensive.

/ o / oteller / rahat / ev / iyi / Gönül / memnun / yorgun / çocuklar / Oğuz /
/ onlar / kolay / o / zor / küçük / orada / arkadaşlar / üniversite / yakın /
/ büyük / İstanbul / okul / burada / iyi / hava / soğuk / sıcak / oda / yukarıda /
/ aşağıda / dersler / içeride / Ömer Bey / dışarıda / annem / babam / onlar / o /
/ yanlış / Ankarada / pahalı / onlar /

c.

| Onlar <u>öğrenci.</u> \ |

They (those) are students.

Note : A singular noun predicate expresses both the indefinite and plural idea after a third person
plural subject.

/ çocuk / öğretmen / okul / otel / misafir / arkadaş / öğrenci /

ç.

> | Onlar öğrenciler. \ | They (those) are the students.

Note : -ler expresses both definiteness and plurality. Compare with (1)c above.

Yukarıdaki sözcüklerle.

d.

> | Onlar iyi değil. \ | They (those) are not good.

/ güzel / pahalı / öğretmen / burada / misafir / yabancı / çocuk / Amerikalı /
/ yeni / Türk / Ankarada / Fransız / otel / öğrenci / yakın / büyük / kolay /
/ kiralık / memnun / yukarıda / zor /

(2) Çevirme alıştırmaları

a.

+ (Ben) öğrenci-yim. \	I'm a student.
(Biz) öğrenci-yiz. \	We're students.
(Sen) öğrenci-sin. \	You're a student. (sg., familiar)
(Siz) öğrenci-siniz. \	You're students. (pl. or sg. formal)
- (Ben) öğrenci değil-im. \	I'm not a student.
(Biz) öğrenci değil-iz. \	We're not students.
(Sen) öğrenci değil-sin. \	You're not a student.
(Siz) öğrenci değil-siniz. \	You're not students.
+? (Ben) öğrenci mi-yim? \	Am I a student?
(Biz) öğrenci mi-yiz? \	Are we students?
(Sen) öğrenci mi-sin? \	Are you a student?
(Siz) öğrenci mi-siniz? \	Are you students?
-? (Ben) öğrenci değil mi-yim? \	Am I not a student?
(Biz) öğrenci değil mi-yiz? \	Aren't we students?
(Sen) öğrenci değil mi-sin? \	Aren't you a student?
(Siz) öğrenci değil mi-siniz? \	Aren't you students?

Note : The parentheses indicate that personal pronouns are omitted unless the sentence is used to begin discourse.

/ (biz) / +? / - / -? / (siz) / - / + / +? / (sen) / + / - / -? / (ben) / +? / - / + /

b.

```
I _____ I
I (Ben) iyí-yim. \ I          I'm fine.
I _____ I
```

/ Türk / yabancı / (siz) / - / rahat / -? / +? / yorgun / (sen) / + / (biz) / - /
/ memnun / + / (ben) / - / (siz) / -? / +? / otelde / (biz) / - / (sen) / -? / orada /
/ dışarıda / (siz) / aşağıda / yukarıda / +? / içeride / burada / + / - / evde /
/ öğretmen / (biz) / (ben) / + / öğrenci /

c.

I + Çocuklar órada-lar. \ (or órada) I	The children are there.	
I - Çocuklar orada değil-ler. \ (or değíl) I	The children aren't there.	
I +? Çocuklar órada-lar mı? \ (or órada mı) I	Are the children there?	
I -? Çocuklar orada değil-ler mi? \ (or değil mi)I	Aren't the children there?	

Note : With plural 'person' subjects, the use of -lér is optional after the predicate.

/ arkadaşlar / - / -? / +? / öğretmenler / -? / - / + / misafirler / - / -? / +? / yeni
öğrenciler / -? / - / + / öbür arkadaşlar / +? / - / -? / çocuklar / +? / - / + /

ç.

I + Oteller órada. \ I	The hotels are there.
I - Oteller orada değil. \ I	The hotels are not there.
I +? Oteller órada mı? \ I	Are the hotels there?
I -? Oteller orada değil mi? \ I	Aren't the hotels there?

Note : With plural 'non-person' subjects, -lér is not used after the predicate.

/ evler / - / -? / +? / okullar / -? / - / + / dersler / +? / -? / - / ucuz oteller / -? /
/ +? / + / kiralık odalar / +? / -? / - / öbür dersler / + / +? / -? / oteller / +? / - /
/ + /

(3) Konuşma alıştırmaları

a.

```
I _____ I
I                                I
I - Sizi tanıştırayım. \ Pınar Uysal, -> Kathy Williams. \ I
I                                I
I - Çok memnun oldum. \           I
I                                I
I - Ben de çok memnun oldum. \    I
I _____ I
```

-Let me introduce you (to each other). Pınar Uysal, Kathy Williams.
-I'm very pleased (to meet you).
-I'm also very pleased.

Öğrencilerin isimleriyle.

b.

```
- Ne dersiniz, -> Kathy? / Biraz oturalım mı? \

- Hiç rahatsız etmeyelim. \
```

-What do you say, Kathy? Shall we stay a while.
-We don't want to be any trouble.

/ Uğur / Sevim Hanım / Turgut / Fatma / İnci / Jale / Kemal / Ömer Bey /
/ Pınar / Gönül /

c.

```
- Çocuklar neredeler? / (or nerede)          -Where are the children ?

- Dışarıdalar. \ (or dışarıda)               -They're outside.
```

/ öğretmen / arkadaş / öğrenci / yabancı öğrenci / öbür çocuk / misafir / öbür
misafir / öbür yabancı arkadaş / yeni öğrenci / Amerikalı çocuk /

ç.

```
- Oteller nerede? /          -Where are the hotels?

- Taksim' de. \              -(They're) at Taksim.
```

/ ev / okul / ders / kiralık ev / öbür otel / ucuz ev / ucuz otel / kiralık oda / öbür
okul / pahalı otel /

d.

```
- Kaç kişisiniz? /          -How many (people) are you?

- Altı kişiyiz. \           -We're six people.
```

/ 8 / 2 / 10 / 7 / 16 / 20 / 4 / 14 / 11 / 5 / 3 / 17 / 9 / 18 / 30 / 25 / 40 / 32 /
/ 21 / 43 / 94 / 76 / 57 / 88 / 69 /

e.

| |
| - Öğretmen misiniz? \ | -Are you a teacher?
| |
| - Hayır, -> değilim. \ | -No, I'm not.
| |

/ Türk / Amerikalı / öğrenci / yorgun / Alman / İngiliz / memnun / Fransız /
/ rahat / iyi / Rus / evde / yabancı / bu okulda /

V. SORULAR - CEVAPLAR

1. - Bu odada kaç kişiyiz?
  - _____

2. - Hava nasıl?
  - _____

3. - Buyrun, biraz oturun.
  - Hiç rahatsız etmeyelim.

4. - Biraz oturalım mı?
  - İsterseniz, oturalım.

5. - Bu çocuk Amerikalı, ama İngilizce bilmiyor.
  - Nasıl olur?

DOKUZUNCU DERS

I. KONUŞMA

(Sevim Hanım öğrencilere derste yaptırdığı bazı şeyler hakkında sorular soruyor. / Sevim Hanım asks the students questions about various things she has them do during class.)

S.H : Çabuk çabuk cevap verin. Tom, nerede oturuyorsunuz?

Answer quickly. Tom, where do you live?

çabuk	quick, quickly
çabuk çabuk	(very) quickly
cevap	answer (n)
ver-	(to) give
cevap ver-	(to) answer, give answers

Tom : Şişli'de, efendim.

In Şişli (ma'am).

Şişli   a district in İstanbul

S.H : Hans, Tom Şişli'de mi oturuyor, Taksim'de mi?

Hans, does Tom live in Şişli or Taksim ?

...mi ...mi   or (in question)

Hans : Şişli'de.

In Şişli.

S.H. : Michelle, buraya gel. Şu tebeşiri al. Amal, tebeşir kimde?

Michelle, come here. Take that chalk. Amal, who has the chalk? (The chalk is at who?)

bura-ya	here (to this place)
tebeşir	chalk
tebeşir-i	chalk (object)
al-	(to) take
kim-de	at/in (with) who

Amal : Michelle'de.

Michelle has it. (It's at Michelle.)

S. H : Michelle, tahtaya ismini yaz. Kathy, Michelle ne yapıyor?

> Michelle, write your name on the blackboard. Kathy, what's Michelle doing ?

tahta	blackboard
tahta-ya	on (onto) the blackboard
ism-in	your (sg) name
ism-in-i	your (sg) name (object)
yaz-	(to) write
yap-	(to) do
yap-ıyor	she's doing

Kathy : Tahtaya ismini yazıyor.

> She's writing her name on the blackboard.

yaz-ıyor	she's writing

S.H : Çok güzel. Şimdi hep beraber tekrarlayın : Michelle tahtaya ismini yazıyor.

> Very good. Now, repeat all together : Michelle is writing her name on the blackboard.

beraber	together
hep beraber	all together
tekrar-la-	(to) repeat

Öğrenciler : Michelle tahtaya ismini yazıyor.

> Michelle is writing her name on the blackboard.

II. YENİ SÖZCÜKLER

kalem : pencil, pen; defter : notebook; silgi : eraser

İstanbul' da bazı yer isimleri / Some place names in İstanbul :

Fatih , Beyazıt , Aksaray , Lâleli , Üsküdar , Kadıköy

III. SÖYLEYİŞ

(1) Konuşma

S.H : 2Ça32buk çabuk / 2ce31vap verin.\ 22Tom-> 32nerde oturuyorsunuz ?/

Tom : 31Şişl'i'de,-> 2e21fendim.\

S.H : 22Hans,-> 2Tom 32Şişl'i'de mioturuyor,-> 31Taksim'de mi ? \

Hans : 31Şişli'de. \

S.H. : 2Mi22şel', -> 31burıya g'el'.\ 2Şu tebe31şiri al. \ 2A22mal,-> 2tebeşir
k'im33de ?/

Amal : 2Mişel'31de.\

S. H : 2Mi22şel',-> 2tahtaya ismi31ni yaz.\ 22Kathy,-> 2Mişel' 32na: pıyor ?/

Kathy : 2Tahtaya ismi31ni yazıyor.\

S.H : 31Çok g'üzel'.\ 22Şindi-> 32hep bera:ber / 2tek'rar31lıyın:\ 2Mi32şel' /
2tahtaya ismi31ni yazıyor.\

Öğrenciler : 2Mi32şel' / 2tahtaya ismi31ni yazıyor.\

(2) -y

a. Dinleme ve tekrar alıştırmaları

-iy	g'iy
-ey	şey , bey , peynír , çeyrek' , g'üney , teyze
-üy	tüy
-öy	k'öy , böyl'e , öyl'e , şöyl'e , söyl'e , k'öyl'ü
-ıy	kıy , kıyma , kıymet
-ay	ay , ayrı , hayvan , yaygın , aynı , haydi , kolay , uzay
-uy	huy , duy , uyku
-oy	koy , boy , soy , oyna , poyraz

b. Short vowels + y versus long vowels - karşılaştırma alıştırmaları

yay - ya: , çay - ça: , say - sa: , ayrı - a:rı , yaylı - ya:lı /
doymak - do:mak , boy - bo: , doydu - do:du

(3) -h - Dinleme ve tekrar alıştırmaları

ta:l'ih, ta:rih, tercih, kadeh, Allah, g'ünah, iştah, i:zah, nik'ah, sabah, siyah, pehriz, tehdit, tehl'ik'e, bahçe, kahve, tahmin, tahsil', tahta, zahmet, mahk'eme, anahtar, bahset

(4) Consonant doubling

a. Dinleme ve tekrar alıştırmaları

itti , ette , attı , tuttu
teşek'k'ür , dük'k'an , tek'k'en , k'üçük'k'en
bakkal , muhakkak , hakkında , dakka
assa, k'esse, sussa, hissiz
temmuz, g'ömme, ummak, zammı
bel'l'i, gül'l'ü, çöl'l'ü, pil'l'i
yolla, pullu, akıllı, ballı
züppe, kubbe, cadde, g'üççe, tüccar, affi, sıhhat, evvel', l'ezzet, anne, zerre, ayyaş

b. Single and double consonants - Karşılaştırma alıştırmaları

eti - etti, ata - atta, süte - sütte, k'ese - k'esse, susam - sussam,
yumak - yummak, çöl'ü - çöl'l'ü, pil'i - pil'l'i, gül'er - gül'l'er, yola - yolla,
pulu - pullu, dalar - dallar

(5) -iyor - Ekleme alıştırmaları

a. After consonants - **-iyor** ekleyin :

-iyor	bil'	bil'-iyor		-ıyor	çalış	çalış-ıyor	
	ver	ver-iyor			yaz	yaz-ıyor	
-üyor	g'örüş	g'örüş-üyor		-uyor	bul	bul-uyor	
	g'ör	g'ör-üyor			sor	sor-uyor	

Note : Some speakers do not pronounce the /r/ when -iyor occurs word finally or before a suffix which begins in a consonant : bil'-iyo , bil'-iyo-lar.

/ konuş / g'ez / kal / otur / ö:ren / bil' / g'it / affet / g'ör / bul / yardım et / g'el' /
/ g'örüş / tanıştır / dinl'en / iç / ver / al / yaz / çalış / yap / sor /

b. After vowels - -íyor ekleyin

1. After i , ü , ı , u

| i | esk'í | esk'í-yor | ı | acı | acı-yor |
| ü | yürü | yürü-yor | u | okú | oku-yor |

/ a:rí / kurú / uyú / erí / kaşí / taní / üşü / büyü /

Note : As in -íyor, an initial vowel in the citation form of any suffix is dropped when that suffix is added to a word ending in a vowel. Thus, -íyor , -ír , -ím , -ıníz change to -yor , -r , -m , -níz .

2. After üC(C)e , öC(C)e , uC(C)a or oC(C)a

üC(C)e	süsl'é	süsl'ü-yor	uC(C)a	u:rá	u:rú-yor
	g'örüş-me	g'örüş-mü-yor		bul-ma	bul-mu-yor
öC(C)e	öde	ödü-yor	oC(C)a	oyna	oynu-yor
	g'ör-me	g'ör-mü-yor		sor-ma	sor-mu-yor

/ toplá / g'ül'-me / dur-ma / söyl'é / yollá / ol-ma / böl'-me / koklá / boyá /
/ yük'l'é / sulá / düş-me / tut-ma / koş-ma / dön-me / özl'é /

3. Elsewhere after e and a

-e	bek'l'é	bek'l'í-yor	-a	başlá	başlı-yor
	süsl'é-me	süsl'é-mi-yor		u:rá-ma	u:rá-mı-yor
	öde-me	öde-mi-yor		oyná-ma	oyná-mı-yor

/ isté / anlá / yé / söyl'é-me / tek'rarlá / ará / öde-me / tamamlá / yaşá /
/ dinl'é / u:rá-ma / hazırlá / kapá / temizl'é / yıká / toplá-ma / oyná-ma /
/ yakalá / benzé / şişmanlá / dé /

c. -íyor ekleyin :

/ g'éz / isté / söyl'é / anlá / kal / yardím et / yardím ét-me / dé / başlá / otúr /
/ otúr-ma / g'ór / bil' / g'ör-me / bul / yaz / tek'rarlá / konuş-ma / g'örüş /
/ g'örüş-me / g'ít / konuş / ará / söyl'é-me / áffet /

IV. DİLBİLGİSİ

-íyor / continuative participle suffix

...mi ...mi - questions

(1) Değiştirme alıştırmaları

a.

| Pınar bir şey içiyor. \ |

Pınar is drinking something.

/ söyle / iste / gör / ara / bekle / de / ver / al / yaz / yap /

b.

| Biliyor, \ ama söylemiyor. \ |

He knows (it), but he doesn't say (it).

/ iste - yap / gel - kal / tekrarla - anla / anla - cevap ver / iste - iç / al - teşekkür et / bil - konuş / gel - rahatsız et / gör - konuş / iste - al /

(2) Çevirme alıştırmaları

a.

+ (Ben) yaz-ıyor-um. \		I'm writing (write, am going to write, have been writing).
(Biz) yaz-ıyor-uz. \		We're writing.
(Sen) yaz-ıyor-sun. \		You're writing.
(Siz) yaz-ıyor-sunuz. \		You're writing.
- (Ben) yaz-mı-yor-um. \		I'm not writing.
(Biz) yaz-mı-yor-uz. \		We're not writing.
(Sen) yaz-mı-yor-sun. \		You're not writing.
(Siz) yaz-mı-yor-sunuz. \		You're not writing.
+? (Ben) yaz-ıyor mu-yum? \		Am I writing?
(Biz) yaz-ıyor mu-yuz? \		Are we writing?
(Sen) yaz-ıyor mu-sun? \		Are you writing?
(Siz) yaz-ıyor mu-sunuz? \		Are you writing?
-? (Ben) yaz-mı-yor mu-yum? \		Am I not writing?
(Biz) yaz-mı-yor mu-yuz? \		Aren't we writing?
(Sen) yaz-mı-yor mu-sun? \		Aren't you writing?
(Siz) yaz-mı-yor mu-sunuz? \		Aren't you writing?

Note : /o/ is lengthened by some speakers when -iyor occurs immediately before -yim or -yiz : yaz-iyo:r-um , yaz-iyo:r-uz , yaz-mı-yo:r-um , yaz-mı-yo:r-uz .

/ (biz) / - / +? / (sen) / + / - / -? / (siz) / +? / + / - / git / + / +? / -? / (biz) / +? /
/ + / - / (sen) / + / +? / -? / (ben) / +? / + / - / konuş / -? / +? / + / (siz) / - / -? /
/ +? / (sen) / -? / - / + / (biz) / - / -? / +? / gör / -? / - / + / (sen) / - / -? / +? /
/ (siz) / -? / - / + / (ben) / - / yaz / + /

b. _____

I +	(O) yaz-ıyor. \	I
I	(Onlar) yaz-ıyor-lar. \	I
I -	(O) yaz-mı-yor. \	I
I	(Onlar) yaz-mı-yor-lar. \	I
I +?	(O) yaz-ıyor mu? \	I
I	(Onlar) yaz-ıyor-lar mı? \	I
I -?	(O) yaz-mı-yor mu? \	I
I	(Onlar) yaz-mı-yor-lar mı? \	I

He's writing.
They're writing.
He isn't writing.
They're not writing.
Is he writing?
Are they writing?
Isn't he writing?
Aren't they writing?

/ (onlar) / - / -? / +? / (o) / + / - / -? / öğren / - / + / +? / (onlar) / -? / - / + /
/ bekle / - / -? / +? / (o) / + / - / -? / tekrarla / +? / + / - / (onlar) / + / +? / -? /
/ otur / +? / + / - / (o) / + / +? / -? / yaz / + /

c. _____

I Ben yaz-ıyor-um. \ I	
I_____I	

I'm writing. (ben is used discourse initially)

/ biz / +? / -? / - / onlar / + / +? / -? / siz / +? / + / - / o / + / +? / -? /
/ öğrenciler / +? / + / - / sen / + / +? / -? / Oğuz / +? / + / - / çocuklar / + /
/ +? / -? / ben / +? / - / + /

ç. _____

I Çocuklar konuş-uyor-lar. \ I
I Çocuklar konuş-uyor. \ I

The children are talking.
The children are talking.
(No difference in meaning)

/ konuşuyor / +? / -? / - / + / istiyorlar / - / -? / +? / + / teşekkür ediyor / - / -? /
/ +? / + / geliyorlar / - / -? / +? / + / yazıyor / - / -? / +? / + / yazıyorlar /

(3) Konuşma alıştırmaları

a.

```
| - Tebeşir kimde? / |        -Who has the chalk? (The chalk is at who?)
| - Bende. \        |        -I do. (At me.)
|_____|
```

/ kitap / silgi / defter / öbür kitap / defterler / kitaplar / onlar / o defterler / yeni kitaplar / büyük defter /

b.

```
| -Pınar ne yapıyor? / |      -What's Pınar doing?
| - Oturuyor. \        |      -Just sitting. (She's sitting.)
|_____|
```

/ konuş / dinlen / bekle / telefon et / tahtaya ismini yaz / oda ara / yabancı öğrencilerle gez / Almanca öğren / bize yardım et / bir şey iç /

c.

```
| -Şişli'de mi oturuyorsunuz? \                         |   -Do you live in Şişli?
| -Hayır, \ efendim. \ Taksim'de oturuyorum. \ |        -No, sir. I live in Taksim.
|_____|
```

/ Beyazıt / Aksaray / Üsküdar / Kadıköy / Lâleli / Fatih /

ç. Örneklerde olduğu gibi, cevaplarınız için verilen iki ihtimalden ilkini seçin. / As in the examples, choose the first one of the two possibilities for your answers.

1.

```
| - Onlar ucuz mu, -> pahalı mı? |     -Are they inexpensive or expensive?
| - Ucuz. \                      |     -(They're) expensive.
|_____|
```

/ kız - erkek / Fransız - Alman / içeride - dışarıda / sıcak - soğuk / Türk - Amerikalı / öğretmen - öğrenci / öğrenciler - öğretmenler / ev - okul / büyük - küçük / aşağıda - yukarıda / zor - kolay / bizde - onlarda / yanlış - doğru / / burada - orada /

2.

- Burada <u>ón kişi</u> mi var, -> <u>yirmí kişi</u> mi? \	-Are there ten (people) or twenty people here?
- Yirmí kişi. \	-Twenty people.

/ bir otel - iki otel / otuz öğrenci - kırk öğrenci / kız çocuklar - erkek çocuklar /
/ bir üniversite - iki üniversite / kalemler - kitaplar / Amerikalılar - Türkler /
/ üç oda - dört oda / yabancı arkadaşlar - Türk arkadaşlar / ucuz oteller - pahalı
oteller / kiralık evler - kiralık odalar /

3.

- <u>Síz</u> mi istiyorsunuz, -> <u>onlar</u> mı? \	-Do you want (it) or do they ?
- Ben istiyorum. \	-I do.

/ ben - siz / sen - o / o - ben / biz - onlar / siz - o / Pınar - Gönül / öğretmenler
- öğrenciler / misafirler - siz / Turgut - Kaya / Sevim Hanım - Ömer Bey /

4.

-Tom <u>Türkçe</u> mi konuşuyor, -> <u>İngilizce</u> mi? \	-Is Tom speaking Turkish or English?
-Türkçe. \	-Turkish.

/ İngilizce - Fransızca / Almanca - Rusça / Fransızca - Arapça /
/ Rusça - Almanca / Arapça - Türkçe / İngilizce - Almanca / Fransızca -
Türkçe / Almanca - Fransızca / Türkçe - İngilizce /

5.

-Tom <u>Şişli</u>'de mi oturuyor, -> <u>Taksim</u>'de mi? \	-Does Tom live in Şişli or in Taksim?
-Şişli'de. \	-In Şişli.

/ Üsküdar - Kadıköy / Fatih - Beyazıt / Lâleli - Aksaray / Bursa - Eskişehir /
/ Adana - Mersin / Sivas - Tokat / Diyarbakır - Gaziantep / şu ev - öbür ev /
/ küçük bir oda - büyük bir oda / bu bina - şu bina /

6. _____

| -Ders sekizde mi başlıyor, -> dokuzda mı? \ | - Does the class start at eight or (at) nine?
| -Sekizde. \ | -At eight.
| _____ |

/ yedi buçuk - sekiz buçuk / on - on bir / dört - beş / yarım - bir / üç - üç buçuk /
/ on bir buçuk - on iki / altı - yedi / iki buçuk - üç / bir - iki / dokuz - on /

7. _____

| -Uğur geliyor mu, -> gidiyor mu ? \ | -Is Uğur coming or (is he) going ?
| -Geliyor. \ | -He's coming.
| _____ |

/ kal - git / başla - bekle / bekle - git / git - kal / otur - git / gel - kal /
/ bekle - başla /

V. SORULAR - CEVAPLAR

1. - Burada Türkçe mi öğreniyorsunuz, Arapça mı?
    - _____

2. - Türkçe kolay mı, zor mu?
    - _____

3. - Kathy oda mı arıyor , ev mi?
    - _____

4. - Tebeşir sizde mi?
    - Hayır, bende değil. Sizde.

5. - Şimdi ne yapıyorsunuz?
    - Türkçe konuşuyoruz.

ONUNCU DERS

I. KONUŞMA

(Türkçe dersi devam ediyor. Dersin sonunda, Sevim Hanım öğrencilere bir alıştırma yaptıracak. / The Turkish class continues. Sevim Hanım is going to have the students do an exercise at the end of the hour.)

S.H : Otur, Michelle. Teşekkür ederim. Dinleyin : Masada kitap yok. Boris, masada kitap var mı?

> Sit down, Michelle. Thank you. Listen : There are no books on the table. Boris, are there (any) books on the table?

> | dinle- | (to) listen |
> |--------|-------------|
> | masa | table |
> | kitap | book |

Boris : Efendim?

> Excuse me?

S.H. : Masada kitap var mı?

> Are there (any) books on the table?

Boris : Yok, efendim.

> (No, ma'am,) there aren't.

S.H. : Amal, şubatta ders olacak mı, olmayacak mı?

> Amal, are there going to be (any) classes in February or not?

> | şubat | February |
> |------------|--------------------------------|
> | ol-acak | there will (be), it will (be) |
> | ol-ma-yacak| there won't (be), it won't (be)|

Amal : Olmayacak, efendim.

> There aren't (ma'am).

S.H. : Şimdi, kâğıt kalem çıkarın.

> Now, take out paper and pencils.

> | kâğıt | paper |
> |--------|--------------|
> | çık-ar-| (to) take out|

Tom : ' Kâğıt' ne demek, efendim ?

> What does ' kâğıt' mean (ma'am) ?
>
> ne de-mek   what does it mean

S.H. : ' Paper ' demek.

> It means ' paper '.

Tom : Test mi var?

> Is there a <u>test</u>? (Emphasis cn ' test')
>
> test   test

S.H. : Hayır, küçük bir alıştırma yapacağız.

> No, we're going to do a small exercise.
>
> alıştırma   exercise, drill
> yap-acağ-ız   we're going to do

II. YENİ SÖZCÜKLER

Aylar / months : <u>ocak</u> : January, <u>şubat</u> : February, <u>mart</u> : March , <u>nisan</u> : April, <u>mayıs</u> : May, <u>haziran</u> : June, <u>temmuz</u> : July, <u>ağustos</u> : August, <u>eylül</u> : September, <u>ekim</u> : October, <u>kasım</u> : November, <u>aralık</u> : December

III. SÖYLEYİŞ

(1) Konuşma

S.H : 2O<u>31</u>tur,-> 2Mi<u>21</u>şel'.\ 2Teşek'<u>31</u>k'ür ederim.\ 2Din<u>31</u>l'iyin:\ 2Masada k'itap 31yok.\ 22Boris,-> 2masada k'itap 31var mı?\

Boris : 2E<u>33</u>fendim?/

S.H. : 2Masada k'itap <u>31</u>var mı?\

Boris : 31Yok,-> 2e<u>21</u>fendim.\

S.H. . 2A<u>22</u>mal,-> 2şubatta ders olu<u>32</u>cak mı,-> 31olmı:cak mı?\

Amal : 31Olmı:cak,-> 2e<u>21</u>fendim. \

S.H. : 22Şíndi,-> 2k'aat ka<u>31</u>l'ém çıkarın. \

Tom : 2' K'a<u>32</u>at' ne demek',-> 2e<u>32</u>féndim?/

S.H. : 31 ' Páper ' demek'. \

Tom : 31Tést mi var? \

S.H. : 31Háyır,-> 2k'üçük' bir alıştır<u>31</u>ma´ yapıca:z. \

(2) Vowel transition

a. Dinleme ve tekrar alıştırmaları - Between same vowels

i - i   diíl', şiír, yiít / içtií, yedií, bil'dií / íçmedii , bíl'medii, g'örmedii

e - e   beén, deér, éer / bebeé, g'ezmeé, vermeé / íçmemee, g'ézmemee, g'ítmemee

ü - ü   düün, g'üüm, düüm / büyüü, k'üçüü, g'ördüümüz

ı - ı   yıín, sıír, yıíl / kaşıí, aldıí, baktıí / almadıı, çıkmadıı, sórmadıı

a - a   aaç, daa, saát / ayaá, duraá, anlamaá / almamaa, bakmamaa, sórmamaa

u - u   Uúr, kuú, şuúr / çocuú, olduú, sorduumúz

b. Dinleme ve tekrar alıştırmaları - Between different vowels

i - e   cier, dier / çel'ié, k'emié, temizl'ié

e - i   eíl', eíp, reís / k'öpeí, yemeí, bil'iceí / bíl'mi:cei, vérmi:cei, g'örmi:cei

ü - e   süet, süeter / k'üçüé, böl'üé, çöpl'üé

ö - e   g'öé, öé

ö - ü   öüt, g'öüs, söüt / öütl'ér, g'öüsl'ér, söütl'ér

ı - a   sıár, yıár / kaşıá, balıá, kızamıá, kalabalıá

a - ı   saır, daıt, çaır / bacaí, taraí, alıcaí / almı:caı, yapmı:caı, bulmı:caı

u - a   Suát, fuár, suál' / çocuá, tavuá, musluá, mecmuá, muavín

o - a   doán, çoá, soán / doárak, boárak / çoaldí, boazım, soanlár

o - u   ouí, Ouíz, souk / Ouízdu, souíkmuş / oullár, souklár, souá

a: - i   da:iré, Sa:ím, a:il'é, fa:íz, şa:ír

(3) v

a. Dinleme ve tekrar alıştırmaları - With round vowels, word medially

bavul, havuç, kavun, tavuk
duvar, yuva, yuvarlak
g'üven, hüviyet
kova, kovmak, prova

b. Dinleme ve tekrar alıştırmaları - Elsewhere

var, vapur, ve, vize, votka, vur
ev, manav, ödev, pil'av, zevk'
evet, hava, cevap, devam, seviml'i, yavaş
eyvah, hayvan, takvim, meyva, kahve, konserve
kavga, evl'i, havlu, mevsim, sivri, sevg'i

(4) -yecek' - Ekleme alıştırmaları

a.1. After consonants - **-yecek** ekleyin

-icék'	g'it	g'id-icek'	-ıcak	çalış	çalış-ıcak
	ver	ver-icek'		yaz	yaz-ıcak
-ücék'	g'örüş	g'örüş-ücek'	-ucak	bul	bul-ucak
	g'ör	g'ör-ücek'		sor	sor-ucak

(g'id-ecek', çalış-acak, etc. occur in formal spoken Turkish.)

/ otur / ö:ren / kal / g'ör / iç / ol / ver / tanıştır / dinl'en / konuş / bil' / tel'efon
et / g'ez / yap / g'örüş / sor / yaz / çıkar / memnun ol /

2. After vowels - **-yecek'** ekleyin :

i	esk'i	esk'i:cek'	ı	acı	acı:cak
ü	yürü	yürü:cek'	u	oku	oku:cak
e	bek'l'e	bek'l'i:cek'	a	başla	başlı:cak
	g'örme	g'ör-mi:cek'		sorma	sor-mı:cak

(esk'i-yecek' , g'ör-me-yecek' , etc. occur in formal spoken Turkish.)

/ isté / söyl'é / anlá / dinl'é / tek'rarlá / ará / ara-ma / yürü / dinl'é-me / dé /
/ dé-me / g'ör-me / tanıştır-ma / tek'rarla-ma / g'it-me / memnun ol-ma / rahatsız
ét-me / konúş-ma / acı /

3. **-yecék'** ekleyin :

/ g'ör / okú / başlá / teşek'k'ür et / konúş / konúş-ma / áffet / ö:rén-me / kál /
/ bek'l'é / zahmét et / memnun ol-ma / yáz-ma / yáp / sór / g'ör-me / g'örüş / otúr /
/ söyl'é / dinl'én / dinl'é / ceváp ver / al / dé / g'éz-me / isté / bul / çıkár /
/ çıkár-ma / dinl'é-me /

b. **-yecék'** + **-yim**

1. After consonants - **-yecék'** + **-yim** ekleyin :

-icé:m	g'id-icé:m	-ıca:m	çalış-ıca:m
	ver-icé:m		yaz-ıca:m
-ücé:m	g'örüş-ücé:m	-uca:m	bul-uca:m
	g'ör-ücé:m		sor-uca:m

(g'id-ecé-im, çalış-acá-ım, etc. occur in formal spoken Turkish.)

/ konúş / g'éz / g'ít / g'ör / kal / otúr / yardım et / memnún ol / g'el' / bul /
/ teşek'k'ür et / g'örüş / çıkár / yáp / vér / al / yáz / iç / dinl'én / çalış / ö:rén /
/ tel'efo'n et / g'éç kal / sór /

2. After vowels - **-yecék'** + **-yim** ekleyin :

yürü:cé:m	bek'l'i:cé:m	bek'l'é-mi:ce:m
oku:ca:m	başlı:ca:m	başla-mı:ca:m

(yürü-yecé-im, başlá-ma-yaca-ım, etc. occur in formal spoken Turkish)

/ anlá / isté / ará / okú / g'ör-me / tek'rarlá / tanıştır-ma / söyl'é / yürü / dinl'é /
/ dinl'é-me / söyl'é-me / dé / dé-me / okú-ma / bek'l'é /

3. **-yecek'** + **-yim** ekleyin :

/ yáz / íç / g'ör / bek'l'é / isté-me / oku' / çıkár / dinl'én / konúş / yardím et /
/ tel'efon ét-me / g'eç kaĺ-ma / ö:rén / söyl'é / ará / konúş-ma / yáp / cevap
vér-me / g'örüş / g'eĺ'-me / otúr-ma /

4. **-yecek** + **-yiz** ekleyin :

| g'id-icé:z,   yürü:cé:z,   bek'l'é–mi:ce:z,   etc. |

Yukarıdaki sözcüklerle.

IV. DİLBİLGİSİ

-yecek   /   future participle suffix
yok   /   there isn't, there aren't
-dé + vár ,   -dé + yok   /   have, have not
...mi ...mi   - questions (continued)
mi   - questions with contrastive emphasis

(1) Değiştirme alıştırmaları

a.

| Yarın sabah -> görüşeceğiz. \ | We're going to talk together tomorrow morning.

/ gi' ' al / ver / konuş / başla / telefon et / iste / dinlen / gez / yap / bekle/
ara /

b.

| Ya... ...eyecekler. \ | They're not going to come tomorrow.

/ ver / gez / al / dinlen / görüş / konuş / geç kal / git / gör / başla / ara / telefon
et / iste / söyle /

c.

| S... ...iniz, \ ama o öğrenmeyecek. \ | You're going to (will certainly) learn (it),
| | but he isn't (won't).

...e / bekle / gel / yaz / anla / iç /

(2) Çevirme alıştırmaları

a.

+	(Ben) yaz-acağ-ım. \	I'm going to (will) write.
	(Biz) yaz-acağ-ız. \	We're going to write.
	(Sen) yaz-acak-sın. \	You're going to write.
	(Siz) yaz-acak-sınız. \	You're going to write.
-	(Ben) yaz-ma-yacağ-ım.\	I'm not going to write.
	(Biz) yaz-ma-yacağ-ız. \	We're not going to write.
	(Sen) yaz-ma-yacak-sın. \	You're not going to write.
	(Siz) yaz-ma-yacak-sınız. \	You're not going to write.
+?	(Ben) yaz-acak mı-yım? \	Am I going to write?
	(Biz) yaz-acak mı-yız? \	Are we going to write?
	(Sen) yaz-acak mı-sın? \	Are you going to write?
	(Siz) yaz-acak mı-sınız? \	Are you going to write?
-?	(Ben) yaz-ma-yacak mı-yım? \	Am I not going to write?
	(Biz) yaz-ma-yacak mı-yız? \	Aren't we going to write?
	(Sen) yaz-ma-yacak mı-sın? \	Aren't you going to write?
	(Siz) yaz-ma-yacak mı-sınız? \	Aren't you going to write?

(yaz-ıcám mı, yaz-ıcáz mı, yáz-mɪ:cam mı, yáz-mɪ:caz mı are also heard in colloquial speech.)

/ (biz) / - / -? / +? / (siz) / + / - / -? / (ben) / - / + / +? / (sen) / -? / - / + /
/ bekle / - / -? / +? / (siz) / -? / - / + / (biz) / - / -? / +? / (ben) / + / - / -? /
/ konuş / +? / / + / - / (siz) / + / +? / -? / (sen) / +? / + / - / (biz) / -? / +? / + /
/ yaz / (ben) /

b.

+	(O) yaz-acak. \	He's going to write.
	(Onlar) yaz-acak-lar. \	They're going to write.
-	(O) yaz-ma-yacak. \	He isn't going to write.
	(Onlar) yaz-ma-yacak-lar. \	They're not going to write.
+?	(O) yaz-acak mı? \	Is he going to write?
	(Onlar) yaz-acak-lar mı? \	Are they going to write?
-?	(O) yaz-ma-yacak mı? \	Isn't he going to write?
	(Onlar) yaz-ma-yacak-lar mı?\	Aren't they going to write?

/ (onlar) / - / -? / +? / (o) / -? / - / + / ver / - / -? / +? / onlar / -? / - / + / başla /
/ - / -? / +? / (o) / + / - / -? / söyle / +? / + / - / (onlar) / + / +? / -? / yardım et /
/ +? / + / - / (o) / + / +? / -? / yaz / - / + /

c. _____

| Ben yaz-acağ-ım. \ | I'm going to write.
|_____|

/ sen / - / -? / +? / öğrenciler / -? / - / + / Pınar / - / -? / +? / biz / + / - / -? /
/ siz / +? / + / - / o / + / +? / -? / öğretmen / +? / + / - / çocuklar / + / +? / -? /
/ ben / - / +? / + /

ç. _____

| (Ben) gid-iyor-um. \ | I'm going.

| (Ben) gid-eceğim. \ | I'm going to go.
|_____|

/ konuş / -yecek / (biz) / (onlar) / -iyor / (siz) / (sen) / (o) / (ben) / - / -? /
/ -yecek / (siz) / başla / +? / + / - / -iyor / (onlar) / -yecek / -? / +? / + / (biz) /
/ +? / -iyor / (sen) / + / - / (o) / -? / -yecek / (siz) / +? / + / (ben) / - / -? / git / - /
/ -iyor / + /

d. _____

| +   Şubat-ta ders var. \ | There are classes in February.
| -   Şubat-ta ders yok. \ | There aren't classes in February.
| +?   Şubat-ta ders var mı? \ | Are there classes in February ?
| -?   Şubat-ta ders yok mu? \ | Aren't there classes in February ?
|_____|

/ ekim / - / -? / +? / ağustos / -? / - / + / mart / - / -? / +? / dokuz / -? / - / + /
/ eylül / - / -? / +? / haziran / + / - / -? / iki buçuk / - / + / +? / beş / -? / - / + /
/ mayıs / - / -? / +? / şubat / -? / - / + /

(3) Konuşma alıştırmaları

a.1.

| - Masada kitap var mı? \ | -Are there (any) books on the table ? (Is there a book...?)
| - Yok, -> efendim. \ | -(No, sir,) there aren't.
|_____|

/ kâğıt / tebeşir / defter / çok kitap / silgi / çok defter / bir şey / çok kâğıt / kalem /

2.

I - <u>Siz</u>de kalem var mı? \ I
I -Var, -> efendim. \   I

-Do you have a (any) pencil(s)? (Are there pencils at you?)
-I do, sir. (There are.)

Note : -<u>de</u> + <u>var</u> combination does not necessarily indicate ownership, but usually temporary possession.

/ sen / Gönül / öğrenciler / biz / onlar / Oğuz / Uğur / ben / Pınar /

/ öbür çocuklar /

b.1.

I -<u>Şubat</u>ta ders olacak mı, -> olmayacak mı? \ I
I
I - Olmayacak, -> efendim. \

-Are there going to be classes in February
or not?
-(No, sir,) there aren't.

/ kasım / temmuz / nisan / sekiz buçuk / beş / aralık / yarım / ocak /
/ üç buçuk / ekim / eylül / on / haziran / mart / mayıs /

2.

I -<u>Anlı</u>yor musunuz, -> anlamıyor musunuz? \ I
I -Anlıyorum. \

-Do you understand (it) or not?
-I understand (it).

/ bil / gel / git / kal / başla / öğren / iste / yap / al / yaz /

3.

I - <u>Telefon ed</u>ecekler mi, -> étmeyecekler mi? \ I
I - Her halde -> étmeyecekler. \

-Are they going to telephone or not?
-Probably they won't.

Note : The direct object or the first word in a compound verb is not repeated in the subsequent occurrences of the verb.

/ yardım et / cevap ver / memnun ol / geç kal / Türkçe öğren / affet / bir şey iç /
/ alıştırma yap / ev ara / .

4.

I - <u>Şubat</u>ta ders var mı, -> yok mu? \ I
I - Var. \

-Are there classes in February or not?
-(Yes,) there are.

/ eylülde / şimdi / yarın / içeride / yukarıda / bu odada / aşağıda / haziranda /
/ dörtte / saat birde / bu sabah / yarın sabah /

c.1.

- Oğuz İngilizce konuşuyor mu? \
- Evet, \ konuşuyor. \

-Does Oğuz <u>speak</u> English? (Emphasis on 'speak'.)
-Yes, he does.

/ Gönül / Ömer Bey / Sevim Hanım / Fatma / Uğur / Turgut / Jale /
/ Kemal Bey / Pınar / Kaya /

2.

- <u>Oğuz</u> İngilizce mi konuşuyor? \
- Evet, \ İngilizce konuşuyor.\

-Does Oğuz speak <u>English</u>? (Emphasis on 'English'.)
-Yes, he does speak <u>English</u>.

Yukarıdaki sözcüklerle.

3.

- <u>Oğuz</u> mu İngilizce konuşuyor? \
- Evet, \ Oğuz İngilizce konuşuyor. \

-Does <u>Oğuz</u> speak English? (Emphasis on 'Oğuz'.)
-Yes, <u>Oğuz</u> does speak English.

Yukarıdaki sözcüklerle.

ç.

- '<u>Kâğıt</u>' ne demek? /
- Efendim? /
- '<u>Kâğıt</u>' ne demek? \
- 'Paper' demek. \

-What does 'kâğıt' mean?

-Excuse me?

-What does 'kâğıt' mean?

-It means 'paper'.

/ dakika / thank you / sene / April / öyleyse / good morning / hep beraber / OK /
/ October / dersim var / welcome / belki / September / zahmet ediyorsunuz /
/ excuse me / January / yanlış anlıyorsunuz / now / çabuk çabuk / ağustos /

V. SORULAR - CEVAPLAR

1. - Acaba bu üniversitede kaç öğrenci var?
  - Bilmiyorum, vallahi.

2. - İstanbul'da iyi oteller nerede?
  - Taksim'de.

3. - ' What are you going to do tomorrow? ' ne demek?
  - _____

4. - Bu okulda dersler eylülde mi başlıyor?
  - _____

5. - Yorgun musunuz?
  - Biraz.

ON BİRİNCİ DERS

I. KONUŞMA

(Kathy Taksim'deki otelin önünden bir taksiye binip, Aksaray'a Pınarların evine gidiyor. / Kathy catches a cab in front of the hotel in Taksim and goes to Pınar's house in Aksaray.)

Kathy : Aksaray'a gideceğim. Kaça götürürsünüz?

> I'm going to (go to) Aksaray. How much will you take me for?

Aksaray'a	to Aksaray
kaç-a	for how much
götür-	(to) take (something or someone to a place)
götür-ür-sünüz	you (will) take

Taksi
Şöförü : Yüz bin liraya.

> A hundred thousand liras. (For a hundred thousand liras.)

taksi	taxi
şöför	driver
taksi şöför-ü	taxi-driver
lira	Turkish monetary unit

Kathy : Oo, çok fazla istiyorsunuz.

> Oh, you're asking too much.

fazla	too much, excessive
çok fazla	(far) too much
iste-	(to) ask (for)

T. Ş. : Fazla değil, efendim. Taksim'den Aksaray'a her zaman bu kadar alıyoruz.

> It's not too much (ma'am). We always charge this much from Taksim to Aksaray.

Taksim'den	from Taksim
her	every, each
zaman	time
her zaman	always, all the time
kadar	amount
bu kadar	this much
al-	(to) get, take, receive, charge

Kathy : Pekiyi, gidelim. Yalnız şurada bavullarım var.

> All right, let's go. But I have suitcases over there. (There are my suitcases over there.)

gid-elim	let's go

şura-da	over there
bavul	suitcase
bavul-lar-ım	my suitcases

T. Ş. : Siz binin. Ben onları bagaja koyarım.

You get in. I'll put them in the trunk.

bin-	(to) get in
on-lar-ı	them, those (object)
bagaj	trunk
bagaj-a	in(to) the trunk
koy-	(to) put
koy-ar-ım	I'll put

Kathy : Bakın, sağ tarafta bir lokanta var. Onu geçin, ilk sokağa girin.

See that restaurant on the right ? (Look, there's a restaurant on the right hand side.)
Go past it (and) turn into (enter) the first street.

bak-	(to) look
sağ	right
taraf	side, direction
lokanta	restaurant
on-u	it (object), that (object)
geç-	(to) pass, go past
ilk	first
sokak	street
sokağ-a	(in)to the street
gir-	(to) enter, go (come) in

T. Ş. : Hangi ev?

Which house (is it)?

Kathy : Biraz daha gidin, solda yüz otuz yedi numara.

Go a little farther, it's on the left, number one thirty-seven.

biraz daha	a little more
sol	left
numara	number

II. YENİ SÖZCÜKLER

götür- : (to) take (to)   X   getir : (to) bring
kuruş : 1/100 of a lira
adres : address
on-lar : those, they; bun-lar : these (pronoun); şun-lar : those
over there (pronoun)
on-a, bun-a, şun-a, on-lar-a, bun-lar-a, şun-lar-a
on-dan, bun-dan, şun-dan, on-lar-dan, bun-lar-dan, şun-lar-dan
on-da, bun-da, şun-da, on-lar-da, bun-lar-da, şun-lar-da

III. SÖYLEYİŞ

(1) Konuşma

Kathy : 31Aksaray'a g'idice:m.\ 2Ka32ça g'ötürürsünüz? /

Taksi
Şöförü : 31Yüz bin l'iraya.\

Kathy : 31O:o,\ 31çok fazla istiyorsunuz.\

T. Ş. : 2Fazla di31il',-> 1e11fendim.\ 2Taksim'den 22Aksaray'a-> 31her zaman bu
kadar alıyoruz.\

Kathy : 31Pek'i:,\ 2g'ide31l'im.\ 32Yalnız-> 2şurda bavulla31rım var.\

T. Ş. : 2Siz 31binin.\ 2Ben onları bagaja ko31yarım.\

Kathy : 32Bakın,-> 2sa: tarafta bir l'o31kanta var.\ 2Onu 32g'eçin, / 32il'k' sokaa->
21g'irin. \

T. Ş. : 32Hang'i ev? /

Kathy : 2Biraz da32ha g'idin, / 2sol32da-> 2yüz otuz ye31di numara.\

(2) Ekleme alıştırmaları

a. -dén ekleyin :

```
| okul       okul-dan          |
|                              |
| k'itap     k'itap-tan        |
|                              |
| Taksim     Taksim-den, vs. 1 |
|                              |
| (krş. 2 (2)a, b; s. 3 24)    |
|_____|
```

/ Turgut / Sevim / üniversite / masa / ev / bu / sokak / İzmit / o / Fa:tih / şu /
/ Üsk'üdar / tahta / ö:retmen / ö:rencil'er / onlar / Sivas / misa:fir / l'okanta /
/ Kadık'öy /

1vs. (ve saire) : etc.

2krş. (karşılaştırınız) : Cf.

3s. (sayfa) : p. , pp.

b. -ye ekleyin :

ev	ev-e
ö:renci	ö:renci-ye
l'okanta	l'okanta-ya, vs.
(krş. (2)a, s. 62)	

/ arkadaş / İnci / Ömer / oda / bina: / sol / otel' / tel'efon / o / tahta /
/ Şişl'i / Beyazıt / Fa:tih / ö:retmenl'er / bu / bunlar / siz / şu / kırk /

c. Some root changes before **-ye** and other suffixes beginning in vowels. Examples
with words learned to date :

    1. -Vk ve -Vk' -> VØ In almost all polysyllabic and very few monosyllabic
    words   (i.e. g'ök', çok, yok).

çocuk	çocu-a	souk	sou-a
buçuk	buçu-a	büyük'	büyü-e
ocak	oca-a	k'üçük'	küçü-e
aralık	aralı-a	sıcak	sıca-a
sokak	soka-a	erk'ek'	erke-e

    2. -V: -> -V-

sa: sa-a

    3. -p -> -b-

k'itap   k'itab-a
Ga:ziantep Ga:zianteb-e

    4. -t -> d-

k'aat   k'aad-a
dört   dörd-e
Tokat   Tokad-a

    5. -VC -> -V:C-

zaman   zama:n-a

6. -Vp -> -V:b-

cevap   ceva:b-a

7. -CVC -> -CC-

isim   ism-e

8. e -> a - Only before **-ye** in the following two words.

ben   ban-a
sen   san-a

9. -ye ekleyin :

/ siz / çocuklar / çocuk / sa: / bina: / ben / Aksaray / k'itap / hava / okul / o' /
/ souk / sen / dört / altı / zaman / Kars / Ga:ziantep / bu / G'önül' / Fatma /
/ isim / Amerikalılar / masa / k'aat / cevap / sokak / k'üçük' / onlar / şu /
/ tahta / biz / Türk' / Tokat / aralık / bavul / k'ira: / adres /

IV. YAZI

(1)   ğ - Generally used in spelling words of pure Turkish origin :

a. Representing long vowels

sağ   / sa: /
öğrenci   / ö:renci /
öğretmen   / ö:retmen /
doğru   / do:ru /
estağfurullah / esta:furullah /

Note : Vowel length is not marked in the spelling of borrowed words,

bina	/ bina: /	acaba	/ acaba: /
misafir	/ misa:fir /	vallahi	/ valla:hi /
Jale	/ Ja:l'e /	galiba	/ ga:l'ba:, gal'ba: /
kiralık	/ k'ira:lık /	rica	/ rica: /
Gaziantep	/ Ga:ziantep /	zamana	/ zama:na /

b. Representing vowel transition

Oğuz	/ Ouz /	soğuk	/ souk /
Uğur	/ Uur /	sağa	/ saa /
değil	/ diil' /	çocuğa	/ çocua /

kâğıt	/ k'aat /	soğuğa	/ soua /
ağustos	/ austos /	sokağa	/ sokaa /

Note : Two vowels are written adjacent in borrowed words.

saat	/ saat /	daire	/ da:ire /
mecmua	/ mecmua /	reis	/ reis /

(2) ^ - Used in the spelling of borrowed words only.

a. Marking the irregular occurrence of k' , g' , l' in syllables with a , a: , u , u:

bekâr	/ bek'ar /	evvelâ	/ evvel'a: /
dükkân	/ dük'k'an /	hikâye	/ hik'a:ye /
mahkûm	/ mahk'um /	kâfi	/ k'a:fi /
ihtilâl	/ ihtil'al' /	lâzım	/ l'a:zım /
ikametgâh	/ ika:metg'ah /	vilâyet	/ vil'a:yet /
ilâç	/ il'aç /	mahkûmiyet	/ mahk'u:miyet /
kâr	/ k'ar /	kâtip	/ k'a:tip /
rüzgâr	/ rüzg'ar /	mükâfat	/ mük'a:fat /

Note : There are inconsistencies in the application of this spelling rule.

b. Marking -i:

hususî	/ husu:si: /
millî	/ mill'i: /
resmî	/ resmi: /

c. Differentiating words which are otherwise identical except for the difference in vowel length.

hatta - hattâ	/ hatta / - / hatta: /
adet - âdet	/ adet / - / a:det /

(3) Okuma ve yazma alıştırmaları

1. Küçük bir alıştırma yapacağız.
2. Bu üniversitede çok öğrenci yok.
3. Jale Şişli'de oturmuyor.
4. Vallahi pek yorgun değiliz.
5. Doğru, size rahat ve ucuz bir oda lâzım.
6. Misafirler saat kaçta gelecek ?
7. İsterseniz, hemen kiralık odayı görelim.
8. Dışarıda hava biraz soğuk, değil mi?

9. Aksaray'a kaça götürürsünüz?

10. Oğuz güzel Fransızca konuşuyor.

V. DİLBİLGİSİ

-ye / to, for

-den / from

Question-word questions

(1) Değiştirme alıştırmaları

a.

| Uğur'a -> telefon edecekler. \ | They're going to call Uğur.

/ Oğuz / Pınar / Çetin / annem / babam / Fatma / İnci / Kaya / ben / Jale /
/ o çocuk / o / onlar / otel / ev / sen /

b.

| Sizden -> yardım istiyor. \ | He's asking you for help.
                             (He's wanting help from you.)

/ öğretmen / o / biz / arkadaşlar / şoför / Turgut / ben / Gönül / bir arkadaş /
/ üniversite /

c.

| İstanbul'dan -> Ankara'ya gideceğiz. \ | We're going to go from İstanbul to Ankara.

/ Mersin - Adana / İzmit - Bursa / Diyarbakır - Gaziantep / okul - ev / Fatih - Şişli / Üsküdar - Kadıköy / Kars - Van / Sivas - Tokat / İzmir - Eskişehir /
/ Edirne - İstanbul /

(2) Çevirme alıştırmaları

a.

1. <u>Pınar</u> -> memnun olacak. \	Pınar is going to be pleased.
(kim) - Kim -> memnun olacak? /	Who is going to be pleased?
- Pınar -> memnun olacak. \	
2. Oğuz -> <u>oda</u> arıyor. \	Oğuz is looking for a room.
(ne) - Oğuz -> ne arıyor? /	What is Oğuz looking for?
- Oda arıyor. \	
3. Dersler -> <u>bu</u> odada. \	Classes are in this room.
(hangi) - Dersler -> hangi odada? /	Which room are classes in?
- Bu odada. \	
4. Şöför -> <u>yüz bin</u> lira istiyor. \	The driver wants one hundred thousand liras.
(kaç) - Şöför -> kaç lira istiyor? /	How many liras does the driver want?
- Yüz bin lira istiyor. \	
5. <u>Çabuk</u> konuşuyor. \	He speaks fast.
(nasıl) - Nasıl konuşuyor? /	How does he speak?
- Çabuk konuşuyor. \	

1. <u>Turgut</u> İngilizce öğreniyor.   (kim)
2. Sevim Hanım <u>Türkçe</u> öğretmeni.   (ne)
3. Şimdi saat <u>dokuz</u>.   (kaç)
4. Hava <u>çok soğuk</u>.   (nasıl)
5. <u>Öbür</u> binaya gidecekler.   (hangi)
6. Onlara <u>büyük</u> bir ev lâzım.   (nasıl)
7. Öğrenciler <u>kâğıt</u> çıkaracak.   (ne)
8. <u>Pınar</u> Aksaray'da oturuyor.   (kim)
9. Dışarıda <u>üç</u> kişi bekliyor.   (kaç)
10. Otel <u>sağ</u> tarafta.   (hangi)

b.
_____

| 1. Gönül'e -> telefon edeceğim. \ | I'm going to telephone (to) Gönül.
| (kime)   - Kime -> telefon edeceksiniz? / | -Who are you going to telephone
| | (to)?
| - Gönül'e. \ |
| |
| 2. Oğuz'dan -> kalem isteyeceğim. \ | I'm going to ask Oğuz for a pencil.
| (kimden) - Kimden -> kalem isteyeceksiniz? / | -Who are you going to ask for a
| | pencil?
| - Oğuz'dan. \ |
| |
| 3. Kitaplar -> Pınar'da. \ | Pınar has the books.
| (kimde) - Kitaplar -> kimde? / | -Who has the books?
| - Pınar'da. \ |
| |
| 4. Yabancı öğrenciler -> Türkçe öğreniyor. \ | Foreign students are learning
| | Turkish.
| (kimler) - Kimler ->Türkçe öğreniyor? / | -Who (pl) are learning Turkish?
| - Yabancı öğrenciler. \ |
| |
| 5. Lâleli'ye -> yüz bin liraya götürüyorum. \ | I take (people) to Lâleli for
| | one hundred thousand liras.
| (kaça)   - Lâleli'ye -> kaça götürüyorsunuz? / | -How much is it to Lâleli?
| - Yüz bin liraya. \ |
| |
| 6. Sekizde -> orada olacağız. \ | We're going to be there at eight.
| (kaçta) - Kaçta -> orada olacaksınız? / | What time are you going to be
| | there?
| - Sekizde. \ |
| |
| 7. Masada -> defterler, / kitaplar, / kalemler var. \ | Notebooks, books, (and) pencils
| | (there) are on the table.
| (neler) - Masada -> neler var? / | - What are (there) on the table?
| - Defterler, / kitaplar, / kalemler var. \ |
| |
| 8. Çocuklar -> dışarıda. \ | The children are outside.
| (nerede) - Çocuklar -> nerede? / | -Where are the children?
| - Dışarıda. \ |
| |
| 9. Şuradan -> telefon edeceğim. \ | I'm going to call from there.
| (nereden) - Nereden -> telefon edeceksiniz? / | -Where are you going to call from?
| - Şuradan. \ |

10. Kadıköy'e -> gitmek istiyorum. \	I want to go to Kadıköy.
(nereye) - Nereye -> gitmek istiyorsunuz? /	-Where do you want to go?
- Kadıköy'e. \	
11. Ağustosta -> başlayacağım. \	I'm going to begin in August.
(ne zaman) - Ne zaman -> başlayacaksınız? /	-When are you going to begin?
- Ağustos'ta. \	
12. Yirmi bin lira istiyor. \	He wants (asks for) twenty
	thousand lira.
(ne kadar) - Ne kadar istiyor? /	-How much does he want?
- Yirmi bin lira. \	

1. Otelden telefon ediyorum.   (nereden)
2. Oğuz Kathy'ye yardım ediyor.   (kime)
3. Bir buçukta okulda olacağım.   (kaçta) (nerede)
4. Yarın getirecekler.   (ne zaman)
5. Misafirler on dakika geç gelecek.   (kimler) (nekadar)
6. Kaya'dan yardım isteyeceğiz.   (kimden)
7. Silgi Fatma'da.   (kimde)
8. Taksim'den Aksaray'a yüz bin liraya   (nereden) (nereye) (kaça)
   götürüyorlar.
9. Amerika'da iki sene kalacağız.   (ne kadar)
10. Bu sene Amerika'ya gidiyorlar.   (ne zaman) (nereye)
11. Kalemler iki bin liraya.   (neler) (kaça)
12. Arkadaşlar içeride dinleniyorlar.   (kimler) (nerede)
13. Telefon sana.   (kime)
14. Pınar'dan telefon bekliyorum.   (kimden)
15. Bunlar kolay değil.   (neler)

c.

1. Misafirler -> yukarıda -> dinleniyor. \	The guests are resting upstairs.
- Misafirler -> ne yapıyor? /	What are the guests doing?
- Yukarıda -> dinleniyor. \	They're resting upstairs.
2. Ankara'ya -> telefon edeceğim. \	I'm going to telephone to Ankara.
- Ne yapacaksınız? /	What are you going to do?
- Ankara'ya -> telefon edeceğim. \	I'm going to telephone to Ankara.

1. Pınar şoföre elli bin lira veriyor.
2. Bir şey içiyor.
3. Öğretmene cevap verecek.
4. Tahtaya ismini yazacak.
5. Çocuklar kâğıt kalem çıkarıyor.
6. Şoför bavulları bagaja koyacak.
7. İlk sokağa giriyor.
8. Kathy şoföre teşekkür ediyor.
9. Oğuz aşağıda oturuyor.
10. Onlar Türkçe öğrenecek.
11. Otel arıyorum.
12. Gaziantep'e gideceğim.
13. İstanbul'da biraz gezeceğim.
14. Babama telefonda bir şey söyleyeceğim.
15. Şu çocuğa yardım ediyorum.
16. Taksi bekliyorum.
17. Alıştırma yapıyorum.
18. Biraz dinleneceğim.
19. Şuradan bir defter alacağım.
20. Hiç bir şey yapmıyorum.

(3) Konuşma alıştırmaları

a. _____

| -Aksaray'a gideceğim. \ Kaça | -I'm going to (go to) Aksaray. How much will you take me
| götürürsünüz? / | for?
| - Yüz bin liraya. \ | - A hundred thousand liras.

/ Beyazıt / iki yüz elli bin / Üsküdar / yetmiş bin / Kadıköy / kırk bin / Fatih /
/ iki yüz bin / Lâleli / yüz elli bin / Aksaray / doksan bin / şu adres /

b. _____

| - Nereden geliyorsun? / | -Where are you coming from?
| - Evden. \ | -(From) home.

/ Fatih / okul / Eskişehir / Üsküdar / ders / Beyazıt / otel / İzmit / Kadıköy /
/ lokanta / Sivas / Şişli /

c.

- Nereye gidiyorsun? /
- Eve. \

-Where are you going to?
-(To) home.

Yukarıdaki sözcüklerle.

ç.

- Hangi ev? /
- Solda -> yüz otuz yedi numara. \

-Which house (is it)?
-(It's) on the left, number one thirty-seven.

/ 195 / 103 / 241 / 415 / 88 / 160 / 329 / 711 / 1356 / 1112 / 904 / 409 / 517 /
/ 1200 / 873 / 630 / 3333 / 1968 / 1004 / 1014 /

VI. SORULAR - CEVAPLAR

1. - Kathy nereye gidecek?
   - _____

2. - Şöför kaç lira istiyor?
   - _____

3. - Bavulları bagaja kim koyuyor?
   - _____

4. - Acaba şöför İngilizce biliyor mu?
   - Her halde bilmiyor.

5. - İstanbul'da taksiler pahalı mı?
   - Hayır, pek pahalı değil.

ON İKİNCİ DERS - TEKRAR

(1) Konuşma alıştırmaları

a.

| - Git, iste. |
| - Ne zaman? Şimdi mi? |
| - Evet. Hemen. |

-Go and (so, then) ask for it.
-When? Now?
-Yes. Right away.

/ görüş / biraz dinlen / bir şey iç / al / yaz / yap / götür / bana da getir / ona yardım et / şurada bekle / konuş / ara / gör / bak / bir telefon et /

b.

| - Onlar başlıyor. |
| - Öyleyse siz de başlayın. |

-They're starting.
-Then, you start, too.

/ tekrarla / içme / bin / yazma / git / alma / yap / girme / telefon et / cevap verme / kâğıt çıkar / bekle /

c.

| - Tebeşir sizde mi? |
| - Hayır, bende değil, Oğuz'da. |

-Do you have the chalk?
-No, I don't have it. Oğuz does.

/ kalem / silgi / o kâğıtlar / adres / kitap / defterler / kalemler / öbür kitap / / tebeşir /

ç.

| - Sende tebeşir var mı? |
| - Yok. Sende? |
| - Bende de yok, ama şu arkadaşta var galiba. |

- Do you have (some) chalk?
- No. Do you?
- I don't, either, but I think that friend (over there) does.

/ kitap / kalem / kâğıt / defter / o adres / öbür numara / şu kitap / tebeşir /

d.

| - Türkçe bilmiyor musunuz ? |
| - Hayır, efendim, bilmiyorum. |

-Don't you know Turkish?
-No, sir, I don't (know it).

Note: Two other answers with different denotations are also possible :
Evet, efendim, bilmiyorum. — Yes, sir (you're right in expecting a negative answer), I don't.
Hayır, efendim, biliyorum. — No, sir (you're not right in expecting a negative answer), I do.

/ oraya gitmeyecek / memnun değil / istemiyor / beklemiyecek / anlamıyor /
/ yorgun değil / yardım etmeyecek / öğrenci değil / tekrarlamayacak / başlamıyor /
/ görmüyor / geç kalmayacak / Alman değil /

(2) Çevirme alıştırmaları

a. Olumsuz şekle çevirin / Change to the negative :

1. Yorgunuz.	26. Kitap arıyorum.
2. Test var.	27. Dışarıda bekleyin.
3. Acaba anlayacak mıyım?	28. Rahatsız ediyor muyuz?
4. Haziranda burada olacak.	29. Sende bin lira var mı?
5. Yarın evde misiniz?	30. Çok fazla alıyorsunuz.
6. Çabuk çabuk tekrarlayın.	31. Siz misafirsiniz.
7. Kâğıt çıkaracaksınız.	32. Beş bin lira isteyeceksin.
8. Ben gidiyor muyum?	33. Buraya bak.
9. Babam Diyarbakırda.	34. Onlar yeni öğrenciler.
10. Her şeye ' Evet' diyoruz.	35. Memnun olacaklar.
11. Yarımda git.	36. Şimdi telefon et.
12. Orada silgi var mı?	37. Orada hava soğuk mu ?
13. Ben lâzım mıyım?	38. Rahatım.
14. Çok geziyorsun.	39. Dinlenecekler mi?
15. Cevap verecek misin .	40. Kitapta alıştırmalar var.
16. Hep beraber söyleyin.	41. Sen çocuksun.
17. Dinleyecek miyiz?	42. Binin.
18. Böyle yap.	43. İkide geleceğim.
19. Ona telefon ediyor musunuz?	44. Sizi tanıştıracak mı?
20. Annem istiyor mu?	45. Biz öğrenci miyiz?
21. Böyle bir yer biliyor musun?	46. Çok kalacak mısınız?
22. Masaya koyuyorlar.	47. İyi öğreniyorlar mı?
23. Memnun musunuz?	48. Şu odaya girin.
24. Çok ver.	49. Alıyor musun?
25. Bunlar erkekler için.	50. İngilizce konuşacağız.

b. mi ' li soru şekline çevirin / Change to mi - questions :

1. Her sabah gideceksin.
2. İyi bir öğrenci değilim.
3. Anlamıyorsunuz.
4. Bizde tebeşir var.
5. Ben de yazacağım.
6. Test istemiyoruz.
7. Onlar misafirler.
8. Hiç dinlemiyorlar.
9. Yorgunsun.
10. Üç buçukta görüşeceğiz.
11. Taksi yok.
12. O da istiyor.
13. Siz Türkçe öğretmeni değilsiniz.
14. Güzel olacak.
15. Rahatsız ediyorum.
16. Hiç bir şey getirmiyorsun.
17. Aşağıda beklemeyeceğim.
18. On beş kişiyiz.
19. Buraya koymayacaksınız.
20. Hava sıcak.

21. Yarın ders yok.
22. Soğuk şeyler içmiyor.
23. Hep derstesiniz.
24. Sizi tanıştıracaklar.
25. Adresler bu defterde.
26. Kâğıt çıkarmayacağız.
27. Güzel konuşuyorsun.
28. Teşekkür ediyorlar.
29. Burada iyi lokantalar var.
30. Şimdi martta değiliz.
31. O böyle yapmayacak.
32. Hemen gidiyoruz.
33. Pınar evde değil.
34. Onlara telefon edeceksiniz.
35. Arapça biliyorsunuz.
36. Şöförüm.
37. Çok oturmayacaksın.
38. Ben de geliyorum.
39. Bana yardım etmeyecekler.
40. Orada rahat değilsin.

c. Verilen soru sözcüklerini kullanarak aşağıdaki cümlelerden sorular yapın. Her cümle için yalnız bir soru sözcüğü verilmiştir. Ayrıca, ben yerine sen, biz yerine siz koyun, fakat o ve onlar'ı değiştirmeyin. / Make questions from the following sentences by using the question words below. There is only one question word for each sentence. Also replace ben by sen and biz by siz, but leave o and onlar unchanged.

kim, kime, kimden, kimde, kimler, kimlere, kimlerde, kimlerden, ne, neler, nerede, nereden, nereye, ne zaman, ne kadar, kaç, kaça, kaçta, hangi, nasıl

| Taksim'e gidiyorum. | -I'm going to Taksim.
| Nereye gidiyorsun? | -Where are you going?

1. İlk dersten başlayacağız.
2. Bir kalem istiyor.
3. Onlar yüz elli kişi.
4. Evden geliyorum.
5. Yirmi bir eylülde görüşecekler.

6. Bu kitap <u>yabancı öğrenciler</u> için.

7. Taksi <u>yedi buçukta</u> burada olacak.

8. <u>Biraz çabuk</u> tekrarlamak lâzım.

9. <u>Arkadaşlardan</u> yardım isteyeceğim.

10. <u>Size</u> getiriyor<u>um</u>.

11. Bunlar <u>üç yüz yetmiş beş bin liraya.</u>

12. <u>Yeni öğrencilere</u> yardım edeceğiz<u>.</u>

13. <u>Ucuz defterler</u> iyi değil.

14. <u>Okula</u> geç kalacaklar.

15. İçeride <u>beş dakika</u> kalacağız<u>.</u>

16. <u>Buradayız.</u>

17. <u>Jale'den</u> cevap bekliyor<u>uz.</u>

18. <u>Öğretmende</u> tebeşir yok.

19. <u>Şöför</u> memnun.

20. Kâğıtlar <u>öğrencilerde</u>.

ç.

| Ben <u>gid</u>iyorum, sen de git. | -I'm going, (so I suggest that) <u>you</u> go, too. |
| Ben gitmiyorum, sen de gitme. | -I'm not going, (so I suggest that) <u>you</u> don't go, either. |

/ gir / al / telefon et / dinlen / bekle / başla / ver / ara / yap / yardım et /

d.

| Biz <u>gid</u>eceğiz, siz de gidin. | We're going to go, (so I suggest that) <u>you</u> go, too. |
| Biz gitmeyeceğiz, siz de gitmeyin. | We're not going to go, (so I suggest that) <u>you</u> don't go, either. |

Yukarıdaki sözcüklerle.

e. Örneklerin yardımıyla aşağıdaki rakamları ve tarihleri okuyun. / Read the following numbers and dates with the help of the examples:

1.

12.385	on iki bin -> üç yüz seksen beş \
196.074	yüz doksan altı bin -> yetmiş dört \
527.153	beş yüz yirmi yedi bin -> yüz elli üç \
1.744.936	bir milyon -> yedi yüz kırk dört bin -> dokuz yüz otuz altı. \

```
|   7,50        yedi buçuk (kesirlerin yazılışında / writing fractions)        |
|.............................................................................|
|   7.30        yedi buçuk (saatlerin yazılışında / writing the hours)         |
|.............................................................................|
| 347 15 03     üç yüz kırk yedi -> on beş -> sıfır üç \                        |
|               (telefon numaralarının yazılış ve söylenişinde /               |
|               reading and writing telephone numbers)                         |
|_____|
```

/ 83.292 / 124.716 / 262 74 21 / 10.673 / 11.30 / 960 000 / 386 50 38 / 12, 50 /
/ 2.30 / 136 04 20 / 12.30 / 17, 50 / 4.771.825 / 465 92 01 / 29.030 / 87, 50 /
/ 1.068.357 / 1.30 / 255 87 09 / 144 000 / 32.401 / 99.999 / 4, 50 / 4.30 /
/ 315.315 / 178 10 60 /

2.
```
| 19.V.1919 (also 19.5.1919 or 19 Mayıs 1919)                |
| ³²on dokuz mayıs -> ²bin do³²kuz yüz -> ³¹on dokuz \        |
|_____|
```

/ 1.1.1569 / 8.IX.1745 / 23.IV.1920 / 30.VIII.1922 / 27.V.1960 / 29.X.1923 /
/ 31.XII.1801 / 10.II.1837 / 6.VI.1958 / 3.III.1943 / 15.VII.1934 / 6.XI.1971 /

(3) Çeviri - Konuşma

a. Fatma Hanım : Alo? Buyrun, efendim.

Turgut Bey : Good morning, Fatma Hanım. This is Turgut.

Fatma Hanım : Nasılsınız, Turgut Bey?

Turgut Bey : Thank you (ma'am). How are you?

Fatma Hanım : İyilik sağlık, vallahi. Jale Hanım, çocuklar nasıllar?

Turgut Bey : They're fine, too. I wonder if Osman Bey is home?

Fatma Hanım : Değil, efendim. Okulda. İsterseniz oraya telefon edin. Sizde numara var her halde, değil mi?

Turgut Bey : Well (really), I have a number, but I don't know if it is correct (is it correct I don't know). (It's) two one seven nine three four eight.

Fatma Hanım : Yanlış, efendim. Yüz altmış beş otuz iki seksen altıya telefon edeceksiniz.

Turgut Bey : Thank you very much (ma'am). Goodbye.

Fatma Hanım : Güle güle, efendim.

b. Fatma Hanım : Hello? (Yes,) please.

Turgut Bey : Günaydın, Fatma Hanım. Ben Turgut.

Fatma Hanım : How are you, Turgut Bey?

Turgut Bey : Teşekkür ederim, efendim. Siz nasılsınız?

Fatma Hanım : Nothing new (goodness and health), really. How are Jale Hanım and the children?

Turgut Bey : Onlar da iyiler. Acaba Osman Bey evde mi?

Fatma Hanım : No (sir). He's at school. If you wish, phone (to) there. You probably have the number, don't you?

Turgut Bey : Vallahi bende bir numara var, ama doğru mu bilmiyorum. İki yüz on yedi doksan üç kırk sekiz.

Fatma Hanım : It's wrong (sir). You should (are going to) phone (to) one six five three two eight six.

Turgut Bey : Çok teşekkür ederim, efendim. Allahaısmarladık.

Fatma Hanım : Goodbye.

---

c. Şimdi öğretmeniniz **a** ve **b'** deki konuşmaları tamamiyle İngilizce veya Türkçe olarak verecek. Tercüme edin. / Now your teacher will give you the dialogues in a and b entirely in English or Turkish. Translate them.

(4) Cevaplandırma alıştırmaları

Öğretmeninizin soracağı aşağıdaki soruları istediğiniz gibi cevaplandırın.
Parantez içindeki talimat öğretmen için verilmiştir. Bazı soruların arka arkaya birkaç öğrenciye sorulması, ayrıca öğretmenin bu listeye başka sorular ilâve etmesi mümkündür. / Give free answers to the following questions that your teacher will ask. The instructions in parentheses are for the teacher. Some questions may be asked more than once and new questions may be added to this list by your teacher.

Ne var, ne yok?

Dışarıda hava soğuk mu?

Saat kaç? (Tahtaya rakamla yazarak veya saat resmi çizerek.)

Şimdi hangi aydayız?

Bana bir kitap verin.

Teşekkür ederim.

Kitap nerede? (Kitabı masaya koyun.)

Şimdi nerede? (Kitabı alın.)

Acaba bu kitap ucuz mu, pahalı mı ?

Kaç lira?

Bu kitap Türkçe mi, Rusça mı?

Buyurun. (Kitabı bir öğrenciye verin.)

Kitap kimde?

Şimdi kitap kimde? (Kitabı başka bir öğrenciye verin.)

Peki, şimdi kimde? (Kitabı sahibine verin.)

Siz Şişli'de oturuyorsunuz, değil mi? (Şişli'de oturmadığını bildiğiniz bir öğrenciye.)

Peki, nerede oturuyorsunuz?

Nasıl bir evde oturuyorsunuz?

Kaç oda var?

Odalar büyük mü, küçük mü?

Şu ne? (Öğrencilerin ismini bildiği bir şeye işaret ederek.)

Peki, bu ne? (Başka bir şeye işaret ederek.)

Şunlar ne?

Peki, bunlar ne?

Masada neler var?

Bu kaç lira? (Bütün kâğıt ve madeni paraları gösterin ve tanıtın.)

Bunlar kaç lira?

Acaba bu okulda kaç öğrenci var?

Bu okulda sabah yedide ders var mı?

İlk ders kaçta başlıyor?

Dersler kaç dakika?

Efendim?

Ağustosta okul var mı?

Amerika'da okullar eylülde mi başlıyor, ekimde mi?

Bu okul yeni mi?

Sağ tarafta kimler oturuyor?

Sol tarafta kimler oturuyor?

Ben Türkçe öğretmeni miyim, Arapça öğretmeni mi?

Şimdi ben Türkçe mi konuşuyorum, İngilizce mi?

Türkçe öğrenmek kolay mı, zor mu?

İstanbul nasıl bir yer?

Üsküdar Kadıköy'e yakın mı?

Lâleli İstanbul'da mı, Ankara'da mı?

Aksaray nerede?

Acaba Ankara'da oteller ucuz mu, pahalı mı?

Hans kim?

Acaba Mişel Fransızca biliyor mu?

Siz de Fransızca biliyor musunuz?

Ben Türk'üm. Siz?

Ben yorgun değilim. Siz?

Ben nisanda Bursa'ya gideceğim. Siz ne yapacaksınız?

Bu kaç? (Tahtaya çeşitli rakamlar yazarak.)

Bu kitap pahalı mı?

Şu?

' Bagaj ' ne demek? (' Bagaj ' yerine başka kelimeler koyarak.)

Affedersiniz, anlamadım. Bir daha söyler misiniz?

Temmuzda hava sıcak mı, soğuk mu?

Burada telefon var mı?

Nerede?

Şimdi ne yapıyoruz?

Kaçta eve gideceksiniz?

Yarın ne yapacaksınız?

(5) Karşılaştırmalı çeviri

a.1. Her zaman böyle çabuk mu öğreniyorsun?
   Do they always drink (a lot) like this?

2. Burada bir çocuk var. Size yardım edecek.
   There' s a friend there. He' s going to call me up.

3. Ankara'ya yalnız bir bavul götürüyoruz.
   You will (are going to) bring only three million lira here.

4. Misafirler hangi odada kalacak?
   In which building are the classes going to be?

5. Acaba Mişel tahtaya ne yazıyor?
   I wonder what the teacher's writing on the paper?

6. Her halde size Türkçe için yeni bir defter lâzım olacak, değil mi?
   Presumably (I think) he needs a large room for the children, doesn't he?

7. Hemen başlayın, çünkü fazla zaman olmayacak.
   Answer right away, because there isn't too much time.

8. Oradan buraya kaça getiriyorlar bilmiyorum.
   I don' t know for how much they take (a person) from here to there.

9. Yukarıda mı bekleyeceğiz, aşağıda mı?
   Are you going to sit inside or outside?

10. Şu sokağa girin, sol tarafta büyük bir ev göreceksiniz. İsmet Bey orada oturuyor.
Enter the first building, you' ll (are going to) see a small room. Fatma Hanım
is going to wait there.

b.1. Do you always learn this fast (fast like this)?
Her zaman böyle çok mu içiyorlar?

2. There's a boy (child) here. He's going to help you.
Orada bir arkadaş var. Bana telefon edecek.

3. I'm taking only one suitcase to Ankara.
Buraya yalnız üç milyon lira getireceksiniz.

4. Which room are the guests going to stay in?
Dersler hangi binada olacak?

5. I wonder what Michelle's writing on the board?
Acaba öğretmen kâğıda ne yazıyor?

6. You're probably going to need a new notebook for Turkish, aren't you?
Galiba ona çocuklar için büyük bir oda lâzım, değil mi?

7. Begin right away, because there isn't going to be too much time.
Hemen cevap verin, çünkü fazla zaman yok.

8. I don't know for how much they bring (a person) from there to here?
Buradan oraya kaça götürüyorlar bilmiyorum.

9. Are we going to wait upstairs or downstairs?
İçeride mi oturacaksınız, dışarıda mı?

10. Enter that street (over there), you' ll (are going to) see a big house. İsmet Bey
lives there.
İlk binaya girin, sağ tarafta küçük bir oda göreceksiniz. Fatma Hanım orada
bekleyecek.

c. a ve b kısımlarını karşılaştırarak çevirilerinizi kontrol edin. / Check your translations by
comparing sections **a** ve **b**.

(6) Yapın ve söyleyin / Do and say

Öğretmenin söylediklerini hareketler veya jestlerle yapın / Do or act out what the teacher says:

a. Konuşmalar ve hareketler aynı zamanda / Speaking and acting simultaneously :

Öğretmen	: Yaz.
Öğrenci	: Peki.
Öğretmen	: Ne yapıyor?
Öbür öğrenciler	: Yazıyor.

-Write.
-All right.
- What's he doing?
-He's writing.

/ bir kitap ver / al / odada gez / bekle / dinle / bir şey iç / telefon et / tebeşir ara /
/ otur / kâğıt çıkar / yaz /

b. Konuşmalar ve hareketler aynı zamanda / Speaking and acting simultaneously :

Öğretmen	: Yaz.		-Write.
Öğrenci	: Peki.		-All right.
Öğretmen	: Ne yapıyorsun?		-What're you doing?
Öğrenci	: Yazıyorum.		-I'm writing.

Yukarıdaki sözcüklerle.

c. Konuşmalar hareketlerden önce / Speaking precedes acting :

Öğretmen	: Yaz.		-Write.
Öğrenci	: Peki.		-All right.
Öğretmen	: Ne yapacak?		-What's he going to do?
Öbür öğrenciler	: Yazacak.		-He's going to write.

Yukarıdaki sözcüklerle.

ç. Konuşmalar hareketlerden önce / Speaking precedes acting :

Öğretmen	: Yaz.		-Write.
Öğrenci	: Peki.		-All right.
Öğretmen	: Ne yapacaksın?		-What're you going to do?
Öğrenci	: Yazacağım.		-I'm going to write.

Yukarıdaki sözcüklerle.

d. Aynı hareketleri iki öğrencinin yapmasıyla **a, b, c** ve **ç** ' yi aşağıda gösterilen şekilde tekrarlayın. /
Repeat **a, b, c** and **ç** with two students performing as illustrated below:

Öğretmen	: Yazın.		- Write.
İki öğrenci	: Peki.		-All right.
Öğretmen	: Ne yapıyorlar?		-What're they doing?
Öbür öğrenciler	: Yazıyorlar.		-They're writing.

Yukarıdaki sözcüklerle. (Öğretmen, rolünü bir öğrenciye verebilir / The teacher may assign his part to
a student.)

(7) Okuma - yazı - çeviri

Sol tarafta verilmiş olan cümleleri sağdaki fonemik yazıyla karşılaştırarak okuyun ve çevirin. Daha sonra, öğretmeniniz bu cümleleri normal konuşma hızıyla birçok defalar tekrarlayacak, siz de yazacaksınız. / Read the sentences given on the left-hand side comparing them with the phonemic transcription on the right. Translate them. Then, your teacher will repeat them many times at normal conversational speed as you write them.

1. Saat dörtte nerede olacağız?

   [2] Saat dörtte [32]nérde oluca:z? /

2. İngilizce mi öğreniyorsunuz, Türkçe mi?

   [2]İng'i[32]l'ízce mi ö:reniyorsunuz, -> [31]Türk'çe mi? \

3. Affedersiniz, sizde küçük bir kâğıt var mı ?

   [31]Affedersiniz, \ [2]sizde k'üçük' bir k'aat [31]vár mı? \

4. Şöför aşağıda bekleyecek.

   [2]Şö[32]för -> [2]aşa:[31]dá bek'l'i:cek'. \

5. Her sabah Lâleli'den Fatih'e gidiyorlar.

   [32]Hér sabah / [32]L'a:l'el'i'den / [31]Fa:tih'e g'idiyorlar. \

6. Şimdi Gönül'e telefon edeceğim.

   [32]Şíndi -> [2]G'önü [31]l'é tel'efon edice:m. \

7. Şu çocuğa kitap lâzım değil mi?

   [2]Şu çocua k'itap l'a:zım di[31]íl' mi? \

8. Acaba o cevaplar doğru mu, yanlış mı?

   [32]Acaba: -> [2]o cevaplar do: [32]rú mu, -> [2]yan [31]lış mı? \

9. Böyle yapmayın, şöyle yapın.

   [2]Böyl'e [31]yapmıyın, \ [31]şöyl'e yapın. \

10. Bir daha tekrarlamayacak mısınız?

    [2]Bi daa tek'rar [31]lamı:cak mısınız? \

11. Hayır, efendim. Tekrarlamayacağız.

   ³¹Hayır, efendim. \ ²Tek'rar ³¹lamı:ca:z. \

12. Her halde ağustosta hava sıcak olacak.

   ²²Heral'de -> ²austos ²²ta´ -> ²hava sı³¹cak olucak. \

13. Öbür lokanta çok pahalı.

   ²Öbür l'okanta ³¹çok pahalı. \

14. Kemal yukarıda galiba.

   ²K'emal' yukar ³¹da´ gal'ba:. \

15. Altı yüz elli bin lira vereceksiniz.

   Altı yüz el' ³¹l'i bin l'ira vericek'siniz. \

16. Bu binada kiralık oda yok.

   ²Bu bina:da k'ira:lık oda ³¹yok. \

17. İlk sokağa girmeyeceğiz.

   ²İl'k' sokaa ³¹g'irmi:ce:z. \

18. Yarın bize misafir gelecek.

   ²Yarın bize misa: ³¹fir gel'icek'. \

19. Jale Hanım Kadıköy'de oturuyor.

   ²Ja: ³²l'a:nım -> ²Ka ³¹dık'öy'de oturuyor. \

20. Oradan buraya on beş dakikada geliyorum.

   ³²Ordan burıya -> ³¹om beş dakkada g'el'iyorum. \

(8) Oyun

Students form a circle. They begin to count in Turkish, each student saying a number when it is his turn. The number five and its multiples (i.e. 10, 15, 20, etc.) are replaced by the word ' affedersiniz '. Then, the next student is supposed to say the following number : bir, iki, üç, dört, affedersiniz, altı, yedi, etc. After reaching a hundred go back to one. Those who skip a number or forget to say ' affedersiniz ' are asked to leave the circle until one player is left to win the game. ' Affedersiniz ' can be replaced by words which present pronunciation problems. Also, multiples of numbers other than five can be used for variety.

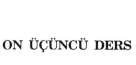

ON ÜÇÜNCÜ DERS

I. KONUŞMA

(Kathy yolda Gönül'ü durdurup postanenin nerede olduğunu soruyor. Daha evvel birbirlerini nerede gördüklerini hatırlamağa çalışıyorlar. O akşam, Pınarlardaki partide yine görüşecekler. / Kathy stops Gönül on the street and asks her where the post office is. They try to remember where they have met before. They will see each other again at Pınar's party that evening.)

Kathy : Affedersiniz. Şu mektubu atmak istiyorum. Acaba buralarda postane var mı?

> Excuse me. I'd like to mail this letter. I wonder (do you know) if there is a post office around here.

mektup	letter
mektub-u	letter (object)
at-	(to) mail, throw
at-mak	to mail, throw
bura-lar-da	around here, in these parts
postane	post office

Gönül : Bakın, şu sarı bina. Kapısında PTT yazıyor.

> See, it's that yellow building over there. It says (writes) PTT on the (its) door.

sarı	yellow
kapı	door
kapı-sı	its door
kapı-sın-da	on its door
PTT / pe te te´/	post office (post, telegraph, telephone)

Kathy : Çok teşekkür ederim.

> Thank you very much.

Gönül : Biliyor musunuz, ben sizi daha evvel bir yerde gördüm galiba.

> (Do) you know, I think I've seen you some place before.

evvel	before
daha evvel	formerly, previously, earlier
gör-dü-m	I saw ('ve seen)

Kathy : Ben de sizi hatırlamağa çalışıyorum.

> I'm also trying to remember (where I've seen) you.

hatırla-	(to) remember
hatırla-mak	to remember
çalış-	(to) try
hatırla-mağ-a çalış-	(to) try to remember

Gönül : Tamam, buldum. Pınar'ı tanıyorsunuz, değil mi?

> There, I've got (found) it. You know Pınar, don't you?

tamam	right, that's it, there
bul-du-m	I found (got) it
tanı-	(to) know (people)

Kathy : Tabiî. Onlarda kalıyorum. Okulda da her zaman beraberiz.

Of course. I live in their home. (And) we're always together at school.

tabii	of course, certainly, sure
da	and

Gönül : Bu akşam Pınarlarda parti var. Beni de çağırdılar. Orada görüşürüz öyleyse.

There's a party at Pınar's this evening. They've invited me, too. So we'll see each other there.

akşam	evening
Pınar-lar-da	at Pınar's (home)
parti	party
çağır-	(to) call, summon, invite

II. YENİ SÖZCÜKLER

Renkler / Colors : beyaz : white, siyah : black, kırmızı : red, yeşil : green, mavi : blue, kahverengi : brown, pembe : pink, mor : purple, turuncu : orange, renk : color

III. SÖYLEYİŞ

(1) Konuşma

Kathy : Affedersiniz.\ Şu mektubu atmak istiyorum.\ Acaba buralarda postane var mı? \

Gönül : Bakın,/ şu sarı bina.\ Kapısında PTT yazıyor.\

Kathy : Çok teşekkür ederim.\

Gönül : Biliyor musunuz,-> ben sizi-> daha evvel-> bir yerde gördüm galiba.\

Kathy : Ben de-> sizi hatırlamağa çalışıyorum.\

Gönül : Tamam,\ buldum.\ Pınar' ı tanıyorsunuz,\ değil mi?\

Kathy : Tabii.\ Onlarda kalıyorum.\ Okulda da-> her zaman-> beraberiz.\

Gönül : Bu akşam Pınarlarda parti var.\ Beni de çağırdılar.\ Orada görüşürüz öyleyse.\

(2) h next to other consonants - Dinleme ve tekrar alıştırmaları

a. -hC -

anahtar, bahçe, kahraman, kahvaltı, kahve, mahk'eme, rahmet, tahmin, tahta, zahmet; bahset, mahsus
mehtap, pehriz, tehdit, tehl'ike
ihmal', ihraç, ihtil'al', ihtiyaç, ihtiyar

b. -Ch -

meşhur, sarhoş, cumhu:riyet
bil'hassa, merhaba, methetmek

(3) Ekleme alıştırmaları

a. -yi ekleyin :

ben	ben-i	/ kız / bina: / oda / tel'efon /
şöför	şöför-ü	/ sokak / taksi / k'aat / sa: /
kapı	kapı-yı	/ l'okanta / okul / Ja:l'e / o / G'önül'/
radyo	radyo-yu	/ Ga:ziantep / biz / cevap / bu /
çocuk	çocu-u	/ masa / kira: / Fa:tih / onlar /
k'itap	k'itab-ı	/ İzmit / hava / mek'tup /Kaya /
isim	ism-i	/ İstanbul / Amerikalılar / Ouz /
zaman	zama:n-ı, vs.	/ Edirne / souk / Kadık'öy /
		/ misa:fir /
(krş. (3)a, s. 62; ve (2)c, s. 92)		

b. Reverse vowel harmony in suffixes that follow certain words of foreign origin :

1. After -al' :

hal'	ha:l'-i	ha:l'-e
ihmal'	ihma:l'-i	ihma:l'-e
ihtil'al'	ihtil'a:l'-i	ihtil'a:l'-e
işgal'	işga:l'-i	işga:l'-e
normal'	normal'-i	normal'-e
Cemal'	Cemal'-i	Cemal'-e
K'emal'	K'emal'-i	K'emal'-e

2. After -at :

istirahát	istirahat-í	istirahat-é
itaát	itaat-í	itaat-é
kabahát	kabahat-í	kabahat-é
l'ügát	l'ügat-í	l'ügat-é
müra:caát	müra:caat-í	müracaat-é
saát	saat-í	saat-é
seyahát	seyahat-í	seyahat-é

<u>Note</u> : After -<u>at</u> , suffixes may also occur following regular vowel harmony rules. Actually, <u>istirahat-í</u>, <u>istirahat-a</u> , etc. are heard as frequently as the forms given above.

3. After a few words ending in -aCC :

| harp | harb-í | harb-é |
| harf | harf-í | harf-é |

4. After -ul' :

kabúl'	kabu:l'-ǘ	kabu:l'-é
mesúl'	mesu:l'-ǘ	mesu:l'-é
meşgúl'	meşgu:l'-ǘ	meşgu:l'-é
usúl'	usu:l'-ǘ	usu:l'-é

5. After -ol' :

vol'éybol'	vol'éybol'-ü	vol'éybol'-e
futból'	futbol'-ü	futbol'-é
al'kól'	al'kol'-ǘ	al'kol'-é

c. -yí , -yé , mi , -dén ekleyin :

/ Cemál' / saát / al'kól' / usúl' / hárf / seyahát / K'emál' / l'ügát / hál' / hárp /
/ futból' /

IV. DİLBİLGİSİ

    -<u>yí</u> / definite object suffix
    Definite - indefinite distinction in direct objects
    Obligatory occurence of -<u>yí</u>
    -<u>yé</u> marking indirect objects
    Position of direct and indirect objects
    Verb-<u>mék</u> + -<u>yé</u> çalış- / to try to (do something)
    Person name + -<u>lér</u> / ...' s (family)

(1) Değiştirme alıştırmaları

a.

| Taksi bekliyor. | He's waiting for a cab.

/ mektup / at / yaz / bir kitap / getir / iste / beş lira / çıkar / ver / bir şey / de /
/ dinle / hatırla / al / yeni bir ders / yap / ne / söyle / ara / postane /
/ üniversiteye yakın bir ev / bil / çok şey / iyi bir lokanta /

b.

| Bir şey hatırla-mağ-a çalışıyorum. | I'm trying to remember something.

/ Türkçe öğren / dersi anla / ucuz bir ev bul / geç kalma / ona yardım et /
/ öğretmeni dinle / onları rahatsız etme / Ankara'ya telefon et / çok fazla içme /
/ biraz dinlen /

(2) Çevirme alıştırmaları

a.

| Bir kalem istiyorum. | I want a pencil.
| Kalem istiyorum. | I want(some) pencils or a (any)pencil. (Number is not important.)
| Kalem-i istiyorum. | I want the pencil.
| Kalem-ler-i istiyorum. | I want the pencils.

Bir kâğıt çıkarıyorum.

Gönül bir mektup yazıyor.

Kathy bir mektup atacak.

Turgut'tan bir defter alacağım.

Öğretmen bana bir kitap verecek.

Bir tebeşir getirin.

Bir kitap arıyoruz.

Şimdi, bir alıştırma yapacaklar.

Şoför bagaja bir bavul koyuyor.

Bir taksi bekliyoruz.

b. -yi must always be added to the following when they are direct objects :

1. Personal pronouns : ben, biz, sen, siz, o, onlar, kim, kimler

2. Demonstratives and demonstrative phrases : bu, şu, o; bunlar, şunlar, onlar,
bu çocuk, şu bina, o okul, öbür masa, hangi kitap; bura-, şura-, ora- , nere-

3. Person names : Oğuz, Pınar Uysal, Ömer Bey, etc.

4. Place names : Ankara, Fatih, Samsun, etc.

kalem	Kalem istiyorlar.
	Kalem-i istiyorlar.
....	
bu	Bun-u istiyorlar.

They want (some) pencils (a pencil).
They want the pencil.

They want this (one).

/ kitap / Gönül / onlar / o / oda / şu ev / İstanbul / nere- / siz / hangi otel /
/ kâğıt / Sevim Hanım / bura- / kim / Diyarbakır / öğretmen / silgi / öbür taksi /
/ Oğuz Öztürk / defter / bu masa / sen / o kahverengi bavul / ben / nere- / şu /
/ kimler / kalem /

c.

Bun-u siz-e vereceğim.
Siz-e bun-u vereceğim.

I'm going to give this to you.
I'm going to give you this.

Note : Indirect objects are always marked by -ye

/ kitap - Pınar / kalem - o / öbür oda - misafirler / şunlar - onlar / bu - o /
/ bu mektup - şu kız / öbür ders - yeni öğrenciler / tebeşir - öğretmen / bavullar -
şöför / kırmızı kalem - Cemal / şu - siz /

ç. Indefinite direct objects must be placed immediately before the verb whereas definite direct objects may occur anywhere in the sentence with varying emphasis:

Kitab-ı size yarın akşam getireceğim.
Yarın akşam size bir kitap getireceğim.

I'm going to bring you the book tomorrow evening.
I'm going to bring you a book tomorrow evening.

Kâğıdı masaya koyacak.

Kalemi oradan alın.

Mektubu bu akşam yazmağa çalışacağım.

Taksiyi herhalde dışarıda bekliyorlar.

Acaba oteli hemen bulacak mıyız?

Dersi bu akşam saat sekizde yapacağız.

Lokantayı öbür sokakta sağ tarafta göreceksiniz.

Kalemi şu arkadaşa götürün.

Tebeşiri bana verir misiniz?

Defteri benden istiyorlar.

(3) Konuşma Alıştırmaları

a.

```
| - Ne (yapmak) istiyorsunuz?  |          -What do you want (to do)?
| - Bir şey içmek istiyorum.   |          -I want to drink something.
|_____|
```

/ Sevim Hanım'la görüş / Kadıköy'e git / bir mektup yaz / hemen başla / şu
kitaplara bak / bir arkadaşa telefon et / şurada biraz otur / bu mektupları at /
/ biraz gez / hep Türkçe konuş /

b. Örnekteki gibi, ilk ihtimali seçin. / Choose the first possibility as in the example.

```
| - Kimlerde kalacaksınız? Pınarlarda mı, bizde mi?  |
| - Pınarlarda.                                      |
|_____|
```
- Where (at whose home) are you going to stay? At Pınar's or with us (at our home)?
- At Pınar's.

/ Ömer Bey'ler - Gönüller / biz - onlar / onlar - Sevim Hanım'lar / Oğuzlar -
Uğurlar / Gönüller - biz / Sevim Hanım'lar - Ömer Bey'ler / Oğuz Öztürkler - öbür
Oğuzlar / Uğurlar - Cemaller / Kemaller - Osmanlar / Jaleler - Pınarlar /

c.

```
| - Buralarda postane var mı?      |   -Is there a post office around here?
| - Vallahi ben de bilmiyorum,     |   -I really don' t know either, but I think there' s
|   ama galiba şu sokakta var.     |   one on that street over there.
|_____|
```

/ otel / iyi bir lokanta / kiralık ev / kiralık odalar / telefon / ucuz bir otel / lokanta /

V. YAZI - ÇEVİRİ

Note : The use of -yi and -ye with nouns preceding verbs does not always correspond to the direct-indirect object distinction of English. The following sentences include verbs to date which demonstrate this contrast by their specific requirement for the occurence of -yi or -ye with nouns preceding them.

1. Buyrun, efendim. Sizi dinliyorum.

   _____ .

2. Acaba bizi nerede bekleyecekler?

   _____ .

3. Kitaba bakmayın, buraya bakın.

   _____ .

4. Bilmiyorum, size nasıl teşekkür edeceğim.

   _____ .

5. Yarın yeni derse başlayacağız.

_____ .

6. Her halde çok yorgunsunuz. İsterseniz, bir taksiye binelim.

_____ .

7. Kimi arıyorsunuz, efendim?

_____ .

8. Kathy Türkçe öğreniyor, Oğuz da ona yardım ediyor.

_____ .

9. Siz odaya girin, bekleyin. Ömer Bey şimdi gelecek.

_____ .

10. Telefona cevap vermiyorlar. Her halde evde değiller.

_____ .

ON DÖRDÜNCÜ DERS

I. KONUŞMA

(Pınarlarda parti var. Gönül'le Kathy bir köşede konuşuyorlar. Pınar ve annesi Fatma Hanım da yiyecek, içecek getiriyorlar ve konuşmaya katılıyorlar. / There is a party going on at Pınar's. Gönül and Kathy talk in one corner. Pınar and her mother, Fatma Hanım, bring them food and drinks and join in the conversation.)

Gönül : Kathy, Türkiye'ye yeni geldiniz, değil mi?

        Kathy, you just came to Turkey, didn' t you?

Türkiye	Turkey
yeni	just, newly
gel-di-niz	you came

Kathy : Evet, yirmi altı ağustosta geldim. Çarşamba günü tam bir ay olacak.

        Yes, I came on August twenty sixth. It'll be exactly a month on Wednesday.

gel-di-m	I came
çarşamba	Wednesday
gün	day
çarşamba gün-ü	on Wednesday (the day of Wednesday)
tam	exactly

Gönül : Avrupa'ya uğradınız mı?

        Did you stop in Europe?

Avrupa	Europe
uğra-	(to) stop in, at
uğra-dı-nız	you stopped in

Kathy : Uğradım. Bir hafta kadar İngiltere'de, birkaç gün de İtalya'da kaldım.

        (Yes,) I did (stopped). I stayed in England for about a week and a few days in Italy.

hafta	week
bir hafta kadar	for about a week
İngiltere	England
bir-kaç	a few, some
İtalya	Italy
kal-dı-m	I stayed

Pınar : Çocuklar, ne içersiniz? Bira var, koka kola var, portakal suyu var, rakı, votka falan da var.

        What'll you drink, girls (children)? We have (there is) beer, coke, orange juice; we also have rakı, vodka, and so forth.

bira	beer
koka kola	coca-cola
portakal	orange
su	water, juice
portakal suy-u	orange juice
rakı	anise flavored liquor
votka	vodka
falan	...and / or the like, so forth

Gönül : Ben bir koka kola rica edeceğim.

I'd like to have a coke.

Kathy : Ben de portakal suyu içeyim.

And (as for me) I'll have (let me drink) orange juice.

iç-eyim / içiyím /	I'l drink, let me drink

Fatma Hanım : Siz hiç bir şey yemiyorsunuz. Şu böreklerden buyrun, lütfen. Gönül, bunları Kathy'yle beraber yaptık.

You're not eating anything. Have (help yourselves to) some of these böreks, please. Gönül, Kathy and I made them (these) together.

hiç bir şey	nothing, anything
ye-	(to) eat
börek	Turkish pastry with cheese or meat inside
börek-ler-den	(some) of the böreks
Kathy'yle beraber	(together) with Kathy
yap-tı-k	we made, we did

Gönül : Sahi mi?... Oo, çok nefis! Elinize sağlık.

Really ?... Mm, very delicious! ' Health to your hands.'

sahi	real, really
nefis	delicious, exquisite
El-iniz-e sağlık.	Health to your hand. Blessed be your hands.

Kathy : Bana teşekkür etmeyin. Fatma Hanım yaptı; ben de mutfakta durdum, seyrettim.

Don't thank me. Fatma Hanım made them and I stood in the kitchen and watched her.

Fatma Hanım	Pınar's mother
mutfak	kitchen
dur-	(to) stand, stop, stay
dur-du-m	I stood
seyr-et-	(to) watch
seyr-et-ti-m	I watched

II. YENİ SÖZCÜKLER

Günler / days : <u>pazartesi</u> : Monday, <u>salı</u> : Tuesday, <u>çarşamba</u> : Wednesday,
<u>perşembe</u> : Thursday, <u>cuma</u> : Friday, <u>cumartesi</u> : Saturday,
<u>pazar</u> : Sunday, <u>bugün</u> : today, <u>dün</u> : yesterday

Ülkeler / countries : <u>Almanya</u> : Germany, <u>Fransa</u> : France, <u>Rusya</u> : Russia,
<u>İtalyan</u> : Italian (people), <u>İtalyanca</u> : Italian (language),
<u>American</u> : American (adj.)

III. SÖYLEYİŞ

(1) Konuşma

Gönül : Kathy,-> Türkiye' ye yeni geldiniz,\ değil mi?\

Kathy : Evet,\ yirmi altı ağustosta geldim.\ Çarşamba günü / tam-> bir ay
olacak.\

Gönül : Avrupa'ya uğradınız mı?\

Kathy : Uğradım.\ Bir hafta kadar-> İngiltere'de,-> birkaç gün de-> İtalya'da
kaldım.\

Pınar : Çocuklar,-> ne içersiniz?/ Bira var,-> koka kola var,-> portakal suyu var,->
rakı,-> votka-> falan da var.\

Gönül : Ben bir koka kola rica edeceğim.\

Kathy : Ben de-> portakal suyu içeyim.\

Fatma : Siz hiç bir şey-> yemiyorsunuz.\ Şu böreklerden buyrun,-> lütfen.\
Hanım Gönül,-> bunları Kathy'yle beraber yaptık.\

Gönül : Sahi mi?...\ Oo,-> çok nefis!\ Elinize sağlık.\

Kathy : Bana teşekkür etmeyin.\ Fatma Hanım yaptı; / ben de-> mutfakta durdum,/
seyrettim. \

(2) -s versus -z

a. Dinleme, tekrar ve karşılaştırma alıştırmaları

süs - süz, üs - uz, as - az, kas - kaz, kıs - kız, is - iz, has - haz, yas - yaz

b. Dinleme ve tekrar alıştırmaları

pis, mecl'ís, mühendís, reís	diz, deníz, pehríz, temíz
ses, nefés, piyés, vites	bez, k'örféz, merk'ez
otobüs	g'ündüz, henüz
mayıs	hız, yıldız, tatsız
ifl'as	beyaz, boaz, namaz
nüfus, okyanus	buz, omuz, ucuz
austos, l'odos	toz, kavanoz, marangoz

(3) -dí - Ekleme alıştırmaları

g'ir	g'ir-di	tanıştır	tanıştır-dı
affet	affet-ti	anla	anla-dı
g'örüş	g'örüş-tü	konuş	konuş-tu
g'ör	g'ör-dü	koy	koy-du

/ at / çalış / ye / g'ötür / yap / çıkar / g'eç / dur / dinl'en / bak / al / seyret /
/ g'etír / iç / iste / bul / başla / otur / söyl'e / yaz / ol / ara / çaır / ö:ren /

IV. DİLBİLGİSİ

-dí / past tense suffix
-m , -k , -n , -níz / personal suffixes used after -dí
Statements and mi-questions with contrastive emphasis

(1) Değiştirme alıştırmaları

a.

| Çarşamba günü Ankara'da olacağım. | I'm going to be in Ankara on Wednesday.

/ cuma / Amerika / İngiltere / pazar / Gaziantep / ev / cumartesi / İtalya /
/ öbür bina / Fransa / Rusya / okul / perşembe / Almanya / Türkiye / pazartesi /
/ Diyarbakır / İstanbul / ders / salı /

b.

| İtalya'ya uğradım, <u>bir hafta</u> kadar kaldım. |

I stopped in Italy, (and) stayed (there) for about a week.

/ İngiltere / Eskişehir / Fransa / iki ay / Avrupa / Almanya / ora- / yarım saat /
/ Fatma Hanımlar / ev / okul / birkaç saat / Jaleler / bir hafta / İtalya /

(2) Çevirme alıştırmaları
a.

+	(<u>Ben</u>) <u>yaz</u>-dı-m.	+?	(Ben) yaz-dı-m mı?
	(Biz) yaz-dı-k.		(Biz) yaz-dı-k mı?
	(Sen) yaz-dı-n.		(Sen) yaz-dı-n mı?
	(Siz) yaz-dı-nız.		(Siz) yaz-dı-nız mı?
	(O) yaz-dı.		(O) yaz-dı mı?
	(Onlar) yaz-dı-lar.		(Onlar) yaz-dı-lar mı?
	I wrote (have written).		Did I write (have I written)?
	You, etc.		Did you, etc.
-	(Ben) yaz-ma-dım.	-?	(Ben) yaz-ma-dı-m mı?
	(Biz) yaz-ma-dı-k.		(Biz) yaz-ma-dı-k mı?
	(Sen) yaz-ma-dı-n.		(Sen) yaz-ma-dı-n mı?
	(Siz) yaz-ma-dı-nız.		(Siz) yaz-ma-dı-nız mı?
	(O) yaz-ma-dı.		(O) yaz-ma-dı mı?
	(Onlar) yaz-ma-dı-lar.		(Onlar) yaz-ma-dı-lar mı?
	I didn't write (haven't written).		Didn't I write? (haven't I written?
	You, etc.		Didn't you, etc.

<u>Note</u> : -di is always followed by a set of personal suffixes which are slightly different from those you learned before. Notice that in questions mi never precedes them.

/ al / - / -? / +? / (biz) / -? / - / + / (o) / +? / -? / - / konuş / (siz) / -? / +? / + /
/ (onlar) / +? / -? / - / (sen) / + / +? / -? / (ben) / (siz) / (o) / (biz) / (onlar) / +? /
/ ver / tekrarla / bak / + / - / (biz) / getir / dinle / yap / -? / (siz) / gir / hatırla /
/ tanı / (sen) / cevap ver / ye / iste / +? / (o) / söyle / memnun ol / - / (onlar) /
/ gez / yardım et / başla / + / yaz / (ben) /

b.

| Siz onu <u>bekli</u>-yor mu-sunuz? |
| Siz onu bekle-yecek mi-siniz? |
| Siz onu bekle-di-niz mi? |

Are you waiting for him?
Are you going to wait for him?
Did you wait for him?

/ sen / öğren / -yecek / -di / getir / -? / - / +/ biz / gör / - / -? / +? / -yecek /

/ -iyor / rahatsız et / onlar / -? / ara / götür / - / -yecek / -di / ben / -? / seyret /
/ - / + / -yecek / iste / -iyor / siz / bil / +? / tanı / -? / - / hatırla / al / -di / -? /
/ o / +? / -yecek / + / - / -iyor / bekle / siz / + / +? /

c. _____

| (Ben) <u>dur</u>dum, <u>seyret</u>tim. | I stood (and) watched.

_____

/ uğra - konuş / (o) / (biz) / al - ye / (onlar) / çıkar - ver / (siz) / (sen) / (o) / (ben) /
/ gör - tanı / (biz) / (onlar) / bak - hatırla / (biz) / (o) / (ben) / dur - seyret /

ç

+	+?
Dün başladılar.	Dün başladılar mı?
They <u>began</u> yesterday.	Did they <u>begin</u> yesterday?
Dün başladılar.	Dün mü başladılar?
They began <u>yesterday</u>. (It was yesterday that they began.)	Did they begin <u>yesterday</u>. (Was it yesterday that they began?)
-	-?
Oğuz gelmedi.	Oğuz gelmedi mi?
Oğuz didn't <u>come</u>.	Didn't Oğuz <u>come</u>?
Oğuz gelmedi.	Oğuz mu gelmedi?
<u>Oğuz</u> didn't come. (It was Oğuz who ...)	Didn't <u>Oğuz</u> come? (Was it Oğuz who ...)
+	+?
Bize uğrayacaksınız.	Bize uğrayacak mısınız?
You're going to drop <u>in</u> on us.	Are you going to drop <u>in</u> on us?
Bize uğrayacaksınız.	Bize mi uğrayacaksınız?
You're going to drop in on <u>us</u>.	Are you going to drop in on <u>us</u>?
+	+?
Bunları ona veriyoruz.	Bunları ona veriyor muyuz?
We're <u>giving</u> these to him.	Are we <u>giving</u> these to him?
Bunları ona veriyoruz.	Bunları ona mı veriyoruz?
We're giving these to <u>him</u>.	Are we giving these to <u>him</u>?
Bunları ona veriyoruz.	Bunları mı ona veriyoruz?
We're giving him <u>these</u>.	Are we giving him <u>these</u>?

(?) şekline çevirin / Change to (?):

Bira içiyoruz.
Bira içiyoruz.
Şimdi dersi tekrarlayacaksınız.
Şimdi dersi tekrarlayacaksınız.
Şimdi dersi tekrarlayacaksınız.
Bunu yeni aldılar.
Bunu yeni aldılar.
Beni hatırlamıyorsunuz.

Gönül'ü Pınarlarda gördük.
Gönül'ü Pınarlarda gördük.
Gönül'ü Pınarlarda gördük.
Üniversiteye yakın oturuyorlar.
Üniversiteye yakın oturuyorlar.
Çok konuşuyor.
Derse yedide başlayacağız.

(3) Konuşma alıştırmaları

a.

| - Ne aldınız? |
| - Hiç bir şey almadım. |

-What did you buy (get, etc.)?
-I didn't buy anything.

Note : hiç occurs only in (-) , (+?) , or (-?) constructions.

/ gör / getir / yaz / söyle / iç / yap / iste / ye / anla / öğren / de / götür / hatırla /

b.

| - Ne yedin? |
| - Börek falan. |

-What did you eat?
-Börek and so forth.

/ ne iç - bira / kimi gör - Cemal'i / nereye uğra - Uğurlar'a /
/ kimlerde kal - Çetinler'de / neler al - kalem / kimlere yaz - Jale'ye / ne iste - kağıt /
/ kimleri bekle - arkadaşları / nerelere git - Bursa'ya / kime telefon et - Kaya'ya /

c.

| - Orada ne kadar kaldınız? |
| - İki hafta kadar. |

-How long did you stay there?
-About two weeks.

/ üç ay / otur / bir sene / on beş gün / dinlen / on dakika / bekle / konuş /
/ birkaç saat / görüş / ders yap / gez / iki hafta / kal /

ç.

| - Şu böreklerden alın. Çok güzel. |
| - Sahi mi? Peki. |

-(Take) have some of those böreks. They're very good.
-Really? All right (I will).

/ bunlar / öbür kalemler / rakı / bu portakallar / şu / şu kitaplar / küçük börekler /
/ şunlar / votka / şu kırmızı kalemler /

V. YAZI - ÇEVİRİ

1. Bu okula yeni mi geldiniz?

   _____ .

2. Yeni İngilizce öğretmeni hiç Türkçe konuşmuyor.

   _____ .

3. Dün Gönül'le beraber Pınarlar'a uğradık.

   _____ .

4. Bana yeni bir defter lâzım.

   _____ .

5. Bugün ona bir daha telefon edeceğim.

   _____ .

6. Çabuk çabuk yapın, lütfen. Geç kalıyoruz.

   _____ .

7. Parti için bira, koka kola falan aldım.

   _____ .

8. Seni saat tam yedide aşağıda bekleyeceğim.

   _____ .

9. Postaneyi geçin, otel solda ilk sokakta.

   _____ .

10. Börekler çok nefis. Biraz daha rica edeceğim.

    _____ .

ON BEŞİNCİ DERS

I. KONUŞMA

(İnci Pınarlardaki partiye gitmemişti, fakat ertesi gün telefonda Gönül'le parti hakkında konuştu. Şimdi, Jale'ye duyduklarını anlatıyor. / İnci had not gone to the party at Pınar's, but the following day, she talked with Gönül about it on the telephone. Now, she reports to Jale on what she heard.)

İnci : Duydun mu? Pınarlar dün akşam bir parti vermiş. Biraz evvel, Gönül telefonda söyledi.

Have you heard? Pınar's family gave a party last night. Gönül just told (me) on the telephone.

duy-	(to) hear
ver-miş	(they/he,) gave reportedly (it is said that ..., according to what I heard, apparently, it seems, supposedly)
biraz evvel	just, a little while ago

Jale : Öyle mi? Kimleri çağırmışlar?

Is that so? Who(m) (what people) did they invite?

öyle	so, like that, that way
kim-ler	who (pl), what people
çağır-mış-lar	they invited (according to what you heard)

İnci : Bazı akrabalarını ve Pınar'ın sınıf arkadaşlarını.

Some relatives (of theirs) and Pınar's classmates.

bazı	some
akraba	relative
akraba-lar-ın-ı	their relatives (object)
Pınar'ın	Pınar's
sınıf	class, classroom
sınıf arkadaş-lar-ın-ı	her classmates (object)

Jale : Oğuz'la Uğur'u davet etmişler mi?

Did they also invite Oğuz and Uğur?

Oğuz'la Uğur	Oğuz and Uğur
davet et-	(to) invite
davet et-miş-ler mi	did they invite (according to what you heard)

İnci : Etmişler, ama onlar gitmemiş.

They did, but they (reportedly) didn't go.

git-me-miş	reportedly (they, he) didn't go

Jale : Hayret! Niçin acaba?

> That's surprising! I wonder why?

| hayret | amazement, astonishment |
| niçin | why |

İnci : Biliyorsun, Uğur yüzmeğe meraklı. Bu soğukta denize girmiş. Dün de birdenbire hastalanmış.

> You know, Uğur loves (has a hobby of) swimming. He went for a swim in this cold weather. (And) yesterday he suddenly became ill.

yüz-	(to) swim
yüz-meğ-e	for swimming
(-ye) merak-lı	interested in, has a hobby of
yüz-meğ-e merak-lı	has swimming as a hobby, makes a hobby of swimming
bu soğuk-ta	in this cold (weather)
deniz	sea
deniz-e gir-	(to) go for a swim (in the sea)
birdenbire	suddenly, all of a sudden
hastalan-	(to) become ill, get sick
hastalan-mış	reportedly he became ill

Jale : Peki, ya Oğuz'a ne olmuş?

> O.K., how about Oğuz. What happened to him?

| ya | well then, how about |
| (-ye) ol- | (to) happen (to) |

İnci : O da Mişel'le sinemaya gitmiş.

> (And) he went to the movies with Michelle.

Mişel'le	with Michelle
sinema	movie theatre, cinema
sinema-ya git-	(to) go to the movies

II. YENİ SÖZCÜKLER

öğren-	(to) learn	X	öğret-	(to) teach
başla-	(to) begin	X	bitir-	(to) finish (something)
			bit-	(to) end (= come to an end)
cevap ver-	(to) answer	X	(soru) sor-	(to) ask (a question)
yaz-	(to) write	X	oku-	(to) read
gir-	(to) enter	X	çık-	(to) go (come) out
bin-	(to) get in (on) (a car, etc.)	X	in-	(to) get out (of a car, etc.)
hatırla-	(to) remember	X	unut-	(to) forget

III. SÖYLEYİŞ

(1) Konuşma

İnci : Duydun mu ?\ Pınarlar / dün akşam bir parti vermiş.\ Biraz evvel,-> Gönül telefonda söyledi.\

Jale : Öyle mi?\ Kimleri çağırmışlar?/

İnci : Bazı akrabalarını -> ve Pınar'ın sınıf arkadaşlarını.\

Jale : Oğuz'la Uğur'u davet etmişler mi?\

İnci : Etmişler,\ ama onlar gitmemiş.\

Jale : Hayret!\ Niçin acaba?\

İnci : Biliyorsun,-> Uğur yüzmeğe meraklı.\ Bu soğukta -> denize girmiş. / Dün de birdenbire / hastalanmış.\

Jale : Peki,-> ya Oğuz' a ne olmuş?/

İnci : O da-> Michelle'le sinemaya gitmiş.\

(2) j - Dinleme ve tekrar alıştırmaları

garaj, pl'aj, bagaj, staj, bej, ruj

Ja:l'e, Japon, jil'et, pijama

(3) Ekleme alıştırmaları

a. -miş ekleyin :

ver	ver-miş
yüz	yüz-müş
ara	ara-mış
konuş	konuş-muş

/ u:ra / iç / söyl'e / bul / affet / oku / g'ör / g'etir / hastalan / rahatsız et /
/ duy / ö:ren / tanı / ye / sor / g'örüş / memnun ol / g'ez / unut / çaır / dinl'en /
/ at / dur / bit / kal / g'ötür / yaz / otur / seyret / bak /

b. -me + -miş + mi ekleyin :

| g'it-me-miş mi, ara-ma-mış mı, affet-me-miş mi, vs. |

/ iste / anla / konuş / g'ör / tel'efon et / başla / bitir / oku / g'ötür / çık /
/ da:vet et / ín / sor / yüz / bak / hatırla / ö:ret / tanıştır / cevap ver / unut /

c. -me + -miş + -l'er + mi ekleyin :

| g'it-me-miş-ler mi, ara-ma-mış-lar mı, affet-me-miş-l'er mi, vs. |

Yukarıdaki sözcüklerle.

IV. DİLBİLGİSİ

-miş / presumptive-past participle suffix

Verb-mek için / to, in order to

(1) Değiştirme alıştırmaları

a.

| Jale'yi davet etmemişler. | They (reportedly) haven't invited Jale.

/ Sevim Hanımlar / bekle / o / gör / siz / İzmir / bunlar / oku / anla / bazı
dersler / bitir / mektup / at / al / kitaplar / getir / küçük çocuklar / çağır /
/ bazı akrabalar / davet et / Jale /

b.

| Uğur yüzmeğe meraklı. | Uğur's hobby (interest) is swimming.

/ gezmek / Mişel / sinema / Oğuz / Fransızca / İngilizce / bazı öğrenciler /
/ Almanca öğrenmek / Ömer Bey / kitap / Pınar / okumak / deniz / Uğur /
/ yüzmek /

c.

| Hayret! Bu soğukta denize girmiş. | It's amazing! He (reportedly) went for a swim (in the sea) in this cold (weather).

/ yüz / sokağa çık / bu hava / içeride otur / böyle güzel hava / bu sıcak /
/ sinemaya git / bu sıcak hava / denize girme / böyle hava / denize gir / bu soğuk /

(2) Çevirme alıştırmaları
a.

+ (Ben) yaz-mış-ım.	(Reportedly, apparently, supposedly; they say, it is said, I don't remember but it seems) I wrote (have written).
(Biz) yaz-mış-ız.	...we wrote (have written)
(Sen) yaz-mış-sın. [1]	... you wrote (have written)
(Siz) yaz-mış-sınız. [2]	...you wrote (have written)
- (Ben) yaz-ma-mış-ım.	... I didn't write, etc.
(Biz) yaz-ma-mış-ız.	... we didn't write, etc.
(Sen) yaz-ma-mış-sın.	...you didn't write, etc.
(Siz) yaz-ma-mış-sınız.	... you didn't write, etc.
+? (Ben) yaz-mış mı-yım?	Does it seem (do they say, is it said) that I wrote (have written)?
(Biz) yaz-mış mı-yız?	... we, etc.
(Sen) yaz-mış mı-sın?	
(Siz) yaz-mış mı-sınız?	
-? (Ben) yaz-ma-mış mı-yım?	Does it seem (do they say, is it said) that I wrote (have written)?
(Biz) yaz-ma-mış mı-yız?	... we, etc.
(Sen) yaz-ma-mış mı-sın?	
(Siz) yaz-ma-mış mı-sınız?	

[1] **-míş-sin** can also be pronounced as **-míş-in.**
[2] **-míş-siniz** can also be pronounced as **-míş-iniz.**

/ gör / - / -? / +? / (biz) / -? / - / + / ver / (siz) / +? / -? / - / unut /(sen) / -? /+?/ / + / (ben) / söyle / +? / -? / - / (sen) / (biz) / (siz) / başla / + / oku / +? / -? / - / / (ben) / + / yaz /

b.

+ (O) yaz-mış.	Reportedly, etc., he wrote (has written).
(Onlar) yaz-mış-lar.	... they wrote (have written).
- (O) yaz-ma-mış.	... he didn't write (hasn't written).
(Onlar) yaz-ma-mış-lar.	... they didn't write (haven't written).
+? (O) yaz-mış mı?	Does it seem that (do you know if; is it said that) he wrote (has written)?
(Onlar) yaz-mış-lar mı?	... they wrote (have written)?
-? (O) yaz-ma-mış mı?	... he didn't write (hasn't written)?
(Onlar) yaz-ma-mış-lar mı?	... they didn't write (haven't written)?

/ öğren / (onlar) / - / -? / +? / bekle / (o) / + / - / -? / hatırla / (onlar) / - / + / +? /
/ (o) / -? / - / + / hastalan / +? / (onlar) / -? / - / + / seyret / (o) / - / -? / +? /
/ (onlar) / yaz / + / (o) /

c.

Onlar gör-müş-ler.
Onlar gör-dü-ler.

They reportedly saw (have seen) it.
They saw (have seen) it.

/ ben / -di / - / -? / +? / biz / siz / o / -miş / -? / - / sen / -di / biz / + / -miş /
/ siz / sen / +? / ben / onlar / -di / biz / -? / o / - / + / onlar /

ç. Gönül bir şey söylüyor. Jale İnci'ye Gönül'ün ne söylediğini soruyor. / Gönül says something (Not quite hearing) Jale asks İnci what Gönül said.

1.

Gönül : Pınar'a telefon ettim.
Jale   : Ne yapmış?
İnci   : Pınar'a telefon etmiş.

-I telephoned Pınar.
-What did she say she did? (What did she do?)
- (She says) she telephoned Pınar.

Oğuz'la Uğur'u partiye davet ettim.
Ömer Bey'e telefon ettim.
Pazar günü denize girdim.
Mutfakta Fatma Hanım'ı seyrettim.
Bir taksi çağırdım, otele gittim.
Onları tanıştırdım.
O mektuba yeni cevap verdim.
Bir yerde oturdum, dinlendim.
Bir daha sordum, çünkü anlamadım.
Başladım, ama bitirmedim.

2.

Gönül : Pınar'a telefon ettik.
Jale   : Ne yapmışlar?
İnci   : Pınar'a telefon etmişler.

We called Pınar (up).
What did she say they did?
(What did they do?)
(She says) they called Pınar (up).

Üç hafta kadar Almanya'da kaldık.

İtalya'ya da uğradık.

Börek falan yedik.

Bavulları küçük odaya koyduk.

İlk sokağa girdik, durduk.

Dört yüz kırk beş numarayı aradık.

Postaneye gittik, mektupları attık.

Dün sabah yeni bir derse başladık.

Bu kitabı daha evvel okuduk.

Okuduk, ama hiç bir şey anlamadık.

3.

Gönül	: Pınar telefon etti.
Jale	: Ne olmuş?
İnci	: Pınar telefon etmiş.

-Pınar telephoned.
-What (does she say) happened?
-(She says) Pınar telephoned.

Gönül	: Derse geç kaldım.
Jale	: Ne olmuş?
İnci	: Derse geç kalmış.

-I was late to class.
-What (does she say) happened?
-(She says) she was late to class.

Gönül	: Fazla beklemedik.
Jale	: Ne olmuş?
İnci	: Fazla beklememişler.

-We didn't wait (too) long (much).
-What (does she say) happened?
-(She says) they didn't wait (too) long (much).

Birkaç gün evvel, birdenbire hastalandım.

Şöför bir buçuk milyon lira istedi, ama vermedik.

Oğuz Mişel'i sinemaya götürdü.

Hiç yardım etmediler.

Çok bekledik, ama gelmedi.

Misafirler çok oturmadı.

Edirne'de bazı arkadaşları gördük, biraz da gezdik.

Parti sekizde başladı, on birde bitti.

Soruyu yanlış anladım.

Hep beraber bir taksiye bindik, Beyazıt'a gittik.

(3) Konuşma alıştırmaları

a.

- Mersin'e gitmişler.	-They (reportedly) went to Mersin.
- Niçin?	- Why?
- <u>Dinlen</u>mek için.	- (In order) to rest.

/ yüz / gez / arkadaşlarını gör / denize gir / birkaç hafta kal / portakal falan getir /
/ bazı akrabalara uğra / biraz dinlen / dinlen /

b.

| - <u>Dün akşam çok içmişsin.</u> | -(They say) you drank a lot last night. |
| - Öyle mi? Ben hiç hatırlamıyorum! | -Is that so? I don't remember at all. |

/ partide Kathy'yle konuşma / ona cevap verme / ondan yüz bin lira al / onu
bekleme / oraya on dakika geç git / kitapları eve götür / bunu sen söyle / ona yarın
sinemaya gidiyoruz de / bu dersi yap / taksiye binmek isteme / dün akşam çok iç /

c.

| - <u>Uğur hastalan</u>mış. |
| - Sahi mi? Kim söyledi? |
| - Biraz evvel, Gönül'ü gördüm, o söyledi. |

Uğur (reportedly) became ill.
Really. Who told (you)?
I saw Gönül a little while ago. <u>She</u> told (me).

/ Oğuz / Ankara'dan gel / bugün derse gelme / Sevim Hanım / Avrupa'ya git /
/ yarın test var de / Almanca öğretmeni / seni ara / Pınar / hastalan / Uğur /

ç.

- Oğuz <u>sinemaya git</u>miş.	-(I heard) Oğuz went to the movies.
- Peki, Uğur ne yapmış?	-Well, what did Uğur do (according to what you heard)?
- O da sinemaya gitmiş.	- (It seems) he went to the movies,too.

/ otelde kal / mektup yaz / votka iç / aşağıda bekle / yüzme / Jalelere uğra /
/ tam yedide başla / bir portakal suyu iste / hiç bir şey getirme / sınıfta kitap oku /
/ yardım etme / sinemaya git /

V. YAZI - ÇEVİRİ

1. Hangi kitabı evde unutmuş?

   _____?

2. Dört sene evvel Amerika'ya gitmiş, üç ay kalmış.

   _____.

3. Yarın bu otelden çıkıyorum. Ucuz bir oda buldum.

   _____.

4. Bir dakika! Ben burada ineceğim.

   _____.

5. İngilizce öğrenmek zor, ama öğretmek de kolay değil.

   _____.

6. Bu kitap bitti. Yarın, öbür kitaba başlayacağız.

   _____.

7. Pınar taksiden indi. Şöför de bavuları bagajdan çıkardı.

   _____.

8. Şimdi yanlız on beş ders bitirdik, değil mi?

   _____.

9. Annem o kitabı okumuş. ' Çok güzel,' diyor.

   _____.

10. Affedersiniz, efendim. Bu soruyu bana mı sordunuz, ona mı?

    _____?

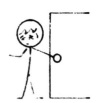

ON ALTINCI DERS

I. KONUŞMA

(Oğuz Mişel'i sinemaya götürecek. Mişel hazır olur olmaz çıkıyorlar, ama filmin başlamasına daha yarım saat var. Onun için, bir yerde oturup kahve içecekler. / Oğuz is taking Michelle to the movies. They leave as soon as she is ready, but they still have half an hour before the movie starts. So, they are going to stop somewhere for coffee.)

Oğuz : İyi akşamlar, Mişel. Hazır mısın?

Good evening, Michelle. Are you ready?

| iyi akşam-lar | good evening |
| hazır | ready |

Michelle : İyi akşamlar. Dışarıda hava nasıl? Yağmur yağar mı acaba?

Good evening. How's the weather outside? Do you think (I wonder if) it'll rain?

yağmur	rain
yağ-	(to) fall (used for rain, snow, etc.)
yağmur yağ-	(to) rain
yağmur yağ-ar	it'll rain, it rains, rain falls

Oğuz : İnşallah yağmaz, ama sen pardesünü giy. Bugün biraz serin. Üşürsün.

I hope (God willing) it won't, but (you) do put on your raincoat. It's a bit chilly today. You'll (might) be cold.

inşallah	God willing, I hope
yağ-ma-z	it won't (doesn't) rain
pardesü	raincoat, light coat
pardesü-n-ü	your raincoat (object)
giy-	(to) wear, put on
serin	cool, chilly
üşü-	(to) be (feel) cold
üşü-r-sün	you'll be cold, you feel (are) cold

Michelle : Hazırım, işte! Çıkalım mı?

There, I'm ready! Shall we go (out)?

işte	there; here! look'
çık-alım	let's go out
çık-alım mı	shall we go out

Oğuz : Çıkalım. Önce, bir yerde oturur, kahve içeriz. Film dokuzda başlıyor. Yani daha yarım saatimiz var.

Let's go (out). First, we'll stop (sit down) some place (and) have coffee. The movie starts at nine. That means, we still have half an hour.

| önce | first (of all) |

otur-ur ... iç-er-iz	we'll sit and drink
kahve	coffee
film / fil'(í)m /	movie, film
yani / yá:ni /	that means, that is to say, I mean, in other words
daha	still
yarım saat	half an hour

Michelle : Arkadaşlar bu filmi çok beğenmişler. ' Sakın kaçırma' dediler.

(My) friends (seem to have) liked this movie very much. '(Whatever you do,) don't miss it,' they said.

beğen	(to) admire, like (selective)
sakın	(whatever you do,) don't ... (For more emphasis with negative commands.)
kaçır-	(to) miss

Oğuz : Bilet almak için iki saat sırada bekledim. Herkes Brigitte Bardot'yu görmek istiyor.

I waited in line (for) two hours (a long time) (in order) to get tickets. Everybody wants to see Brigitte Bardot.

bilet	ticket
...mek için	(in order) to...
iki saat	(for) a long time (figurative)
sıra	line, row
herkes	everybody
Brigitte Bardot	

Michelle : Ben de onu hiç beğenmem. İyi bir artist değil. O kadar güzel de değil.

Well, I don't like her at all. She's not a good actress. She's not that (much) beautiful either.

beğen-me-m	I don't like (admire)
artist	actress, actor

Oğuz : Zaten kızlar onu pek sevmez nedense!

Actually, girls don't like her (very) much for some reason!

zaten / za:tén /	actually, as a matter of fact
sev-	(to) like (emotional), love
sev-me-z	(they) don't like
nedense	for some reason, somehow

II. YENİ SÖZCÜKLER

kar : snow, rüzgâr : wind, sis : fog
İyi geceler \ : Good night
Allah rahatlık versin. \ : Good night (May God give comfort).

III. SÖYLEYİŞ

(1) Konuşma

Oğuz : İyi akşamlar,-> Mişel.\ Hazır mısın ?\

Michelle : İyi akşamlar.\ Dışarıda hava nasıl?/ Yağmur yağar mı acaba?\

Oğuz : İnşallah-> yağmaz,\ ama sen-> pardesünü gíy.\ Bugün biraz serín.\ Üşürsün.\

Michelle : Hazırım, işte!\ Çıkalım mı?\

Oğuz : Çıkalım.\ Önce,-> bir yerde oturur, / kahve içeriz.\ Filim dokuzda başlıyor.\ Yani -> daha yarım saatimiz var. \

Michelle : Arkadaşlar-> bu filmi çok beğenmişler.\ ' Sakın-> kaçırma,' \ dediler.\

Oğuz : Bilet almak için / iki saat-> sırada bekledim.\ Herkes Brigitte Bardot'yu görmek istiyor.\

Michelle : Ben de-> onu / hiç beğenmem.\ İyi bir artist değil.\ O kadar güzel de-> değil. /

Oğuz : Zaten-> kızlar onu pek sevmez\ nedense!\

(2) Consonant clusters difficult to pronounce - Dinleme ve tekrar alıştırmaları

-zs- (More often pronounced as -ss-.)

Fransızsın, İng'il'izsin, kızsın; almazsın, demezsin, durmazsın, görmezsin; sizsíz, g'özsüz, buzsuz

-şs-

İçmişsin, g'örmüşsün, atmışsın, bulmuşsun; işsiz, ateşsiz, başsız, maaşsız; kardeşse, yanlışsa, yokuşsa

-çs,

uçsuz, güçsüz, aaçsız, suçsuz; açsa, g'ençse, g'üçse, g'eçse, ha:riçse, il'âçsa

(3) Syllabification - Tanıma alıştırmaları

Types of syllables : o (V), on (VC), de (CV), yer (CVC), ders (CVCC), gram (CCVC) (only in foreign origin words)

Syllable boundaries :

In sequences with more than one vowel, syllable boundaries fall as indicated below:

-V.CV-	: a.ra, ka.pı, de.niz, A.me.ri.ka
-VC.CV-	: an.ne, tah.ta, yar.dım, İs.tan.bul.da
-CV.VC-	: sa.at, O.uz, ça.ır

-VCC.CV- : ders.tén, dört.té, renk'.tén
-VC.CCV- : (only in very few foreign origin words) tel'.graf

Words are broken at the end of the lines in spelling on the basis of syllable boundaries. The letter
ğ is treated as a consonant:

sağ-	sa-	tem-	kapı-	bekle-	ders-	sa-	alaca-	tel-
da	ğa	muz	ya	miyor	te	at	ğım	graf

Heceleri bulun / Find the syllables :

arkadaş, Gönül, şimdilik, beraber, vallahi, öyleyse, acaba, doğru, alıştırma, kâğıt,
İtalyanca, kahverengi, cumartesi, inşallah, testler, konuşmamışlar, görüşeceğiz,
hatırlamamışsınız, tekrarlamayacağım, Gaziantep, öğretmenler, ağustos,
affetmiyorlar, estağfurullah, martta, seyrettik, aşağıda, postane, beğenmedi,
duyuyorum

(4) Ekleme alıştırmaları

a. -ér ekleyin:

íç	iç-ér
yap	yap-ár
----	-----
dé	dé-r

/ g'éz / ín / dúy / yé / g'ít / yaz / ét / bín /

/ bak / g'ír / sév / g'íy / at / yüz / g'eç / çık /

/ yá: / sór / bít /

Note: -ér occurs only with one-syllable verb roots, except for the following, which occur with -ír
ál-, bíl'-, búl-, dúr-, g'él'-, g'ör-, kál-, ól-, öl'-, sán-, vár-, vér-, vúr-

b. -ír ekleyin :

g'etír	g'etir-ír
g'ürüş	g'örüş-ür
hastalan	hastalan-ır
unút	unut-úr
g'el'	g'el'-ír
(Yukarıda, Note (4) a'ya bakın.)	
başla	başla-r

/ ö:rét / beén / konúş / otúr /

/ ará / ö:rén / kal / çıkár / vér /

/ g'él' / g'ötür / dinl'én / dinl'é /

/ tanıştír / hatırlá / çalíş /

/ bíl' / kaçír / isté / dúr /

/ hastalán / bek'l'é / u:rá / g'ör /

/ bitír /

142

c. -ír / -ér ekleyin :

/ taní / yáz / g'éç / g'etír / bul / yardím et / söyl'é / çaír / oku / sev / at / ye / tek'rarla / ya: /
/ üşü / bít / g'ít / sor / ol / al / bak / seyret / çıkar / konuş / anla / ö:ren / affet / yap / g'ír /
/ ver / g'íy / yüz / koy / g'el' / dinl'én /

IV. DİLBİLGİSİ

-ír / habitual - future participle suffix

Deletion of personal suffixes in ... -ír ...-ír conjunction

(1) Değiştirme alıştırmaları

a. _____

| Pınar her zaman geç gelir. | Pınar always comes late.

/ kitap oku / Mişel / mektup bekle / sinemaya git / Oğuz / o lokantada ye / telefon et /
/ Uğur / dersi kaçır / hastalan / Fatma Hanım / börek yap / yardım et / o çocuk /
/ bir şey iste / bize uğra / Pınar / geç gel /

b. _____

| Pınar yarın sabah geç gelir. | Pınar will come late tomorrow morning.

/ yarın / gel / telefon et / bu akşam / sizi bekle / pazar günü / bir daha uğra /
/ saat altıda / yarın sabah / geç gel /

c. _____

| Sakın o filmi kaçırma. | (Whatever you do,) don't miss that movie.

/ beni bekle / biletleri unut / denize gir / sıradan çık / bu yağmurda sokağa çık /
/ o sinemaya git / pardesünü giy / üşü / hastalan / onu rahatsız et / mutfağa gir /
/ geç kal / fazla iç / bir şey söyle /

(2) Çevirme alıştırmaları

a.

+ (Ben) yaz-ar-ım.	I ('ll) write.
(Biz) yaz-ar-ız.	We ('ll) write.
(Sen) yaz-ar-sın.	You ('ll) write.
(Siz) yaz-ar-sınız.	You ('ll) write.

− (Ben) yaz-ma-m.	I don't (won't) write.
(Biz) yaz-ma-yız. [1]	We don't (won't) write.
(Sen) yaz-ma-z-sın.	You don't (won't) write.
(Siz) yaz-ma-z-sınız.	You don't (won't) write.

+? (Ben) yaz-ar mı-yım?	Do (will) I write?
(Biz) yaz-ar mı-yız?	Do (will) we write?
(Sen) yaz-ar mı-sın?	Do (will) you write?
(Siz) yaz-ar mı-sınız?	Do (will) you write?

-? (Ben) yaz-ma-z mı-yım? [2]	Don't (won't) I write?
(Biz) yaz-ma-z mı-yız? [3]	Don't (won't) we write?
(Sen) yaz-ma-z mı-sın?	Don't (won't) you write?
(Siz) yaz-ma-z mı-sınız?	Don't (won't) you write?

[1] yáz-ma-yız is also heard sometimes.
[2] yaz-má-m mı is used by some speakers.
[3] yaz-má-yız mı or yáz-ma-yız mı are used by some speakers.

/ (biz) / - / -? / +? / uğra / (sen) / -? / - / + / (ben) / - / -? / +? / bul / (biz) / + / - / -? / (siz) / iç / +? /
/ + / - / (ben) / + / +? / -? / bitir / - / + / +? / telefon et / (sen) / -? / - / + / (biz) / - / -? / +? / (siz) /
/ tanı / -? / - / + / (ben) / +? / -? / - / (biz) / + / +? / -? / yaz / - / + /

b.

+ (O) yaz-ar.	He ('ll) write(s).
(Onlar) yaz-ar-lar.	They ('ll) write.
- (O) yaz-ma-z.	He doesn't (won't) write.
(Onlar) yaz-ma-z-lar.	They don't (won't) write.

I +? (O) yaz-ar mı?	Does (will) he write?
I (Onlar) yaz-ar-lar mı?	Do (will) they write?
I_____	
I -? (O) yaz-ma-z mı?	Doesn't (won't) he write?
I (Onlar) yaz-ma-z-lar mı?	Don't (won't) they write?
I_____	

/ (onlar) / - / -? / +? / bekle / -? / (o) / +? / + / - / (onlar) / + / beğen / - / -? / +? / (o) / -? / - / + /
/ dur / - / -? / +? / (onlar) / -? / - / + / sor / - / -? / +? / (o) / + / - / -? / yaz / +? / + /

c.
I + (Biz) otur-ur, kahve iç-er-iz.	We ('ll) sit (stop) (and) have coffee.
I +? (Biz) otur-ur, kahve iç-er mi-yiz?	Do (will) we sit (stop)(and) have coffee?
I_____	

Note : Suffixes which follow the second participle also apply to the first, but they are deleted in the first for economy. Thus, the first sentence is actually to be construed as ' (Biz) otur-ur-uz, iç-er-iz.

/ (ben) / +? / (siz) / + / (onlar) / +? / (sen) / + / (o) / +? / git-sor / (siz) / + / (biz) / +? / (ben) / + /
/ (onlar) / +? / (o) / + / (sen) / +? / beğen - al / + / (o) / +? / (ben) / + / (siz) / +? / (onlar) / + /
/ (sen) / +? / (biz) / + / otur - kahve iç /

ç.
I (O) hep böyle söyler.	He always says so (generally speaking, as a rule, habitually, as everyone knows). Pretentious with ben, biz, sen, siz.
I (O) hep böyle söylüyor.	He always says so (actually, as I know, as personally observed by the speaker). (Preferred with ben, biz, sen, siz.)
I_____	

/ oraya git / -iyor / (onlar) / evde otur / -ir / (ben) / mektup yaz / (o) / -iyor / Türkçe konuş /
/ (biz) / -ir / (o) / yanlış anla / (siz) / (sen) / -iyor / öyle de / (onlar) / -ir / (siz) / geç kal /
/ (ben) / (biz) / mektup bekle / (o) / -iyor / buraya gel / (biz) / -ir / (onlar) / bir şey iste /
/ (siz) / -iyor / kitap oku / -ir / (ben) / hastalan / (onlar) / -iyor / (biz) / (o) / -ir /
/ böyle söyle /

d.
I (Biz) yarın bitiririz.	We'll finish it tomorrow. (I'd like us to ..., I hope we'll ..., I think we'll ...)
I (Biz) yarın bitireceğiz.	We're going to finish it tomorrow. (I'm sure we'll ...)
I_____	

/ görüş / (siz) / +? / -yecek / -? / (onlar) / uğra / -ir / (biz) / (o) / - / + / yap / (ben) / (sen) / +? /
/ -yecek / getir / (siz) / -? / -ir / götür / (biz) / - / + / +? / -yecek / git / (onlar) / -ir / + / bitir /
/ (biz) /

(3) Konuşma alıştırmaları

a.

```
| - Bir kahve içersiniz, değil mi?          |
| - Teşekkür ederim, ama zahmet ediyorsunuz. |
```

-You will (would like to) have (a cup of) coffee, won't you?
-(Yes,) thank you, but you're going to too much trouble.

/ bira / portakal suyu / şundan / biraz rakı / sıcak bir şey / bir koka kola / kahve /
/ soğuk bir şey / votka / bir şey / biraz bundan /

b.

```
| - Sinemaya gider misiniz?  |
| - Memnun olurum.           |
```
-Would you (like to) go to the movies?
- I'd be pleased to. (I'd love to.)

/ bana yardım et / bizi de oraya götür / o filmi görmek iste / partiye gel / bize de uğra /
/ bizi tanıştır / bana da öğret / bizle oturmak iste / siz de git / önce bir şey içmek iste /

c.

```
| - Jale hazır olur mu?                        |
| - Bilmiyorum, vallahi.  Belki olur, belki olmaz. |
```

-Will Jale be ready?
- I really don't know. Maybe she will, maybe she won't.

/ telefon et / gel / yap / burayı beğen / onları da çağır / bizi hatırla / börek sev / beni
bekle / onu da getir / hemen başla / onu tanı / bizi davet et / Fransızca bil /
/ biletleri al /

ç.

```
| - Bu otel o kadar pahalı değil.  |
| - Ama herkes çok pahalı diyor.   |
```
-This hotel is not so (that much) expensive.
-But everybody says it's very expensive.

/ İstanbul - büyük / İngilizce - kolay / bu filim - iyi / o artist - güzel / dersler - zor /
/ orada hava - soğuk / Ankara - ucuz / o evler - rahat / postane - yakın / Adana - sıcak /

d.

```
| - Hava nasıl?          |
| - Çok yağmur yağıyor.  |
```
-How's the weather?
-It's raining hard.

/ soğuk var / biraz serin / kar yağıyor / çok sis var / soğuk / biraz rüzgâr var / çok sıcak /
/ sıcak var / güzel / pek iyi değil / yağmur yağıyor /

146

e.
| - Buraya ne zaman geldiniz? | -When did you come here?
| - Haziranda, yani üç ay evvel. | -In June, that is, three months ago.

/ ekimde - iki ay / dört buçukta - yarım saat / perşembe günü - dört gün / 1985'te - on sene / salı günü - beş gün / üçte - on dakika / 1992'de - üç sene / pazartesi günü - bir hafta kadar / ocakta - altı ay / eylülde - bir ay / on aralık 1981'de - tam on dört sene /

V. YAZI - ÇEVİRİ

1. 'Allah rahatlık versin' dedim, ama galiba duymadı.

    _____ .

2. Şu kitabı bitirmeğe çalışıyorum.

    _____ .

3. Ben de adresi hatırlamıyorum. Telefon eder, sorarız.

    _____ .

4. Bizi rahatsız etmemek için uğramamışlar.

    _____ .

5. İşte, o Amerikalı arkadaş geliyor. İsterseniz sizi tanıştırayım.

    _____ .

6. Hava hiç soğuk değil, ama nedense ben çok üşüyorum.

    _____ .

7. Bu akşam da sinemaya gidiyorlar. Zaten hiç bir filmi kaçırmazlar.

    _____ .

8. Test cuma günü. Daha üç gün var.

    _____ .

9. Herkesi davet etmiş, yalnız Jale'yi unutmuş.

    _____ .

10. Şu yeşil pardesüyü çok beğendim. Yarın gelir alırım.

    _____ .

ON YEDİNCİ DERS

I. KONUŞMA

(Uğur soğuk almış, yatıyor. Oğuz geçmiş olsun demek ve son ders notlarını getirmek için ona uğruyor. / Uğur is in the bed with a cold. Oğuz stops by to wish him a quick recovery and brings him the latest lecture notes.)

Oğuz : Geçmiş olsun, Uğur. Nasılsın?

    I hope you'll get well soon, Uğur. How are you feeling?

geç-miş ol-sun	'May it be passed.' Said to someone during or after a difficult or bad experience such as illness, accidents, examinations. (I hope it's (will be) all over.)

Uğur : Eh, bugün pek fena değilim. Ateşim biraz düştü, ama boğazım hâlâ ağrıyor.

    Oh, I'm not feeling too bad today. My fever's gone down a little, but I still have a sore throat.

eh	oh; oh, well (expresses incomplete satisfaction)
fena / fená: /	bad
ateş	fever
ateş-im	my fever
düş-	(to) fall, go (come) down
boğaz	throat
boğaz-ım	my throat
hâlâ / há:l'a: /	still
ağrı-	(to) ache, hurt
boğazım ağrıyor	my throat hurts (aches)

Oğuz : Doktora gittin mi?

    Did you go to the doctor?

doktor	doctor, physician

Uğur : Dün okulun doktoruna gittim. 'Soğuk almışsın; bir iki gün yat, geçer,' dedi. Bir de şu ilâçları verdi.

    I went to the school doctor (the doctor of the school) yesterday. 'You have (caught) a cold; stay in bed for a couple of days. You'll be O.K. (It'll pass),' he said. In addition, he gave (me) those medicines (over there).

okul-un doktor-u	the school doctor (the doctor of the school)
okul-un doktor-un-a	to the school doctor
soğuk al-	(to) catch cold, have a cold
bir iki	one or two, a couple
yat-	(to) lie (down), stay in bed, go to bed
geç-	(to) pass, disappear
bir de ...	in addition, also, besides
ilâç / il'áç /	medicine

Oğuz : Bu mevsimde İstanbul'un havası sık sık değişiyor. Dikkat etmek lâzım.

İstanbul weather (the weather of İstanbul) changes very frequently during (in) this
season. One has to be careful (to be careful is necessary).

mevsim	season
İstanbul'un havası	İstanbul weather (the weather of İstanbul)
sık sık	(very) frequently
değiş-	(to) change
dikkat	care, attention
dikkat et-	(to) be careful, pay attention,
	watch (out), notice

Uğur : Hastalık bir şey değil, dersleri kaçırıyorum.

Being sick is no problem (sickness is nothing), (but) I'm missing classes.

hasta-lık	illness, sickness

Oğuz : Zararı yok. Ben sana notlarımı getirdim. Odanda oturur, çalışırsın.

That doesn't matter. I brought you my notes. You can (will) stay in your room and
study.

zarar	harm, damage
zarar-ı yok	'it has no harm', it doesn't matter, never mind
not	(class) notes
not-lar-ım-ı	my notes (object)
oda-n-da	in your (sg) room
çalış-	(to) study, work

Uğur : Sağol. Arkadaşlar ne yapıyor?

Thank you. How's everyone else doing? (How are (our) friends doing?)

sağ-ol	' be safe (alive) and in good health', thank you

Oğuz : Hepsi iyiler. Sabah kütüphanenin önünde Gönül'ü gördüm. Çok selâm söyledi.

They're all fine. I saw Gönül in front of the library this (in the) morning. She says
(said) ' hello ' (to you).

hep-si	all of them (it), they (it) all
sabah	bu sabah, yarın sabah
kütüphane / k'ütüpa:ne /	library
ön	front, the space in front
kütüphane-nin ön-ün-de	in front of the library
selâm / sel'ám /	greeting, regards
selâm söyle-	(to) send greetings, give regards, say ' hello'

II. YENİ SÖZCÜKLER

baş : head, kol : arm, bacak : leg, kar(ı)n : mid-section of the body, stomach, belly;
göğ(ü)s : chest, breast
ön : front, the space in front   X   arka : back, the space at the back

alt : bottom, the space below,   X   üst : top, the space over or outside
   underside
iç : inside, interior   X   dış : outside, exterior
yan : side, vicinity

III. SÖYLEYİŞ

(1) Konuşma

Oğuz : Geçmiş olsun,-> Uğur.\ Nasılsın?/
Uğur : Eh,-> bugün pek fena değilim.\ Ateşim-> biraz düştü,\ ama boğazım /
   hâlâ-> ağrıyor.\
Oğuz : Doktora gittin mi?\
Uğur : Dün / okulun doktoruna gittim.\ 'Soğuk almışsın;\ bir iki gün-> yat, / geçer,' \
   dedi.\ Bir de-> şu ilâçları verdi.\
Oğuz : Bu mevsimde-> İstanbul'un havası / sık sık-> değişiyor.\ Dikkat etmek
   lâzım.\
Uğur : Hastalık bir şey değil, / dersleri kaçırıyorum.\
Oğuz : Zararı yok.\ Ben-> sana notlarımı getirdim.\ Odanda oturur, / çalışırsın.\
Uğur : Sağol.\ Arkadaşlar -> ne yapıyor?/
Oğuz : Hepsi-> iyiler.\ Sabah / kütüpanenin-> önünde / Gönül'ü gördüm.\ Çok
   selâm söyledi.\

(2) Sound sequences difficult to pronounce

a. Dinleme ve tekrar alıştırmaları

-rVr-   veririz, dururuz, g'örürüz, bitiririz, çıkarırız, kaçırırız, otururuz
         çaırırız, g'etiririz, g'ötürürüz, tanıştırırız (sometimes heard as vérriz, dúrruz,
         etc. in faster speech.)
         verirl'er, dururlar, g'örürl'er, bitirirl'er, çıkarırlar, kaçırırlar, otururlar,
         çaırırlar, g'etirirl'er, g'ötürürl'er, tanıştırırlar

-mVm-	ismím, kal'emím, fil'mím, yardımím
	ismím mi, kal'emím mi, fil'mím mi, yardımím mı
	ismimí, kal'emimí, fil'mimí, yardımımı́
	ismimí mi, kal'emimí mi, fil'mimí mi, yardımımı́ mı

-nVn-	önün, yanın, g'ünün, zama:nín
	önünün, yanınín, g'ününün, zama:nınín

b. m - n Karşılaştırma alıştırmaları

ismín mi - ismím mi, kal'emín mi - kal'emím mi, fil'mín mi - fil'mím mi,
yardımín mı - yardımím mı

isminí mi - ismimí mi, kal'eminí mi - kal'emimí mi, fil'miní mi - filmimí mi,

yardımíní mı - yardımımı́ mı

önünde - önümde, yanında - yanımda, isminden - ismimden, yardımından -
yardımımdan

(3) Ekleme alıştırmaları

a.1. -ím ekleyin :

ö:retmen	ö:retmen-ím		/ arkadaş / k'itap / oda / ö:rencil'er / k'aat /
kahvé	kahve-m		/ bavul / masa / hastalık / okul / baba /
dersl'er	dersl'er-ím		/ sel'am / g'öüs / bil'et / arka / ön / su / çocuk/
mek'tup	mek'tub-úm		/ anne / zaman / misa:firl'er / sa: / pardesü /
bacák	baca-ím		/ boaz / karín / mutfak / yan / kol / renk' /
su	suy-úm[1]		/ Türk'çe / yer / rica: / kal'em / cevap /
il'aç	il'ac-ím[2]		/ kal'eml'er / cevaplar / tel'efon / akraba: /
renk'	reng'-ím[3]		/ sınıf / börek' / sıra / fil'im / mek'tup / üst /
sel'am	sel'a:m-ım[4]		/ iç / İng'il'izce / isim / il'aç / bira / baş /
			/ nuṁara / doktor /

[1] There is only one more word in Turkish with this irregularity : ne - ney-im

[2] Some words change their final ç to c before a suffix which begins with a vowel. (See (2)c, p. 92 for
other changes of this type.)

[3] Some words change their final k' or k to g' or g, respectively. (See (2)c, p.92)

[4] Like zamán - zama:n-í. These changes will be indicated as new vocabulary is presented. For
example, renk' (g'), etc.

2. -imíz ekleyin :

| ö:retmén | ö:retmen-imíz |
| kahvé | kahve-míz, vs. | Yukarıdaki sözcüklerle.

3. -ín ekleyin :

| ö:retmén | ö:retmen-ín |
| kahvé | kahve-n, vs. | Yukarıdaki sözcüklerle.

4. -iníz ekleyin :

| ö:retmén | ö:retmen-iníz |
| kahvé | kahve-níz, vs. | Yukarıdaki sözcüklerle.

5. -sí(n-) ekleyin :

| ö:retmén | ö:retmen-í |
| kahvé | kahve-sí, vs. | Yukarıdaki sözcüklerle.

b. -nín ... -sí(n-) ekleyin :

| G'önül'-ün -> ö:retmen-í \ |
| G'önül'-ün -> kahve-sí \ |
| Ja:le'-nín -> ö:retmen-í \ |
| Ja:le'-nín -> kahve-sí \ vs. |

/ doktór - adrés / masa - alt / Uur - hastalık / üniversite - k'ütüp:ane / İstanbul -
sokaklar / fil'ím - artistl'er / ö:retmenl'er - isiml'er / o - baba / sinema - ön / misa:firl'er -
oda / şu - üst / ora - tel'efón / Pınar - bavullar / ev - numara / su - renk' / i'lâç - isím /
/ mutfak - kapı / posta:ne - arka / tahta - yan / Ankara - otel'l'er / Fatma:nım -
börek'l'er / hafta - g'ünl'er / bura - hava / oda - iç / çocuk - bacak / taksi - şöför / çocuklar
- pardesül'er / bina: - sa: / Kaya - anne / ö:rencil'er - parti / deníz - su / bu - yer / İnci -
pardesü / Ouz - akraba: /

c.1. -sí(n-) + -dé ekleyin :

bavúl	bavul-ú	bavul-un-dá
odá	oda-sí	oda-sín-da, vs.

/ arkadáş / év / anné / deftér / akrabá: / sokák / dérs / isím / kapí / zamán / párdesü /
/ kíz / íç / yán / kahvé / Türk'çe / mek'túp / rénk' / babá / ön / arká / sá: / sól / yér /
/ l'okánta / mutfák / párti / sú / okúl / çocúk / ált / üst / Fransízca / ö:rencí / ceváp /
/ biná: / oteĺ / masa / siníf / k'itáp / g'öüs / k'aát /

2. -sí(n-) + -dén ekleyin :

bavúl	bavul-ú	bavul-un-dán	
			Yukarıdaki sözcüklerle.
odá	oda-sí	oda-sín-dan, vs.	

3. -sí(n-) + -yé ekleyin :

bavúl	bavul-ú	bavul-un-á	
			Yukarıdaki sözcüklerle.
odá	oda-sí	oda-sín-a, vs.	

4. -sí(n-) + -yí ekleyin :

bavúl	bavul-ú	bavul-un-ú	
			Yukarıdaki sözcüklerle.
odá	oda-sí	oda-sín-ı, vs.	

IV. DİLBİLGİSİ

-ím, -imíz, -ín, -iníz, -sí(n-) / possessive suffixes
-lér + -sí(n-) = -ler-í / third person plural possession
-nín / genitive suffix

Possessive construction
Possessive suffixes + -dé, -yé, -dén, or -yí
Shift of sentence stress causing change of meaning

(1) Değiştirme alıştırmaları

a.

| Boğaz-ım hâlâ ağrıyor. | I still have a sore throat. (My throat still aches.)

/ baş / karın / bacak / sağ taraf / bura- / kol / bacaklar / göğüs / sol taraf / şura- /
/ sağ kol / arka / sol bacak / kollar /

b.

| Kitaplar-ımız-a baktık. | We looked at our books.

/ kitap / notlar / sağ / sol taraf / defterler / arkadaşlar / arka / ön / oda / masa / biletler /
/ kâğıtlar /

c.

| Dikkat et, bilet-in-i unutma. | Be careful, don't forget your ticket.

/ defterler / pardesü / notlar / mektuplar / ilâç / bir şey / kalem / silgi / kitaplar / bavul /

ç.

| Bunları bavul-unuz-dan almışlar. | They reportedly took these from your suitcase.

/ ev / arkadaşlar / anne / masa / o akraba / öğrenciler / otel / baba / misafirler /
/ öğretmen / öbür arkadaş / doktor / kahverengi bavul / oda /

d.

| Pınar'- ın kitab-ı masa-nın üst-ün-de. | Pınar's book is on the (top of the) table.

/ Uğur - ilâç / Oğuz - biletler / Jale - bira / o - silgi / öğretmen - kitaplar / Ömer Bey -
kâğıtlar / İnci - kalem / sorular - cevaplar / öğrenciler - notlar / Cemal - mektup /

e.

| Senín baba-n-ı gördüm, onun baba-sın-ı değíl. |
I saw your father, not his father.

/ oda / defter / arkadaşlar / kâğıt / notlar / anne / kitap / pardesü / öğretmen / okul /
/ isim / akrabalar /

154

(2) Çevirme alıştırmaları

a. _____

	(Ben-im) arkadaş-ım.		(He's) my friend.
	(Biz-im) arkadaş-ımız.		(He's) our friend.
	(Sen-in) arkadaş-ın.		(He's) your friend.
	(Siz-in) arkadaş-ınız.		(He's) your friend.
	(On-un) arkadaş-ı.		(He's) his (her) friend.
	_____	

Note : This combination, consisting of two nominals , each followed by the genitive and possessive suffixes respectively, is called possessive construction. Note that the genitive suffix -nín changes to -ím after ben and biz only.
The possessive construction has three basic English correspondences :
(1) Personal possession (my, your, our, etc. + noun). Here, when there is no particular emphasis on the possessor, the noun plus appropriate possessive suffix is normally used alone to express personal possession.
(2) -------'s possession : Pınar'-ın baba-sı (Pınar's father)
(3) ' of ' possession : ev-in numara-sı (the number of the house)
Possessive constructions are also used in a variety of ways to correspond to more complex syntactic structures of English. Therefore, an understanding of these forms as well as their various combinations with other suffixes is essential.

/ (biz) / sınıf / kitap / (siz) / zaman / kol / defterler / (o) / numara / masa / baba / kalem /
/ şöför / cevap / (ben) / (sen) / (biz) / yer / (siz) / (o) / rica / çocuk / (biz) / (siz) / telefon /
/ bilet / (ben) / ilâç / kahve / (o) / Türkçe / (sen) / (siz) / ateş / boğaz / (biz) / (ben) /
/ pardesü / öğrenciler / mektup / (sen) / portakal / (o) / börek / renk / günler / (biz) /
/ hastalık / (siz) / selâm / isim / (ben) / su / arkadaş /

b. _____

	Arkadaş-lar-ı burada.		His friends are here.
			Their friends are here.
			Their friend is here.
	On-un arkadaş-lar-ı burada.		His friends are here.
	On-lar-ın arkadaş-lar-ı burada.		Their friends are here.
			Their friend is here.
	On-lar-ın arkadaş-ı burada.		Their friend is here.
	_____	

Çocukları gelmedi.
Misafirleri birkaç gün kalacak.
Öğretmenleri çok iyi.
Dersleri o binada değil.
Odaları biraz küçük.

Doktorları ilâç falan vermemiş.
Notları bize lâzım değil.
Kızları Avrupa'da bir okula gidiyor.

c.

Mektub-un-u arıyorum.	I'm looking for your letter.
	I'm looking for his letter.
Sen-in mektub-un-u arıyorum.	I'm looking for your letter.
On-un mektub-un-u arıyorum.	I'm looking for his letter.

Note : The object with the possessive suffix is always followed by **-yi.**

İlâcını doktor getirecek.
Kitabını biraz evvel şurada buldum.
İsmini hatırlamamışlar.
Hâlâ cevabını bekliyoruz.
Acaba bavulunu nereye götürdüler?
Adresini unuttuk.
Her zaman yardımını isterler.
İnşallah öğretmenini buluruz.
Arkadaşını tanımıyorum.
Galiba biletini şuraya koymuşlar.

ç.

Arkadaş-lar-ın-ı görmedim.	I didn't see his friends.
	I didn't see your friends.
	I didn't see their friends.
	I didn't see their friend.
Sen-in arkadaş-lar-ın-ı görmedim.	I didn't see your friends.
On-un arkadaş-lar-ın-ı görmedim.	I didn't see his friends.
On-lar-ın arkadaş-lar-ın-ı görmedim.	I didn't see their friends.
	I didn't see their friend.
On-lar-ın arkadaş-ın-ı görmedim.	I didn't see their friend.

Mektuplarını almadık.
Öğretmenlerini partiye davet etmek istiyoruz.
Şöför bavullarını bagajdan çıkarır.
Çocuklarını çağırmadılar mı?
Kızlarını sık sık görüyoruz.

d. _____

| Ben-im kalem-im-i aldı. | He took my pencil.

| _____ |

/ sen / o / -yi iste / adres / notlar / ben / siz / -ye bak / -yi beğen / ev / oda / -de otur / o /
/ sen / -den çık / o / -ye gir / biz / siz / -yi ara / arkadaş / o / -ye teşekkür et / sen / -yi
dinle / -ye yardım et / biz / ben / baba / anne / o / -ye ver / -den al / öğretmen / -ye telefon
et / siz / -yi bekle / cevap / o / taksi / -ye bin / -den in / -yi bul / kalemler / sen / -yi al /
/ ben / kalem /

e. _____

| Hep-si geliyor. | They're all coming.
| Hep-imiz geliyoruz. | We're all coming.
| Hep-iniz geliyorsunuz. | You're all coming.

| _____ |

Hepsi yorgun.
Hepsi çarşamba günü burada olacak.
Hepsi mektup bekliyor.
Hepsi yeni öğrencilere yardım eder.
Hepsi birdenbire hastalandı.
Hepsi Mayısta Avrupa'ya gidecek.
Hepsi Türkçe biliyor.
Hepsi üniversitede öğrenci.
Hepsi kütüphanede çalışır.
Hepsi Sevim Hanım'ın sınıfında.

f. _____

| Hepimiz çalışmadık. | All of us haven't studied. (= None of us has studied)
| Hepimiz çalışmadık. | We haven't all studied. (=Not all of us have studied. Some
| _____ | haven't)

Hepsi kahve içmez.

Hepiniz kitaplarınızı okumamışsınız.

Hepiniz rahat değilsiniz.

Hepimiz o lokantayı beğenmedik.

Hepsi öğretmeni iyi dinlemiyor.

Hepimiz yarın burada olmayacağız.

Hepimiz yeni dersi anlamadık.

Hepsi Ankara'yı görmemiş.

Hepsi onu sevmiyor.

Hepimiz İngilizce konuşmuyoruz.

(3) Konuşma alıştırmaları

a.

| - Pınarlar'ın evi nerede? | -Where's Pınar's house? |
| - Kütüphanenin arkasında. | -(It's) behind (at the back of) the library. |

/ okul - yan / şu yeni bina - öbür taraf / postane - sol taraf / Ankara - dış /
/ sinema - arka / öbür sokak - sağ / lokanta - sol / üniversite - yan /

b.

| - Bizim kitaplarımız burada mı? | -Are our books here? |
| - İşte, şurada. Masanın üstünde. | -There they are (over there). On the (top of the) table. |

/ ben - ilâçlar / Gönül - defter / İnci - mektup / siz - notlar / sen - kâğıtlar /
/ o - kalem / o çocuk - kitap / biz - biletler / doktor - adres / Uğur - pardesü /

c.

| - Kimden mektup bekliyor? | -Who is he expecting (a) letter(s) from? |
| - Babasından. | -From his father. |

/ bir iki arkadaş / kız / kız arkadaş / anne / akrabalar / çocuklar / bazı öğrenciler /
/ öğretmen /

ç.

| - Defterimi evde unuttum. | -I forgot my note-book at home. |
| - Zararı yok. Gider, alırız. | -It doesn't matter. We'll go and get it. |

/ bilet / öbür kitaplar / kırmızı kalem / pardesü / ilâçlar / mektuplar / biletler / kitap /
/ kâğıtlar / defterler /

158

d. _____

- Neren ağrıyor, Uğur?	-Where does it hurt, Uğur? (What part of you aches?)
- <u>Kollarım</u>, bir de şuram.	-My arms and, in addition, over here.
- Geçmiş olsun.	-I hope you'll feel better.
- Sağol.	-Thank you.

/ baş / boğaz / karın / göğüs / sol taraf / arka / bacaklar / kol / sağ taraf /

e. _____

- Kime telefon ediyorsunuz?	- Who are you calling up?
- <u>Pınar</u>'ın babasına.	- Pınar's father.
- Benden de selâm söyleyin.	- Give (him) my regards, too.

/ Oğuz / Gönül / Jale / Uğur / İnci / Cemal / Turgut / Çetin / Kaya /

V. YAZI - ÇEVİRİ

1. Oranın havasını hiç beğenmedim. Senede altı ay kar yağıyor.
   _____ .

2. Onların hepsi beni tanımıyor, ama ben onların hepsini tanıyorum.
   _____ .

3. Bu mevsimde Samsun'da her gün yağmur yağar.
   _____ .

4. O film hâlâ değişmemiş mi?
   _____ .

5. Sabah, çok fena karnı ağrımış, ama hemen geçmiş.
   _____ .

6. Okulun doktoru Uğur'un hastalığını anlamağa çalışıyor.
   _____ .

7. Bakın, kaleminiz masanın altına düşmüş.
   _____ .

8. İlâç almıyorsun, odanda dinlenmiyorsun, bu soğukta dışarıda geziyorsun. Tabii,
   ateşin düşmez!
   _____ .

9. Dikkat etmemişler, soğuk almışlar. Şimdi de yatıyorlar.
   _____ .

10. Vallahi, pardesüyü unutmak bir şey değil, galiba biletleri de orada unutmuşum.
    _____ .

ON SEKİZİNCİ DERS - TEKRAR

(1) Konuşma alıştırmaları

a.
```
 _____
| - Türkiye'nin nerelerini görmek istiyorsunuz?      |
| - Her tarafını. Ama şimdilik, hiç bir yerini görmedim. |
|_____|
```
-What parts of Turkey do you want to see?
-All parts (of it). But, as of now, I haven't seen any (part) of it.

/ Fransa / İstanbul / Amerika / Almanya / Avrupa / Rusya / İtalya / Ankara / İngiltere /

b.
```
 _____
| - Böreklerinizi herkes çok beğenmiş. |
| - Sahi mi? Çok memnun oldum.       |
|_____|
```
-(I heard) everybody liked your böreks very much.
-Really? I'm very pleased (to hear that).

/ parti / ev / çocuklar / yeni kitap / cevap / Türkçe / mektup / kahverengi pardesü /
/ arkadaş /

c.
```
 _____
| - Test bitti, değil mi? Geçmiş olsun.          |
| - Teşekkür ederim. Ama o kadar iyi gitmedi.    |
| - Kâğıtlarınızı ne zaman alacaksınız?          |
| - Cuma günü.                                    |
|_____|
```
-The test is over (has ended),isn't it? I'm glad you're through with it.
-Thank you. But it didn't go so well (that well).
-When are you going to get your papers (back)?
-On Friday.

/ salı / pazartesi / perşembe / cumartesi / çarşamba /

ç.
```
 _____
| - Pınarların partisine geleceksiniz, değil mi? |
| - Tabii.                                       |
| - Öyleyse, orada görüşürüz inşallah.           |
| - İnşallah.                                    |
|_____|
```
-You're going to come to Pınar's party, aren't you?
-Of course.
-Then I hope we'll see each other there.
-I hope so (too).

/ Sevim Hanımlar / Gönül / o Amerikalı arkadaş / Jaleler / Turgut Bey / Kathy /
/ Oğuz Öztürkler / okul /

d.

- Saat kaç acaba?	- I wonder what time it is.
- On bir buçuğa geliyor.	- It's close (coming) to half-past eleven.
- Çok geç olmuş. Ben yatıyorum.	- (I didn't realize) it was (had become) so late. I'm going to bed.
- Allah rahatlık versin.	- Good night. (May God give comfort.)
- Sana da.	- Good night. (To you, too.)

/ bir / on buçuk / on iki / bir buçuk / yarım / on bir / iki / üç / on / iki buçuk /

(2) Çevirme alıştırmaları

a.1.

(Ben) bu filmi daha evvel seyrettim.	I've seen (watched) this movie before (earlier).

/ (biz) / - / -? / (siz) / +? / (sen) / (o) / -miş / - / (onlar) /

2.

(Siz) börek yemediniz.	You haven't eaten (any) börek(s).

/ -? / -iyor / (onlar) / -miş / -ir / (sen) / +? / (o) / + / - /

3.

(Sen) ne kadar istiyorsun?	How much do you want?

/ (o) / -di / (siz) / (biz) / -miş / (ben) / (onlar) / -yecek / -ir / (sen) /

4.

(O) kitaplara meraklı.	He's interested in books.

/ - / (onlar) / -? / (siz) / +? / (sen) / + / (biz) / (o) / +? /

5.

(Sizin) okulunuza uğradık.	We stopped at your school.

/ -ir / - / (onlar) / (o) / -? / -miş / (siz) / +? / -ıyor / (sen) /

6.
| (Onlar) onu beğenmediler. | They didn't like it.
|_____|

/ (biz) / -iyor / (o) / -? / (siz) / +? / -di / -ir / (sen) / -yecek /

7.
| Beklemeyecek misiniz? | Aren't you going to wait?
|_____|

/ -di / +? / -ir / + / - / -miş / -iyor / -? / +? / -yecek /

8.
| (Siz) saat kaçta yatıyorsunuz? | What time do you go to bed?
|_____|

/ -yecek / (o) / -miş / -di / (onlar) / (biz) / -ir / (sen) / -iyor /

9.
| Acaba yağmur yağar mı? | I wonder if it'll rain?
|_____|

/ - / -yecek / + / -iyor / - / -miş / + / -di / - /

10.
| (Onun) biletini ben alacağım. | I'm going to buy his ticket.
|_____|

/ -ir / (onlar) / - / -iyor / + / (siz) / -di / - / (sen) / + /

b. Örnekte olduğu gibi, aşağıdaki sorulara olumsuz cevaplar verin. Cevaplarınızda parantez içindeki sözcükleri kullanın. / As in the example below, give short negative answers to the following questions. Use the words in the parentheses in your answers :

| - Kitabınızı mı arıyorsunuz? (kalem) | -Are you looking for your book?
| - Hayır, kalemimi. | -No, (I'm looking) for my pen.
|_____|

1. Babandan mı mektup aldın? (bir arkadaş)
2. Yeşil pardesüsünü mü giymiş? (siyah pardesü)
3. Kütüphanenin önünde mi bekleyeceğiz? (sinema)
4. Kütüphanenin önünde mi durdunuz? (arka)
5. (Onların) arkadaşlarına mı soracaklar? (öğretmen)
6. Kolunuz mu ağrıyor? (karın)

7. O kitabın Türkçesini mi okudun? (İngilizce)

8. Sağınızda mı oturuyor? (sol)

9. Notlarımı mı istiyorsunuz? (kitaplar)

10. Sınıflarımıza mı gideceğiz? (ev)

c. Örnekte olduğu gibi, altı çizili sözcüklerde gerekli değişmeleri yaparak aşağıdaki cümleleri çoğul şekle çevirin. / As in the example below, make the following sentences plural by changing all underlined words:

Ben senin mektubunu dün aldım.		I received your letter yesterday.
Biz sizin mektuplarınızı dün aldık.		We received your letters yesterday.

1. Kimi beklemiş?

2. Onun biletini de sen al.

3. Hâlâ defterimi getirmedi.

4. Sinemada çok güzel bir filim var.

5. İsmimi, adresimi falan sordu.

6. Bunu sana öğretmenin mi verdi?

7. Ben o rengi hiç sevmem.

8. Bavulumu şuraya koydum.

9. Dersini bitirdin mi?

10. Sorusuna daha cevap vermedim.

11. Partiye kız arkadaşımı da götürüyor musun?

12. Bu sana lâzım değil mi?

13. Ona benden de çok selâm söyle, lütfen.

14. Nedense odasından çıkmıyor.

15. Nereyi görmek istiyorsun?

16. Sen onu tanımıyorsun galiba.

17. Okulu ne zaman bitecek?

18. Biletini evde mi unutmuşsun?

19. Şu alıştırmayı yapmağa çalışıyorum.

20. Onun çocuğuna ne alacaksın?

(3) Cevaplandırma alıştırmaları

1. PTT ne demek?

2. Kimlere sık sık mektup yazıyorsunuz?

3. Postacı size saat kaçta geliyor?

4. İstanbul'dan Ankara'ya mektup kaça gidiyor?

5. Acaba Türkiye'den Amerika'ya bir mektup göndermek için kaç lira vermek lâzım?
6. Hangi renkleri seviyorsunuz?
7. Acaba Mişel'in pardesüsü ne renk?
8. Sizin pardesünüz ne renk?
9. Pazar günü ne yapacaksınız?
10. Bugün buraya saat kaçta geldiniz?
11. Dün birdenbire hastalanmışsınız. Geçmiş olsun.
12. Doktorunuz kim?
13. Böreklerinizi çok beğendim. Elinize sağlık.
14. Affedersiniz, bir dakika kitabınızı verir misiniz?
15. Bu biletleri size aldım. Buyurun.
16. Avrupa'da nereleri gördünüz?
17. Türkiye'nin neresinde oturmak istersiniz?
18. Brigitte Bardot İtalyan mı, Fransız mı?
19. Neler yapmağa meraklısınız?
20. Bu sene hangi filimleri gördünüz?

(4) Tamamlama - çeviri alıştırmaları

a. Aşağıdaki cümleleri gösterilen şekilde tamamlayın. Sonra her cümleyi bütün olarak İngilizceye çevirin. / Complete the following sentences as indicated. Then, translate each sentence as a whole to English:

1. Pınarların partisinde Gönül'ü de gördüm, (but we didn't speak).
2. Uğur denize meraklı, (but he doesn't like movies (cinema) at all).
3. Hepimizi davet etmediler, (because their house is very small).
4. Doktora gitmemiş, (because his temparature reportedly went down).
5. Geç kaldık, (because (we realized) we forgot your address).
6. Sevim Hanım Türkçe öğretiyor, (that is, she's a Turkish teacher).
7. Sınıfımızda beş kız, dört de erkek öğrenci var, (that is, altogether (all of us) we are nine (people)).
8. Yarın test var, (that is, it is necessary to study tonight).
9. Türkiye'nin her yerine gitmişler, (but (only) they haven't seen Gaziantep (I was told)).
10. Sizi bir yerden tanıyorum, (but (only) I don't remember your name).

164

b. -yí ekini sadece mutlaka bulunması gereken yerlerde kullanın ve cümleleri İngilizce'ye çevinin. /
Add -yí only where its occurence is obligatory and translate each sentence:

1. İlâç____ nereye koydunuz?
2. Bilet____ almadım.
3. Şu çocuk____ tanıyorsunuz, değil mi?
4. Kahve____ içmemişler.
5. Kahve____ şurada bir yerde içeriz.
6. Hangi ev____ beğendiniz?
7. Oda____ bulmak, o kadar kolay değil.
8. Pardesü____ giymeyeceğim, çünkü hava fena değil.
9. Pardesüm____ unutmuşum.
10. Cemal Bey____ rahatsız etmek istemiyoruz.
11. O____ kimden almışlar?
12. Fatma Hanım____ da davet edecek misiniz?
13. Kaç kitap____ getirdi?
14. Mektup____ dün mü yazdın?
15. Gönül bu____ Uğur'dan duymuş.
16. Bavul____ götürmüyorum.
17. Taksi____ kim çağıracak?
18. Kim taksi____ çağıracak?
19. O filim____ seyretmemişler.
20. Notlarımız____ evde unuttuk.

c. Aşağıdaki cümleleri boş yerlere -yí ve -ye koyarak tamamlayın ve İngilizce'ye çevirin.
/ Complete the following sentences filling the blank spaces with -yi and -ye and then translate:

1. Ben____ bunu söylemediler.
2. Kim____ telefon edeceksiniz?
3. Sinema____ geçin, ilk sokak____ girin.
4. Okulun doktoru____ uğramamış.
5. Siz ben____ hatırlamazsınız.
6. Sen____ ne sordular?
7. Öğretmen____ iyi dinlemek lâzım.
8. Önce, hangi soru____ cevap vereceğiz?
9. Benim ismim____ hiç duymamışlar.
10. Taksi____ nereden bineriz?
11. Bu biletler____ kime alıyorsunuz?
12. Onun hastalığı____ doktor da anlamamış.

13. Buraya bir arkadaşım___ aramak için geldim.
14. Her zaman gider, o___ yardım ederiz.
15. Sağ___ bakın, göreceksiniz.
16. Her halde öbür ders___ yarın başlarsınız.
17. Bu___ kaç lira verdiniz?
18. Acaba biz___ beklerler mi, beklemezler mi?
19. Hepiniz___ çok teşekkür ederiz.
20. Yeni öğrencilerin isimleri___ hatırlamak___ çalışıyorum.

ç. Parantez içindeki sözcük gruplarını Türkçe'ye çevirerek aşağıdaki cümleleri tamamlayın /
Complete the following sentences by translating the phrases in parentheses to Turkish:

1. (Kaya's leg) ağrıyor.
2. (your friends) çağırmayacak mısın?
3. (his teacher) arıyoruz.
4. ((to) my father) telefon edeceğim.
5. (from Uğur's room) geliyorum.
6. (to her party) gitmedik.
7. (behind (at the back of) that building) beyaz bir ev var.
8. (their classroom) çok büyük.
9. (your address) bilmiyorum.
10. (my letters) almamışlar.
11. Otel (on the left-hand side of the library).
12. (Gönül's books) nerede?
13. (in their house) kalıyorum.
14. (this boy's pencil) kim aldı?
15. (from his doctor) telefon bekliyoruz.
16. (by me (at the side of me)) oturuyor.
17. (her children) hiç görmedim.
18. (Ankara weather (the weather of Ankara)) fena değil.
19. (to your relatives) selâm söyleyin.
20. (under the table) bir kalem var.

(5) Genişletme alıştırmaları / Expansion drills

Örnekte olduğu gibi, parantez içindeki sorulara cevap vererek aşağıdaki cümleleri sola doğru
genişletin. Her defasında sadece bir ilave yapın. / As in the illustration, expand to the left the
following sentences by answering the questions in the parentheses. Make one addition at a time :

(Kimler)	(Ne zaman?)	(Nereye?)	(Nelerini?) Getirmemişler.
			Kitaplarını getirmemişler.
		Okula	kitaplarını getirmemişler.
	Dün	okula	kitaplarını getirmemişler.
Çocuklar	dün	okula	kitaplarını getirmemişler.

1. (Hangi akşam?) (Saat kaçta?) (Kime?) Telefon edeceğim.
2. (Kim?) (Hangi gün?) (Kimin dersini?) Kaçırmış.
3. (Ne zaman?) (Kim?) (Kime?) (Ne?) Verdi.
4. (Ne yapmak için?) (Kime?) (Ne?) Lâzım.
5. (Ne zaman?) (Kimden?) (Neyi?) (Kaça?) Aldınız.
6. (Kimden?) (Ne yapmak için?) (Kaç lira?) İstedi.
7. (Ne zaman?) (Kim?) (Nesini?) (Nerede?) Unutmuş.
8. (Kimler?) (Kimi?) (Hangi gün?) (Nereye?) Götürecekler.
9. (Kim?) (Neye?) (Ne zaman?) Başlamış.
10. (Kimin?) (Neresi?) (Ne kadar?) Ağrıyor.
11. (Kimler?) (Nerede?) (Kaç gün?) Kalmışlar.
12. (Ne zaman?) (Nerede?) (Kimi?) Dinledik.
13. (Kim?) (Kimin babasını?) Tanımıyor.
14. (Kim?) (Neleri?) (Kimden?) Duymuş.
15. (Kimler?) (Neleri?) (Kaçta?) Bitirdiler.

(6) Yazı - çeviri

a. Yazın ve İngilizceye çevirin / Write and translate to English :
1. O kızın ismini hatırlamağa çalışıyorum.
2. Galiba Oğuz bu kitabı kütüphaneden getirmiş.
3. Gönüllerin partisi yirmi bir ocakta olacak.
4. Annesi nefis börekler yapıyor.
5. Böyle filimleri hiç sevmem.
6. İki ay evvel başladılar, ama hâlâ bitirmediler.
7. Sizi saat tam beşte postanenin önünde bekleyeceğim.
8. İnşallah, yarın akşam kar yağmaz.
9. Şimdi şuradan bir taksiye biner, Lâleli'ye gideriz.
10. Uğur okulun doktoruna uğrayacak, çünkü boğazı ağrıyor.

b. Türkçeye çevirin / Translate to Turkish:
1. I don't know that boy's father.
2. Did they stop in Germany, too (according to what they say)?
3. Not all of us study in this room.

4. Now I'll go to the post office and mail these letters.

5. He's going to give the tickets to your mother.

6. The papers are going to be ready on Friday.

7. I came here in September, that is, two months ago.

8. I wonder where their children are?

9. (Whatever you do) don't miss the party!

10. They're all going to be there tomorrow morning.

(7) Oyun

Add-a-word. Each student writes any word suitable for beginning a sentence at the left side of a sheet of paper and passes it to the right. Next each student adds another word, which with the first word starts to build a sentence. He then passes the paper on to the right. This continues until no one can add more words. The object is to get long sentences which are correct in suffixation, word order, meaning, etc. The teacher goes around correcting the sentences as they are being made. This game could be played orally with each student contributing a word while someone writes on the board.

Example : Biz / pazartesi / günü / burada / olmayacağız / çünkü / ..., etc.

ON DOKUZUNCU DERS

I. KONUŞMA

(Bir pazar günü Oğuz Kathy'yi şehrin dışındaki lokantalardan birine götürüyor. Burası pek pahalı bir yer değil. Üstelik, yemekleri de fevkalâde. / One Sunday Oğuz takes Kathy to a restaurant in the suburbs of the city. It is not a very expensive place. And besides, the food is excellent.)

Oğuz   : Bir dakika, buraya bakar mısınız?

        Just a minute, would you come (look) here, please?

Garson : Buyrun efendim. Ne arzu ediyorsunuz?

        Yes, sir. What would you like?

garson	waiter
arzu	desire, wish
arzu et-	(to) desire, wish, want

Oğuz   : Bize bir yemek listesi, lütfen.

        (For us) a menu, please.

yemek	food, meal, dish
liste	list
yemek liste-si	menu

Garson : Baş üstüne, efendim.

        Certainly, sir.

        baş üst-ün-e / bá:ş üstüne /   certainly, very well (I'll be honored to do what you wish.)

Oğuz   : Burası eski bir futbolcunun. Onun için duvarlarda meşhur oyuncuların resimleri falan var. Yemekleri fevkalâde. Üstelik, pahalı da değil. Yalnız şehirden epeyce uzak.

        This place belongs to a former soccer player. That's why there are pictures of famous players and so forth on the walls. The (its) food is excellent. And besides, it's not expensive, either. The only thing is, it's quite far from the city.

bu-ra-sı	this place, here
eski	former, old (referring to things)
futbol-cu	soccer (football) player
futbol-cu-nun	(it's) a soccer player's
on-un için	for that reason, that's why
duvar	wall
meşhur	famous, well-known
oyun	game, play

oyun-cu	player
res(i)m	picture
fevkalâde / févkal'a:de /	excellent, wonderful, extraordinary; extraordinarily
üstelik	besides, furthermore, in addition
şeh(i)r	city
epeyce / épeyce, épi:ce /	quite, fairly
uzak	far

Kathy : Ben ilk defa geliyorum. Ne tavsiye edersin?

This is the first time I've come (I'm coming) here. What would you recommend?

defa / defá: /	time (as in 'three times,' etc.)
tavsiye	recommendation
tavsiye et-	(to) recommend

Oğuz : Etlerden döner kebap, balıklardan da kılıç ızgara hakikaten çok güzel. Ben bugün yeni bir şey denemek istiyorum.

Of the meats 'döner kebap' and of the fish broiled swordfish are really very good. I want to try something new today.

et	meat
kebap (b)	roast meat
dön-er kebap (b)	slices of meat roasted on a rotating spit by vertical charcoal fire
balık	fish
kılıç (c)	sword, swordfish
ızgara	grill, grilled
hakikaten / hak'í:katen, hákkaten /	really, truly
dene-mek	to try, test

Garson : Şiş köfte kimin, efendim?

Whose is the 'şiş köfte', sir?

şiş	spit, skewer
köfte	meat ball
şiş köfte	long meat balls grilled on a spit
kim-in / k'ímin, k'imín /	whose

Oğuz : Benim. Döner de arkadaşın.

It's mine. (And) the 'döner kebap' is (my) friend's.

ben-im	mine
dön-er	short for 'döner kebap'
arkadaş-ın	the friend's

Garson : Başka bir emriniz?

    Would you like anything else? (Any other order?)

    başka   another, other, different, else
    em(i)r   order, command

Oğuz   : Bizim hesabı getirin, lütfen.

    Bring our check, please.

    hesap (a:, b)   check, bill, account, calculation, arithmetic

II. YENİ SÖZCÜKLER

ekmek : bread
çorba : soup
pilav : cooked rice
salata : salad
yoğurt (d) : yogurt
dondurma : ice-cream
baklava : pastry with
    nuts and syrup
sütçü : milkman
yoğurtçu : yogurt vender
sucu : waterman, water
    vender
biletçi : ticketman, ticket
    seller, bus conductor
eskici : used goods
    salesman, junkman
otelci : hotel keeper,
    hotel manager
lokantacı : restauranteur.
    restaurant manager
sinemacı : movie theatre
    manager, movie maker

süt : milk
ayran : yogurt drink
çay : tea
şarap (b) : wine
şeker : sugar
tuz : salt
biber : pepper

kütüphaneci : librarian
odacı : janitor
kapıcı : door keeper,
    concierge
yardımcı : helper,
    assistant
kitapçı : book seller;
    book store
dondurmacı : ice-cream man;
        ice-cream shop
resimci : photographer;
    photo shop
balıkçı : fisherman.
    fish seller; fish shop

limon : lemon
çatal : fork
kaşık : spoon
bıçak : knife
tabak : plate
bardak : glass
peçete : napkin

havacı : airman
denizci : sailor
sağcı : rightist

solcu : leftist

neci : of what
    occupation? seller
    (manager, etc.) of
    what?

III. SÖYLEYİŞ

3.1. Konuşma

Oğuz   : Bir dakika, \ buraya bakar mısınız?\
Garson : Buyrun efendim. \ Ne arzu ediyorsunuz?/
Oğuz   : Bize bir yemek listesi,-> lütfen.\
Garson : Baş üstüne, efendim.\

Oğuz : Burası-> eski bir futbolcunun.\ Onun için -> duvarlarda -> meşhur oyuncuların resimleri falan var.\ Yemekleri -> févkalâde.\ Üstelik, / pahalı da değil.\ Yalnız -> şehirden epeyce-> uzak.\

Kathy : Ben ilk defa geliyorum.\ Ne tavsiye edersin?/

Oğuz : Etlerden -> döner kebap, / balıklardan da -> kılıç ızgara -> hakikaten / çok güzel.\ Ben / bugün yeni bir şey denemek istiyorum.\

....

Garson : Şiş köfte kimin, efendim?/

Oğuz : Benim.\ Döner de -> arkadaşın.\

....

Garson : Başka bir emriniz? /

Oğuz : Bizim hesabı getirin, lütfen.\

IV. EK, SÖZCÜK VE SÖZCÜK GRUPLARININ ÇEŞİTLİ ANLAMLARI

a. Bugün şubatın altısı.
Bugün altı şubat.
Yarın ayın onu.
Yarın ayın kaçı?
Derslere ekimin birinde başlıyoruz.

Today is the six(th) of February.
Today is February six(th).
Tomorrow is the ten(th) of the month.
What (day) of the month is tomorrow?
We are starting our (the) classes on the first (day) of October.

b. Öğrencilerin üçü Amerikalı, altısı Türk, biri(si) de İngiliz.
(Bizim) üçümüzü [1] istiyorlar.
(Sizin) ikinizi hatırlamamış.

Three of the students are American, six of them Turkish, and one of them English.
They want the three of us (or three of us).
He apparently didn't remember the two of you (or two of you)

Bu kalemlerin dördü on bin lira.
(Onların) biri(si)ne mektup yazacağım, ikisine de telefon edeceğim.

Four of these pencils are ten thousand lira.
I'm going to write a letter to one of them and call two of them.

[1] The stress either moves forward or goes back all the way to the first syllable of the numeral for emphasis : üçümüzü - üçümüzü , ikinizi - ikinizi, etc.

c. Öğrencilerden üçü Amerikalı.

Bunlardan kaçını alacağız?

Kitaplardan biri(si)ni burada unutmuşuz.
Bu resimlerden hangisini beğeniyorsun?

Three of the students (of the students, three) are American.
How many of these (of these, how many) are we going to take?
It seems we forgot one of the books (of the books, one) here.
Which one of these pictures (of these pictures, which one) do you like?

ç. Öğrencilerin üçü de Amerikalı.
İstanbulda <u>mevsimlerin</u>
<u>dördü de</u> güzel.
<u>Haftanın yedi gününde de</u>
çalışıyor.
(Sizin) <u>beşinizden de</u> bir ricam var.

All three of the students are American.
All four seasons are beautiful in İstanbul.

He works <u>all seven days of the week</u>.

I have a request <u>from all five of you</u>.

d. (Bizim) ikimizi de çağırdılar.
(Onların) <u>ikisini de</u> görmedim.
(Sizin) <u>ikinize de</u> çok selâm
söylediler.
<u>Filimlerin ikisi de</u> fena değil.

They've invited <u>both of us</u>.
I haven't seen <u>either of them</u>.
They sent their regards <u>to both of you</u>.

<u>Neither of the movies</u> is bad.

e. Kapıda <u>biri(si)</u> [1] var.
<u>Biri(si)ne</u> sor, söyler.
<u>Biri(si)ni</u> mi bekliyorsunuz?
Bunları <u>biri(si)nden</u> duymuş.

There's <u>someone</u> at the door.
Ask <u>someone</u>, he'll tell (you).
Are you waiting for <u>someone</u>?
He reportedly heard these <u>from someone</u>.

[1] The stress cannot move back to the first syllable of ' birisi' when it means 'someone'.

f. <u>Burası</u> sizin odanız mı?
<u>Orası</u> İstanbul'a yakın.
<u>Surası</u> okulun kütüphanesi.
Bizim yerimiz <u>neresi</u>?
<u>Orası neresi</u>?
<u>Neresini (nereyi)</u> arıyorsunuz?
<u>Nerelerini (nereleri)</u> görmek
istiyorsunuz?
<u>Burasını (burayı)</u> kolay bulduk.
<u>Orasını (orayı)</u> hiç görmemişler.
<u>Oralarını (oraları)</u> gezmedik.
<u>Şurasını (şurayı)</u> otel yapacaklar.

Is <u>this (place)</u> your room?
<u>That place</u> is near İstanbul.
<u>That (place) (over there)</u> is the school library.
<u>Where (what place)</u> is our place?
<u>What (place)</u> is <u>that place</u>?
<u>What place</u> are you looking for?
<u>What places</u> do you want to see?

We found <u>this place</u> easily.
It seems they've never seen <u>that place</u>.
We haven't toured <u>those places</u>.
They're going to make <u>that place (over there)</u> a hotel.

V. DİLBİLGİSİ

-<u>ci</u> / professional suffix

Nouns or personal pronouns + -<u>nin</u> as predicate

biz-<u>im</u> or <u>siz-in</u> + noun

Numerals + possessive suffixes

(1) Değiştirme alıştırmaları

a. _____

| Bunlar <u>bizim</u> değil, <u>sizin</u>. | These are not ours, they're yours.

| _____ |

Note : biz-im (ours), siz-in (yours) öğretmen-in (the teacher's), etc. occur as predicates only. Their use in the subject position requires an additional suffix (i.e. -ki(n-)) to be taken up later.

/ sen - onlar / Cemal- Kaya / öğretmen - öğrenciler / ben - o / kızlar - erkekler / şöför -
biletçi / öbür okul - bu okul / ben - kütüphane / Pınarlar - Gönüller / Oğuz - başka bir
arkadaş /

b. _____
    | Bizim <u>ev</u> pek <u>uzak</u> değil. | Our house isn't very far (away).
    |_____|

/ eski / yakın / okul / yeni / büyük / oda / rahat / otel / pahalı / fena / dersler / zor /
/ kolay / sorular /

c. _____
    | <u>İki</u>miz <u>dondurma</u> istedik, <u>üçümüz</u> de <u>baklava</u>. |
    |_____|

    Two of us wanted ice-cream, (and) three of us ' baklava'.

/ bir - iki / çay - kahve / üç - iki / döner kebap - kılıç ızgara / beş - dört / ayran - koka
kola / süt - su / üç - üç / rakı - votka / yoğurt - salata /

ç. _____
    | İkimiz de <u>burasını</u> çok seviyoruz. | We both like it here (this place) very much.
    |_____|

/ bu sinema / bu lokanta / orası / o şehir / şehrin o tarafı / o bina / Lâleli / İzmir /
/ burası /

d. _____
    | <u>Fil</u>min <u>orasını</u> hiç anlamadım. | I didn't understand that part of the movie at all.
    |_____|

/ kitap / şura- / hesap / alıştırma / test / ders / bura- / mektup / notlar / ora- / soru /
/ filim /

e. _____
    | Oranın <u>yemekleri</u> hakikaten fevkalâde. | The food there (of that place) is really
    |_____| excellent.

/ dondurma / çay / yoğurt / döner kebap / balık / baklava / şaraplar / ayran / oteller /
/ lokantalar / hava / su / börek / portakal /

(2) Çevirme alıştırmaları

a. _____

| Bu resimler <u>benim</u>. | These pictures are mine.
| _____ |

/ biz / - / -? / o / +? / - / + / Oğuz / +? / -? / - / Jale / -? / +? / + / onlar / +? / -? / - / sen / -? /
/ +? / + / siz / - / -? / +? / öğrenciler / + / - / -? / ben / - / +? / + /

b. bizim ..., sizin ...

1. _____

| Bizim masamız şurada. | Our table is over there. (Strong emphasis on
| | possession.)
| Masamız şurada. | Our table is over there. (Less emphasis on
| | possession.)
| Bizim masa şurada. | Our table is over there. (Informal. 'Bizim' serves
| _____ | to mark identity, rather than possession.)

<u>Note</u> : The three variations above are used with items that a person may or may not possess. Only the use of <u>biz-im</u> and <u>siz-in</u> is widespread in the possessive phrase of the type <u>biz-im masa</u>. <u>Ben-im</u> (<u>sen-in</u>, <u>on-un</u>, <u>on-lar-ın</u>) <u>masa</u> are also heard in extremely informal conversation.

<u>Sizin öğretmeniniz</u> değişmedi mi?

<u>Bizim misafirlerimiz</u> buranın havasını beğenmediler.

<u>Sizin sokağınız</u>da kimler oturuyor?

<u>Bizim evimiz</u>e yoğurtçu falan uğramıyor.

<u>Sizin kitaplarınız</u>ı hâlâ okumamış.

<u>Bizim okulumuz</u> buradan epeyce uzak.

Herkes <u>sizin oteliniz</u> için çok pahalı diyor.

Bugün <u>bizim sınıfımız</u>a Sevim Hanım'ın yardımcısı da gelecek.

Uğur'un hastalığını <u>sizin arkadaşlarınız</u>dan duymuşlar.

İsterseniz, <u>bizim odacımız</u> mektupları götürür, atar.

2. _____

| Bizim babamız denizci. | Our father is a sailor. (Strong emphasis on
| | possession.)
| Babamız denizci. | Our father is a sailor. (Less emphasis on
| _____ | possession.)

<u>Note</u> : Only the two variations above are possible with items of which a person cannot disclaim possession. That is, <u>bizim baba</u>, <u>bizim baş</u>, etc. do not occur.

Annem <u>sizin annenize</u> selâm söyledi.

<u>Bizim başımız</u> ağrıyor.

<u>Sizin zamanınız</u>ı almak istemiyorum.

Onlar <u>sizin sağınız</u>da oturacaklar.

Onu <u>bizim önümüz</u>de denedi.

Nedense <u>bizim yanımız</u>da hiç Türkçe konuşmuyor.

3. _____

| <u>Bizim Aksaray</u> hiç değişmemiş. | It seems the Aksaray (our Aksaray) we know

| _____ | hasn't changed at all.

<u>Note</u> : Variations emphasizing possession are not possible with person and place names.

/ Ankara / Uğur / Şişli / siz / Kaya / Üsküdar / Adana / Turgut / orası / biz / Gönül /
/ Tokat / Beyazıt / siz / Ömer Bey /

4. Varsa, mümkün olan diğer cümleleri bulun / Find other possible sentences, if any :

Garson <u>bizim çorbalarımızı</u> hâlâ getirmedi.

<u>Sizin Cemal</u> buralarda bir yerde oturmuyor mu?

<u>Bizim çocuklar</u> denize meraklı.

Dün <u>sizin öğrencileriniz</u>den birisini Taksim'de gördüm.

<u>Sizin bardaklarınız</u>da hiç bir şey yok.

<u>Arkamız</u>da yirmi kişi daha sırada bekliyor.

<u>Bizim burası</u> epeyce serin. Sizin orası nasıl?

<u>Kollarımız</u> üşüdü.

<u>Bizim futbolcuları</u> seyretmek için bu hafta Bursa'ya gideceğiz.

<u>Bizim Diyarbakır</u>'da çok yağmur yağmaz.

c. _____

| <u>Ben</u> üşüyorum. <u>O</u> da üşüyor. | I'm cold. He's cold, too.

| <u>İkimiz de</u> üşüyoruz. | We're both cold.

| _____ |

<u>Arkadaşım</u> Türk. <u>Ben</u> de Türküm.

<u>Oğuz</u> sinemaya meraklı. <u>Sen</u> de sinemaya meraklısın.

<u>Yoğurtçu</u> geçmedi. <u>Sütçü</u> de geçmedi.

<u>Van'ı</u> çok beğendim. <u>Kars'ı</u> da çok beğendim.

<u>Bana</u> balık için limon lâzım. <u>Sana</u> da balık için limon lâzım.

<u>Pınar'dan</u> mektup almamışlar. <u>Gönül'den</u> de mektup almamışlar.

<u>Eskiciyi</u> çağır. <u>Sucuyu</u> da çağır.

<u>O otelde</u> yer yok. <u>Bu otelde</u> de yer yok.

<u>Sen</u> dörtte mi geldin? <u>Uğur</u> da dörtte mi geldi?

<u>Anneme</u> o ilâçları tavsiye etmiş. <u>Babama</u> da o ilâçları tavsiye etmiş.

ç.
```
| Biraz dinleneceğim, çünkü çok yorgunum.        |
| Çok yorgunum, onun için biraz dinleneceğim.    |
|_____|
```
I'm going to rest awhile, because I'm very tired.
I'm very tired. Therefore, I'm going to rest awhile.

Pardesünü de giy, çünkü hava çok soğuk.

Ayran içmeyecek, çünkü yoğurt sevmiyor.

Sık sık görüşüyoruz, çünkü bizim yanımızda oturuyorlar.

Evden çıkmıyor, çünkü doktor yat demiş.

Otelci bizi tanıyor, çünkü o otelde daha evvel bir iki defa kaldık.

Sen orasını bilmezsin, çünkü hiç gitmedin.

Küçük bir masa istiyoruz, çünkü yalnız iki kişiyiz.

Üçümüz de Fransızca biliyoruz, çünkü Fransa'da beş sene okula gittik.

Bu akşam evde kalacağım, çünkü birisinden telefon bekliyorum.

Gider, başka bir yerde çalışırız, çünkü şimdi burada ders olacak.

(3) Konuşma alıştırmaları

a.
```
| - Şiş köfte kimin, efendim?  |      Whose is the 'şiş köfte', sir?
| - Benim.                     |      (It's) mine.
|_____|
```

/ yoğurt / dondurma / ayran / şarap / çay / kahve / kılıç ızgara / döner kebap / süt /
/ baklava / salata / pilav / çorba / balık / bira / rakı / portakal suyu / koka kola / votka /

b.
```
| - Cemal'in babası neci?  |      -What does Cemal's father do? (What is Cemal's
|                          |       father's occupation?)
| - Doktor.                |      -He's a doctor.
|_____|
```

/ resimci / kütüphaneci / öğretmen / kitapçı / sinemacı / denizci / şoför / biletçi / artist /
/ otelci / lokantacı / kapıcı / havacı /

c.
```
| - Garson! Bize bir çatal daha getirir misin?  |
| - Baş üstüne, efendim.                        |
|_____|
```
-Waiter! Would you bring us another (one more, an additional) fork?
-Certainly, sir.

Note : Calling out loudly to attract someone's attention, the stress moves towards the beginning of the word : Ahmét - Áhmet! Pınár - Pínar!

/ kaşık / çorba / bıçak / bira / bardak / salata / peçete / dondurma / tabak / döner /
/ yemek listesi / su /

ç.
| - Bir dakika, buraya bakar mısınız? | | -Would you look here a moment?
| - Buyrun, efendim. Emriniz? | | -Yes, sir. (What's your wish?)
| - Bize başka bir <u>çatal</u> getirin, lütfen. | | -Bring us another (a new, different) fork,
| | | please.

/ bıçak / kaşık / bardak / tabak / yemek listesi / peçete /

d.
| - <u>Bugün</u> birisi sizi iki defa telefonda aradı. |
| - Öyle mi? Kim acaba? |
| - Bilmiyorum, vallahi. İsmini söylemedi. |

-Someone asked for you twice on the telephone today.
-Is that so? I wonder who it was (is)?
-I really don't know. He didn't give (tell) his name.

/ akşam / dün / sabah / biraz evvel / dün gece / pazar günü / bu sabah / dün akşam /
/ cumartesi günü /

e.
| - Amerika'ya <u>temmuz</u>un kaçında gidiyorsunuz? |
| - <u>Yirmi altı</u>sında. |

-When in (on what day of) July are you going to the States?
- On the twenty sixth.

/ ekim - 30 / haziran - 2 / mart - 18 / ağustos - 24 / ay - 15 / ocak - 27 / nisan - 19 /
/ kasım - 11 / şubat - 23 / eylül - 6 / mayıs - 31 / aralık - 4 /

f.
| - O çok meşhur bir <u>oyuncu</u>. |
| - Hayret! İsmini ilk defa duyuyorum. |

-He's a very famous player.
-That's strange (surprising)! I've just heard (I'm hearing) his name for the first time.

/ artist / doktor / futbolcu / lokanta / kütüphane / kitapçı / solcu / sağcı / Amerikalı /
/ sokak /

g.
| - Bir şey mi arzu ettiniz? | | -Did you want something?
| - Şu <u>tuzu</u> rica edeceğim. | | -I'd like that salt (which is just over there), please.

/ şeker / biber / limon / ekmek / liste / bardak / peçete / bıçak / süt / yoğurt / kahve / çay /
/ tabak / su /

178

V. YAZI - ÇEVİRİ

Altı çizili sözcüklerin anlamlarını tahmin edin / Guess the meaning of the underlined words :

1. Bazı turistler hep lüks otellerde kalır, lüks lokantalarda yemek yerler.

_____ .

2. Tuvalet şurada, sağ tarafta, efendim. Kapısında 'erkekler' yazıyor.

_____ .

3. Limonda çok vitamin var diyorlar, doğru mu?

_____ .

4. Lokantaya gitmek için zaman yok. Şuradan bir sandviç alır, yerim.

_____ .

5. O otel şehirden on kilometre uzak. Üstelik, ucuz da değil.

_____ .

6. Limonata yapmak için limon, şeker ve tabii, bir de su lâzım.

_____ .

7. Bizim futbolcular iki maç için Bulgaristan'a gidiyor.

_____ .

8. Benim viskime biraz daha su koyar mısın?

_____ .

9. Portakal suyu mu istersiniz, domates suyu mu?

_____ .

10. Şekerin kilosu otuz bin lira, değil mi?

_____ .

YİRMİNCİ DERS

I. KONUŞMA

(Pınar'la Kathy Kapalıçarşıdaki dükkânların birinden bilezik alıyorlar. Daha sonra, Pınar pazarlıkla alışverişin nasıl ve nerelerde yapıldığını anlatıyor. / Pınar and Kathy buy bracelets in one of the shops at the Covered Bazaar. Later on, Pınar explains how and where people bargain when they shop.)

Kathy : Şu bilezikler kaça?

How much are those bracelets?

bilezik	bracelet

Satıcı : Bir buçuk milyon lira. Buyrun, içeri girin. Başka çeşitlerimiz de var.

One and half million lira. Please, come in. We have other kinds, too.

sat-ıcı	salesman, seller
içeri	in, inside, to the inside, interior
çeşit(d)	kind, sort, variety

Pınar : İki tane almak istiyoruz. Yalnız, bir buçuk milyon lira çok fazla. Şu köşede başka bir dükkanda aynı bilezikleri bir milyon liraya satıyorlar.

We want to buy two. But, one and half million is too much. In another store (over there) in that corner, they sell the same bracelets for one million lira.

tane / ta:ne´/	items, piece, entity, unit
iki tane	two of them, two of something
köşe	corner
dükkân / dük'k'án /	shop, store
aynı	same
sat-	(to) sell

Satıcı : İmkânsız! Bunları biz bir milyona alıyoruz.

(That's) impossible! We buy these for one million (lira).

imkân-sız / imk'ansız /	impossible

Pınar : Kalsın, o halde. Zaten o kadar paramız yok. Yürü, Kathy, karşıda da kuyumcular var.

We won't buy them (let them stay), then. We don't have that much money anyway. Come on (walk), Kathy. There're some jewelry shops across the street, too.

kal-sın	let it stay (remain)
hal / hál' / (a:)	case, state
o halde	in that case, then, if it's so (=öyleyse)
para	money
yürü-	(to) walk

karşı	opposite side or direction
kuyumcu	jeweler('s), goldsmith

Satıcı : Durun, durun canım. Haydi, sizin hatırınız için bir milyon liraya verelim. Fakat emin olun, hiç kâr etmiyorum.

Wait, wait now (my dear) ladies. Come on, I'll (let's) give them away for one million lira for <u>your</u> sake. But, believe me (be sure) I'm not making any profit.

can	soul, life
can-ım	my dear, my good man
haydi / hádi /	come on, come!
hatır	sake
fakat	but (=ama)
ver-elim	let's give
emin (i:)	sure, certain
emin olun / emí:n olun /	be sure, I assure you
kâr (a:) / k'ár /	profit, gain
kâr et- / k'á:r et /	(to) make profit

Pınar : Görüyorsun ya, Kathy, Kapalıçarşı'da pazarlık etmek şart.

So, you see, Kathy, it's absolutely necessary to bargain at the Covered Bazaar.

... ya	you do, don't you? etc., right?
görüyorsún ya	so, you see; as you can see; you see, don't you? (Notice the unusual place of the stress before <u>ya</u>.)
kapalı	covered, close
çarşı	shopping area, downtown
Kapalıçarşı	the covered Bazaar in İstanbul
pazarlık	bargaining
pazarlık et-	(to) bargain
şart	condition, absolute necessity

Kathy : Başka yerlerde de fiyatları böyle indirmek mümkün mü?

Is it possible to lower the prices this way in other places, too?

fiyat	price
in-dir-mek	to lower, bring down
mümkün	possible

Pınar : Evet. Meselâ, pazarda, balıkçıda, bazen de manavda falan. Ama, büyük mağazaların birçoğunda; bir de bakkal, kasap, eczane gibi yerlerde pazarlıkla alışveriş olmaz.

Yes. For example, at the market place, the fish market, and sometimes at fruit and vegetable stands and the like. But, in many of the large stores and at places like a grocery store, a butcher's shop, (or) a pharmacy shopping is not done by bargaining. (Shopping with bargaining won't be ...)

meselâ / mésel'a: /	for example, for instance
pazar	market, market place
bazen / bá:zen /	sometimes

manav	fruit and vegetable shop, fruit and vegetable shop keeper
mağaza	store, department store
birçok	many, a lot of
bakkal	grocery shop, grocer
kasap(b)	butcher's shop, butcher
eczane / ecza:ne´ /	pharmacy, drugstore
gibi	like, as
pazarlık-la	by (with, through, by means of) bargaining
alışveriş	shopping

Kathy : Seninle bir gün de pazara gidelim.

(And) one day, let's go to the market together (with you).

sen-in-le	with you
bir gün	one day, some day
gid-elim	let's go

Pınar : Olur. Şimdi saat altıyı çeyrek geçiyor. Hemen, bir dolmuş veya otobüsle Aksaray'a döner, yediden önce evde oluruz. Biliyorsun, akşam yemekten sonra misafir gelecek.

All right (we'll do it). Now, it's a quarter past six. We'll go back to Aksaray by 'dolmuş' or bus right away and be home before seven. You know, we're going to have company after dinner this evening.

ol-ur	(=peki), that'll be so, O.K.
çeyrek	quarter
dolmuş	shared cab
veya / veyá: /	or
otobüs	bus
otobüs-le	by bus
dön-	(to) return, go (come) back, turn
-den önce	before (=-den evvel)
yemek	meal, dinner or lunch
-den sonra	after
misafir gelecek	guests are going to come to see us, we're going to have company

II. YENİ SÖZCÜKLER

tren : train
vapur : boat, ship
uçak : plane
otomobil : car
araba : car, carriage, cart (Mostly refers to automobiles.)

Paris / Pá:ris/ : Paris
Kahire / Ká:hire / : Cairo
Londra : London
Berlin : Berlin
Moskova : Moscow
Roma : Rome
Atina : Athens
Tahran : Teheran
Bağdat : Baghdad
Şam : Damascus
Lefkoşe : Nicosia
Washington / Vaşínk'ton /
New York / Név York /

İran / İ:ran /
Suriye / Sú:riye / : Syria
İsrail / İsra:íl / : Israel
Yunanistan : Greece
Lübnan : Lebanon
Ürdün : Jordan
Mısır : Egypt
Kıbrıs : Cyprus
Pakistan / Pa:kistán /
Irak

III. SÖYLEYİŞ

Konuşma

Kathy : Şu bilezikler -> kaça ?/

Satıcı : Bir buçuk milyon lira.\ Buyrun,-> içeri girin.\ Başka çeşitlerimiz de var.\

Pınar : İki tane -> almak istiyoruz.\ Yalnız, -> bir buçuk milyon lira çok fazla.\ Şu köşede -> başka bir dükkânda / aynı bilezikleri -> bir milyon liraya satıyorlar.\

Satıcı : İmkânsız!\ Bunları -> biz bir milyona alıyoruz.\

Pınar : Kalsın,\ o halde.\ Zaten-> o kadar paramız yok.\ Yürü,-> Kathy, / karşıda da\ kuyumcular var. \

Satıcı : Durun, \ durun-> canım. / Haydi,-> sizin hatırınız için / bir milyon liraya-> verelim. \ Fakat emin olun, / hiç-> kâr etmiyorum.\

....

Pınar : Görüyorsun ya, \ Kathy, \ Kapalıçarşı'da-> pazarlık etmek/ şart.\

Kathy : Başka yerlerde de-> fiyatları böyle indirmek-> mümkün mü?\

Pınar : Evet.\ Meselâ, -> pazarda,-> balıkçıda, -> bazen de -> manavda falan.\ Ama,-> büyük mağazaların-> birçoğunda; / bir de-> bakkal,-> kasap,-> eczane gibi yerlerde / pazarlıkla alışveriş -> olmaz.

Kathy : Seninle -> bir gün de -> pazara gidelim.\

Pınar : Olur.\ Şimdi-> saat altıyı çeyrek geçiyor.\ Hemen,-> bir dolmuş -> veya otobüsle -> Aksaray'a döner, / yediden önce-> evde oluruz.\ Biliyorsun, -> akşam -> yemekten sonra / misafir gelecek.\

IV. EK, SÖZCÜK VE SÖZCÜK GRUPLARININ ÇEŞİTLİ ANLAMLARI

a. Başka ne alacaksınız?
Başka kimi gördünüz?
Başka bir şey istemiyorum.
Başka biri(si)ni seviyor.
Başkasını seviyor.
Bu defa başka bir otelde kalacağız.
Buralarda başka kitapçı yok mu?

Başka bira ister misiniz?

What else are you going to buy?
Who else did you see?
I don't want anything else.
He loves someone else.
He loves someone else (another person).
This time we're going to stay at another (a different) hotel.
Aren't (isn't) there any other bookstore(s) around here?
Would you like some more beer?

Türkiye'de İstanbul'dan başka hiç bir şehir görmemiş.
Senden başka herkes hazır.
Bundan başka param yok.

Yarın başka birileri gelecek.
Yarın başkaları gelecek.

b. Aynı sınıftayız.
Kitaplarımız aynı.
Bu masa şu masanın aynı(sı).
İkisi de aynı zamanda geldi.
Yemekler fevkalâde.Aynı zamanda ucuz.

c. Bu limonların tanesini iki yüz liraya aldım.
Kaç tane istiyorsunuz?
Kaç tane bira içtiniz?
Kaç bardak bira içtiniz?
Limonatanın bardağı sekiz bin lira.

Çayına dört kaşık şeker koyuyor.
İki tabak pilav yedi.
Bir kilo portakal verir misiniz?
Etin kilosu iki yüz elli bin lira.

ç. Biz yukarı(ya) çıktık, onlar aşağı(ya) indiler.
Biz içeri(ye) girdik, onlar dışarı(ya) çıktılar.
Yukarısı kiralık mı?
Aşağısı lokanta olacak.

Dışarısı epeyce soğuk.
İçerisi küçük.

d. Duvarlarda güzel resimler var.
Uğur güzel yüzüyor.
Yerimiz hiç fena değil.
Çok fena düşmüş.
Cevaplarınız hepsi doğru.
Numarayı doğru hatırlamışız.
Dikkat et, yanlış otobüse binme.
Size bunu yanlış öğretmişler.

Kahve yapmak kolay.
Çocuklar kolay öğrenir.
Bu ders epeyce zor.
Okulu zor bitirdi.
Bize çok kâğıt lâzım değil.
Bizim sınıfta çok öğrenci yok.
Çok rahatız.
Çok çalışıyorsunuz.
O otelde az oda var.
Zamanımız az.

He says he hasn't seen any cities other than (except for) İstanbul in Turkey.
Everyone but (other than) you is ready.
I don't have any more money. (I don't have money other than this.)
Other people are coming tomorrow.
Others are coming tomorrow.

We're in the same class.
Our books are the same.
This table is the same as that table.
They both came at the same time.
The food is excellent. (And) at the same time, inexpensive.

I bought these lemons for two hundred lira a piece.
How many (pieces, etc.) do you want?
How many (glasses of) beers did you drink?
How many glasses of beer did you drink?
Lemonade is eight thousand lira a glass. (A glass of lemonade ...)
He puts four spoonfuls of sugar in(to) his tea!
He ate two platefuls of rice.
Would you give (me) one kilo of oranges?
Meat is two hundred and fifty thousand lira a kilo. (A kilo of meat ...)

We went up (to upstairs), (and) they came down (to downstairs).
We went in (to the inside), (and) they came out (to the outside).
Is the upstairs (the upper part (of it) for rent?
The downstairs (the lower part (of it)) is going to be a restaurant.
It's quite cold outside. (Outside is ...)
It's small inside. (Inside is ...)

There are beautiful pictures on the walls.
Uğur swims well (beautifully).
Our place (seats) is not bad at all.
He reportedly fell very badly. (He had a very bad fall.)
All of your answers are correct (right).
It seems we remembered the number correctly (right).
Be careful, don't take (get on) the wrong bus.
Apparently, they taught you this wrong (the wrong way, incorrectly).
It's easy to make coffee. (To make coffee is easy.)
Children learn easily.
This lesson is quite difficult (hard).
He finished school with difficulty.
We don't need much (a lot of) paper.
There aren't many (a lot of) students in our class.
We're very comfortable. (=pek)
You study a lot (much, too much) (=fazla)
There are few rooms at that hotel.
We have little time. (Our time is little.)

Bursa'da <u>az</u> kalmışlar.	They reportedly stayed (<u>just</u>) <u>a short</u> (<u>little</u>) (<u>time</u>) in Bursa.
Orası <u>pek</u> uzak.	That (place) is <u>very</u> far away. (=çok)
<u>Pek</u> anlamadım.	I didn't <u>quite</u> understand. (... <u>so well</u>, ... <u>so much</u>)
Fransa'da oteller <u>fazla</u> pahalı.	In France, hotels are <u>too</u> (<u>much too, excessively</u>) expensive. (=çok)
<u>Fazla</u> çalışmayın.	Don't work <u>too hard</u> (<u>much</u>). (=çok)
Sende <u>fazla</u> bir kalem var mı?	Do you have an <u>extra</u> pencil with you?

V. DİLBİLGİSİ

-yle / by (means of), with, and
Possessive construction + <u>var</u> or <u>yok</u> / have, have not

(1) Değiştirme alıştırmaları

a. -yle = by (means of)

| Paris'ten Moskova'ya uçakla gittik. | We went from Paris to Moscow by plane.

/ Tahran - Londra / Kıbrıs - İsrail / Ankara - Bağdat / otobüs / Şam - Kahire /
/ Ürdün - Irak / İran - Pakistan / Taksim - Aksaray / dolmuş / Üsküdar - Kadıköy /
/ taksi / Beyazıt - Fatih / otomobil / Suriye - Lübnan / Berlin - Roma / araba /
/ New York - Washington / tren / Mersin - Samsun / vapur / İzmir - Atina / Yunanistan
- Mısır / uçak / İstanbul - Lefkoşe /

b. -yle = with

| Öğretmenini dikkatle dinledi. | He listened to his teacher carefully (with care).

/ kitap - oku / cevaplar - yaz / para - çıkar / bardak - al / dersler - öğren / tabak - götür /
/ yemek - ye / pardesü - giy / baba - seyret /

c.

| Portakalın kilosu kırk bin lira. | Oranges are forty thousand lira a kilo. (A kilo of oranges is 40,000 lira.)

/ bu resimler - tane - yüz bin lira / et - kilo - iki yüz elli bin lira / balıklar - tane - yüz
yirmi beş bin lira / ayran - bardak - beş bin lira / şeker - kilo - otuz bin lira / limonlar -
tane - iki bin lira / ekmek - tane - yedi bin beş yüz lira / baklava - kilo - yüz yetmiş bin
lira / çay - bardak - beş bin lira / şu kitaplar - tane - dört yüz bin lira / yoğurt - kilo -
doksan bin lira /

ç.

| Pazarlık etmek için Türkçe bilmek şart. |

It's absolutely necessary to speak (know) Turkish in order to bargain.

/ emin ol - dene / çok sat - fiyatları indir / kâr et - çok sat / İstanbul'u iyi gör - yürü /
/ yanlış anlama - dikkatle dinle / düşme - dikkat et / öğren - çalış / unutma - birçok
defa tekrarla / bilet al - sırada bekle / telefon et - numarayı bil / hepsini gör - üç gün
kal / üşüme - pardesü giy / öğretmen ol - üniversiteyi bitir / oraya git - vapura
bin / doğru cevap ver - soruları anla /

d.

| Büyük mağazaların birçoğu şehrin o tarafında. |

Many of the large stores are in that part of the city.

/ lüks otel / meşhur bina / sinema / iyi lokanta / okul / kütüphane / kitapçı / ucuz
dükkân / eski ev /

e.

| Yemekten sonra yaparım. | I'll do it after dinner (lunch, the meal).

/ ders / önce / sor / telefon et / dokuz / başla / sonra / bitir / dinlen / dön / evvel / uğra /
/ maç / çalış /

(2) Çevirme alıştırmaları

a. -yle = and

| Tuzu ve biberi istiyor. | He wants the salt and pepper.
| Tuzla biberi istiyor. | He wants the salt and pepper.

Note : As in the example above, -yle occurs between nouns and replaces not only ve but also -de,
-ye, -den, -yı or -nın that may be found at the end of the first noun. Further examples : Gönül'de ve
Pınar'da - Gönül'le Pınar'da , çayımızda ve kahvemizde - çayımızla kahvemizde.

Bursa'ya ve Eskişehir'e gideceğiz.
Her zaman şiş kebap ve pilav yer.
Öğrencilerin birçoğu Kadıköy'den ve Üsküdar'dan geliyor.
Sende Jale'nin ve İnci'nin adresleri var mı?
Bu çeşit bilezikleri Suriye'de ve Irak'ta da satıyorlar.
Ekmeği ve şekeri bizim bakkaldan al.
Döner kebabın ve şiş köftenin fiyatı aynı.

Kollarım ve bacaklarım ağrıyor.

Onun kâğıtlarını ve kalemlerini içeri götürdüm.

Anneniz ve babanız Tahran'dalar, değil mi?

Akrabalarından ve arkadaşlarından sık sık mektup alıyor.

Yardımlarınıza ve tavsiyelerinize çok teşekkür ederim.

b. _____

+ (Benim) kitabım var.	I have (own, possess) (a) book(s).
(Bizim) kitabımız var.	We have, etc.
(Senin) kitabın var.	You have, etc.
(Sizin) kitabınız var.	You have, etc.
(Onun) kitabı var.	He has, etc.
(Onların) kitapları var.	They have,etc.
- (Benim) kitabım yok. vs.	I don't have (a) book(s).
+? (Benim) kitabım var mı? vs.	Do I have (a) book(s)?
-? (Benim) kitabım yok mu? vs.	Don't I have (a) book(s)?

/ (biz) / - / -? / +? / para / (siz) / -? / - / + / bilet / +? / -? / - / (o) / + / +? / -? / ateş / (ben) /
/ +? / + / - / (onlar) / -? / +? / + / çok akraba / (sen) / +? / -? / - / (biz) / + / (ben) / kitap /

c. _____

| Benim kitabım var, fakat defterim yok. |

I have (a) book(s), but I don't have (a) notebook(s).

/ biz / tebeşir - silgi / çorba - kaşık / o / çatal - bıçak / sen / para - zaman / siz /
/ güzel bilezikler - başka çeşitler / o kuyumcu / onlar / ev - otomobil /

ç. _____

| Çok param var. | I have a lot of money. |
| Çok param olacak. | I'm going to have a lot of money. |

Yeni evde telefonunuz var mı?

Kârımız yok, ama zararımız da yok.

Sizden bir ricaları var.

Sana bir tavsiyem var.

Saat altıdan sonra dersiniz yok mu?

Bu hafta hiç zamanımız yok.

Çocuğu var.

Ondan başka yardımcıları yok mu?

Kaç lirası var?

Bu akşam misafiriniz var mı?

d. _____

Bende kitap var.	I have (a) book(s) with (on) me.
Benim kitabım var.	I have (own, possess) (a) book(s).

Oğuz'da kalem yok.

Acaba eczanede telefon var mı?

Sende para olmayacak mı?

Onda eski bir pardesü var.

Bizde de birkaç bavul var.

Öbür arkadaşlarda bilet yok mu?

Pınarlarda başka oda yok.

Yarın bende yüz lira olacak.

Çocuklarda tebeşir yok mu?

Bu çorbada tuz yok.

e. _____

Fiyatları indirmek mümkün mü?	Is it possible to lower the prices?

/ parayı yarın getir / -? / - / + / aynı bilezikten al / - / -? / +? / pazarlıkla alışveriş yap /
/ + / - / -? / şu köşeden dolmuşa bin / +? / + / - / maçtan sonra oyuncularla konuş /
/ + / +? / -? / bu kadar parayla buradan Paris'e git / +? / + / - /

(3) Konuşma alıştırmaları

a. _____

- Kim(in)le çalışmak istiyor?	-Who does he want to work with?
- Siz(in)le.	-With you.

Note : The use of the genitive suffix -nín between personal pronouns and -yle is entirely optional
and does not affect the meaning.

/ konuş - ben(im)le / görüş - on(un)la / dön - onlarla / git - biz(im)le / yap -
arkadaşlarıyla / gel - başka birisiyle / otur - aynı çocukla / kal - sen(in)le /
/ gez - turistlerle /

b. _____

- İran'a neyle gideceksiniz?	-How are you going (to go) to Iran?
- Otobüsle.	-By bus.

/ Şişli / Şam / Lübnan / otomobil / Suriye / Bulgaristan / Yunanistan / vapur / New
York / uçak / Atina / Roma / Moskova / Ürdün / Mısır / Bağdat / tren / Paris / Berlin /
/ İzmit / araba / ev / taksi / otel / üniversite / dolmuş / Kapalıçarşı / Lâleli /

c.
```
 - Başka ne yapmış?
 - Söyledi, ama hiç hatırlamıyorum, vallahi.
```
-What else did he do (according to what you heard)?
-He told (me), but I don't remember (it) at all, really.

/ kimi gör / nerelere git / kimlerle konuş / neler al / kim(in)le görüş / neyi beğen / nereye uğra / kimleri çağır / hangi filmleri seyret / kimden mektup al / nerede kal / kimlere telefon et /

ç.
```
 - Görüyorsun ya, postane epeyce uzak.
 - Zararı yok, canım. Yürürüz.
```
You see (as you can see), the post office is quite far away.
It doesn't matter (my good man). We'll walk.

/ orası / üniversite / bizim ev / çarşı / pazar / sinema / bizim okul / kütüphane / otel / / Kapalıçarşı / Gönüllerin evi /

d.
```
 - Kaç liranız var?          -How many lira do you have?
 - İki yüz bin.              -Two hundred thousand.
```

/ bavul - üç / çocuk - dört / para - otuz bin lira / ders - altı / dakika - on / oda - beş / / kitap - pek çok / hafta - bundan sonra bir / misafir - fazla değil /

e.
```
 - Bunu nereden aldın?             -(From) where did you buy this?
 - Karşımızda bir dükkân var ya?   -You know the shop across the street? That's
   İşte oradan.                      where I got it. (There! From there.)
 - Kaça?                           - For how much?
 - Beş yüz bin liraya.             - (For) five hundred thousand lira.
```

/ kuyumcu / manav / bakkal / kitapçı / kasap / eczane / balıkçı / mağaza /

f.
```
 - Saat kaç?              -What time is it?
 - İkiyi çeyrek geçiyor.  -It's a quarter past two. (A quarter is passing two.)
```

/ üç / dört / sekiz / on iki / yirmi / beş / dört / on / on / dokuz / yirmi beş / altı / yedi / beş / / bir / on bir /

g.

I - Saat kaç? I	-What time is it?
I - İkiye çeyrek var. I	-It's a quarter to two.
I - Haydi gidelim, o halde. I	-Come on, let's go, then (in that case)
I - Olur. I	-All right.
I_____ I	

/ 3.45 / 8.45 / 6.40 / 11.40 / 9.35 / 12.35 / 1.55 / 7.55 / 2.50 / 10.50 / 4.45 / 1.00 /
/ 4.30 / 12.30 / 3.15 / 2.45 / 7.15 / 6.45 / 12.15 / 11.45 / 9.55 / 10.05 / 3.35 / 3.25 / 9.03 /
/ 11.22 / 7.59 / 5.44 / 1.11 / 6.09 /

VI. YAZI - ÇEVİRİ

Altı çizili sözcüklerin anlamlarını tahmin edin / Guess the meaning of the underlined words :

1. Akşam saat ondan sonra motellerde yer bulmak imkânsız.

   _____ .

2. Okula bazen yürüyorum, bazen de bisikletle gidiyorum.

   _____ .

3. Ben o müzeyi birkaç defa gezdim, ama senin hatırın için bir daha giderim.

   _____ .

4. Orası dans etmek veya bira falan içmek için çok iyi bir yer.

   _____ .

5. Bu çikolataların tanesini yirmi bin liraya mı alıyorsunuz, otuz bin liraya mı?

   _____ .

6. İstanbul'da ve Paris, Londra, Roma gibi Avrupa'nın birçok büyük şehirlerinde trafik hakikaten bir problem.

   _____ .

7. Fiyatlar her yerde aynı değil. Meselâ, bir kilo patates bakkalda veya manavda 40,000 lira, fakat pazarda 25,000 lira.

   _____ .

8. Pasaportla vize için sekiz tane resim lâzım olacak.

   _____ .

9. Postacı biraz evvel uğradı, ama sana hiç mektup yok.

   _____ .

10. Trenimiz küçük bir istasyonda durdu. Hemen indim, bir gazete aldım.

    _____ .

YİRMİ BİRİNCİ DERS

I. KONUŞMA

(Oğuz, Pınar ve Kathy okulun kafeteryasında oturmuşlar, birbirlerine Cumhuriyet Bayramı'nda neler yapacaklarını anlatıyorlar. / Oğuz, Pınar and Kathy are seated in the school cafeteria telling one another what they are going to do on the Republic Day holiday.)

Pınar : Cumhuriyet Bayramı'nda bir yere gitmeğe niyetin var mı?

Are you planning (do you have any intention) to go anywhere on the Republic Day holiday?

cumhuriyet / cumhu:riyét /	republic
bayram	holiday (national or religious), festival
Cumhuriyet Bayramı	Republic Day (holiday)
niyet	intention, plan

Oğuz : Daha belli değil. Belki Antalya'ya ağabeyimin yanına giderim. Sen ne yapıyorsun?

I don't know (it is not known) yet. Perhaps, I'll go to Antalya to (the side of) my older brother's. What are you doing?

daha	yet
belli	clear, known
Antalya / Antál'ya/	city name
ağa-bey /á:bi, á:bi: /	older brother
ağabeyimin yanı	the presence (the side) of my older brother
/ á:bi:min yanı /	

Pınar : Biz Ankara'ya gitmeği düşünüyoruz. Geçen hafta dayımlardan mektup aldık, 'Bu tatilde sizi muhakkak bekliyoruz,' diyorlar.

We're thinking of going to Ankara. Last week, we recevied a letter from my uncle's (family).' We're definetely expecting you this holiday (vacation),' they say.

düşün-	(to) think (of, about)
geç-en	last
dayı	uncle (mother's brother)
tatil / ta:til' /	vacation, holiday
muhakkak	certainly, definetely, absolutely

Oğuz : Dayın ne iş yapıyor?

What does your uncle do? (What job does your uncle do?)

| iş | job, work, business, affair, matter, thing |

Pınar : Orta Doğu Teknik Üniversitesinde fizik okutuyor. Üç sene önce profesör
oldu, ama daha çok genç. Otuz yaşında bile değil.

> He teaches physics at Middle East Technical University. He became a professor three
> years ago, but he's still very young. He isn't even thirty years old.

orta	middle
doğu	east
teknik	technical
Teknik Üniversite	Technical University
fizik	physics
oku-t-	(to) teach (=öğret-)
üç sene önce	(=üç sene evvel)
profesör	university professor
genç(c)	young
yaş	age
otuz yaş-ın-da	thirty years old (at the age of thirty)
bile	even

Oğuz : Tabii, Kathy de sizinle geliyor, değil mi?

> Of course, Kathy's coming with you, too, isn't she?

Pınar : Evet. Zaten seyahat planlarını beraber yaptık. Öbür gün öğleden sonra yola
çıkıyoruz. O akşamı Bolu'da geçireceğiz. Ertesi gün de öğleye doğru Ankara'ya
varacağız.

> Yes. Actually, we made the travel plans together. We're setting out the day after
> tomorrow in the afternoon. We're going to spend that night in Bolu. And the following
> day we're going to arrive in Ankara towards noon.

seyahat	travel, trip, journey
plan / pl'an /	plan
seyahat planlar-ı	travel plans
öbür gün	the day after tomorrow
öğle	noon
öğle-den sonra	afternoon, in the afternoon
yol	way, highway, road
yol-a çık-	(to) set out, start on a trip
Bolu	city name
geç-ir-	(to) spend (time)
ertesi	following,... which comes after
-ye doğru	towards ...
(-ye) var-	(to) arrive (in)

Oğuz : Dönüşte de aynı yoldan mı geliyorsunuz?

> Are you coming back (from) the same way (too)?

dön-üş	return, the way back

192

Pınar : Yok. Babam,' Eskişehir'den geçelim, Kathy'ye oraları da gösterelim,' diyor.

No. My father says, ' Let's go (pass) through Eskişehir and show Kathy that area (those places), too.

yok   no (=hayır)
-den geç-   (to) pass through, go by way of
göster-   (to) show

Oğuz : Eh, size hayırlı yolculuklar, iyi eğlenceler.

Well, I wish you a nice trip. Have fun. (To you, lucky trips and good fun.)

hayır-lı   good, lucky, adventageous
yolcu-luk   trip, actual travelling
hayırlı yolculuklar   Have a nice trip.
eğlen-ce   fun, amusement, entertainment
iyi eğlenceler   Have fun.

Pınar : Sana da, Oğuz. Pazartesi sabahı görüşürüz, inşallah.

(Same) to you, (too), Oğuz. I hope we'll see you (each other) Monday morning.

II. YENİ SÖZCÜKLER

genç : young   X   ihtiyar, yaşlı : old (for people)
geçen : last   X   gelecek : next

Note : ' geçen' has a different meaning before the following words : geçen gün (sabah , akşam ,
gece) : the other day (morning , evening , night). Note also : last night = dün gece.

doğu : east   X   batı : west
kuzey : north   X   güney : south
kuzey-doğu : northeast   X   kuzey-batı : northwest
güney-doğu : southeast   X   güney-batı : southwest
ad : name (=isim)

Marmara Denizi : Marmara Sea, Ege Denizi : Aegean Sea, Karadeniz : Black Sea
(kara : black (used only in geographical names and certain expressions)),
Akdeniz : Mediterranean Sea (ak : white (like ' kara' in its usage)), Van Gölü : Lake
Van (göl : lake), Tuz Gölü : Lake Tuz (Salt Lake), Toros Dağları : Taurus Mountains
(dağ : mountain), Kartal, Yalova (small towns near İstanbul)

III. SÖYLEYİŞ

Konuşma

Pınar : Cumhuriyet Bayramında -> bir yere gitmeğe -> niyetin var mı?\

Oğuz : Daha belli değil.\ Belki-> Antalya'ya-> ağabeyimin yanına giderim.\ Sen ne
yapıyorsun?/

Pınar : Biz-> Ankara'ya gitmeği düşünüyoruz.\ Geçen hafta -> dayımlardan mektup
aldık, / ' Bu tatilde -> sizi muhakkak -> bekliyoruz,' diyorlar. \

Oğuz : Dayın-> ne iş yapıyor?/

Pınar : Orta Doğu-> Teknik Üniversitesinde -> fizik okutuyor. \ Üç sene önce->
profesör oldu,\ ama daha çok genç.\ Otuz yaşında bile-> değil.\

Oğuz : Tabii,-> Kathy de sizinle geliyor,\ değil mi?\

Pınar : Evet.\ Zaten-> seyahat planlarını-> beraber yaptık.\ Öbür gün-> öğleden
sonra / yola çıkıyoruz.\ O akşamı -> Bolu'da geçireceğiz.\ Ertesi gün de->
öğleye doğru / Ankara'ya varacağız.\

Oğuz : Dönüşte de-> aynı yoldan mı geliyorsunuz?\

Pınar : Yok. \ Babam,'-> Eskişehir'den geçelim, / Kathy'ye oraları da gösterelim,'
diyor.\

Oğuz : Eh,\ size -> hayırlı yolculuklar,-> iyi eğlenceler.\

Pınar : Sana da, Oğuz. \ Pazartesi sabahı-> görüşürüz, inşallah.\

IV. EK, SÖZCÜK VE SÖZCÜK GRUPLARININ ÇEŞİTLİ ANLAMLARI

a. Translations are given only for the first possessive compound in each group below. You can easily
guess the meanings of the rest.

1.

taksi şöförü	okul maçı	otel ismi
(a taxi driver)	okul otobüsü	otel odası
çocuk doktoru	okul gazetesi	otel adresi
çocuk filmi	isim listesi	otel hesabı
çocuk hastalığı	sabah dersi	otel parası
okul çocuğu	sabah çayı	üniversite öğrencisi
okul binası	sabah treni	üniversite kitabı

194

okul kitabı
okul zamanı
okul adresi
okul kütüphanesi
oda numarası
yardım parası
yardım istasyonu
yardım planı
telefon numarası
(saat) yedi vapuru
cuma sabahı
ev numarası
ev adresi
ev işi
ev planı
ev problemi
kalem fiyatları
temmuz günü
temmuz havası
temmuz gecesi
temmuz sabahı
temmuz akşamı
ağustos sıcağı
nisan yağmuru
sokak ismi
sokak kapısı
sokak satıcısı
sokak köşeleri
mektup kağıdı
akşam saati
akşam gazetesi
bira bardağı
portakal rengi
  (=turuncu)
su bardağı
mutfak masası
mutfak kapısı
mutfak bıçağı
mutfak işi
deniz suyu
deniz seyahati
deniz uçağı
deniz yolu
deniz yolculuğu
futbol oyuncusu
  (=futbolcu)
sinema bileti
sinema artisti
yağmur suyu
yağmur mevsimi
kütüphane binası
göğüs hastalıkları
yemek ismi

sabah vapuru
sabah uçağı
sabah gazetesi
sabah saatleri
yemek odası
yemek masası
yemek zamanı
yemek saati
yemek tabağı
şehir ismi
şehir çocuğu
şehir otobüsü
şehir planı
duvar resmi
tavsiye mektubu
et yemeği
çorba kaşığı
salata tabağı
ekmek bıçağı
çay kaşığı
çay bardağı
tuvalet kağıdı
maç bileti
domates salatası
pazar yeri
bakkal dükkânı
manav dükkânı
dolmuş şoförü
otobüs şoförü
otobüs bileti
otobüs biletçisi
tren bileti
vapur bileti
uçak bileti
patates salatası
tatil günleri
iş zamanı
iş yeri
iş seyahati
iş adresi
iş mektubu
Ankara treni
Paris uçağı
İstanbul Üniversitesi
İstanbul otobüsü
İstanbul treni
İstanbul vapuru
  (boat going to İs-
  tanbul or boat with
  the name ' İstanbul')
İstanbul uçağı
İstanbul yolu
İstanbul Oteli

üniversite kütüphanesi
üniversite otobüsü
üniversite profesörü
üniversite binaları
İstanbul Lokantası
İstanbul Eczanesi
İstanbul sokakları
İstanbul okulları
İstanbul sinemaları
İstanbul gazeteleri
Atatürk Üniversitesi
Atatürk zamanı
Taksim dolmuşu
Taksim otobüsü
Taksim postanesi
Beyazıt Kütüphanesi
Aksaray pazarı
Üsküdar vapuru
Eskişehir istasyonu
Taksim-Aksaray otobüsü
İngiliz kızı
İngiliz ismi
İngiliz üniversiteleri
İngiliz artisti
İngiliz filmi
İngiliz denizcileri
İngiliz parası
İngiliz vapuru
İngiliz uçağı
İngiliz gazetesi
İngiliz arabası
Türk yemekleri
Türk kahvesi
Fransız şarabı
İtalyan lokantası
Amerikan kahvesi
Amerikan yardımı
fizik öğretmeni
fizik profesörü
fizik kitabı
fizik dersi
öğle zamanı
dönüş seyahati
hava yolculuğu
hava yolu
hava trafiği
eğlence yeri

Note : Compare taksi şoförü
(a taxi driver) and taksi-nin
şoför-ü (the driver of the taxi)

2.
kız okulu
  (a girls' school)

öğretmen okulu
öğretmenler odası

erkek okulu
erkek ismi

kız bisikleti   çocuk bisikleti   Atatürk Türkiyesi
kız ismi   kasap dükkânı

3.
İstanbul şehri   oda kapısı   ev çeşidi
  (the city of İstanbul)   öğretmen çocuğu   Türkiye Cumhuriyeti
bina kapısı   temmuz ayı   yardım arzusu
bina kapıcısı   ev resmi

4.
Oğuz ismi   B vitamini   1967 senesi
  (the name Oğuz)

5.
çocuk arabası : baby stroller   hafta tatili : weekend
okul arkadaşı : schoolmate   deniz mevsimi : season to swim, etc. in the sea
oda arkadaşı : roommate   İngiliz lirası : British pound, sterling
misafir odası : drawing room   ev yemeği : home-cooked food
ev ilâcı : home-made medicine   öğle tatili : lunch (noon) break
kitap ismi : book title   öğle yemeği : lunch
temmuz ortası : mid-July   akşam yemeği : dinner, supper
kapı önü : area in front of the door   araba vapuru : car-ferry

6.
denizaltı : submarine   yüzbaşı : captain (military rank)
binbaşı : major (military rank)

Note : These compounds are written as one word. Note their further suffixation :
denizalt-ı-lar, denizalt-ı-sı, denizalt-ı-da, denizalt-ı-ya, denizalt-ı-yı, etc.

7.
Ege üniversitesi öğrencileri   students of the Ege University
1967 senesi temmuzu   July of the year 1967
okul maçı biletleri   school game tickets
Aksaray pazarı satıcıları   Aksaray market venders
dönüş seyahati planları   plans for the return trip
Atatürk Üniversitesi binaları   Atatürk University buildings
Ankara dolmuş şöförleri   Ankara dolmuş drivers
Sivas İstasyon Lokantası   the Sivas Station Restaurant
Amerikan sinema artistleri   American movie actors (or actresses)
İzmir şehir otobüsleri   İzmir city buses
Türk Hava Yolları   Turkish Airlines (Airways)
Bolu Öğretmen Okulu Fizik   Bolu Teachers' School Physics Teacher
  Öğretmeni
İstanbul Üniversitesi Almanca   İstanbul University German Professor
  Profesörü

b.1.
Amerika'da eski arabalar ucuz,   In the U.S. old cars are cheap,
  ama yenileri epeyce pahalı.   but new ones are quite expensive.
Ben kırmızısını beğendim, o da   I liked the red one, he the green.
  yeşilini.
Soruların kolaylarına cevap vermiş.   Of the questions, he (reportedly) answered the
     easy ones.

2.
Bazıları kahve sevmez.   Some (people) don't like coffee.

(Onların) <u>bazıları</u> beş buçuk treniyle gidecek.	<u>Some of them</u> will go on (by) the five-thirty train.
<u>Bazılarımız</u> geceyi istasyonda geçirdi(k).	<u>Some of us</u> spent the night at the station.
<u>Bizim öğretmenlerden bazıları</u> çok genç, <u>bazıları</u> da çok yaşlı.	<u>Of (among) our teachers, some</u> are very young and <u>some</u> very old.
<u>Bazı öğretmenlerimiz</u> çok genç.	<u>Some of our teachers</u> (<u>some teachers of ours</u>) are very young.

3.

<u>Çoğumuz</u> buranın yabancısıyız.	<u>Most</u> (<u>the majority</u>) <u>of us</u> are strangers in (of) this place.
<u>Çoğunuz</u> çalışmamışsınız.	It seems <u>most of you</u> haven't studied.
(Onların) <u>çoğunu</u> okuldan tanıyorum.	I know <u>most of them</u> from school.
(Onların) <u>birçoğunu</u> okuldan tanıyorum.	I know <u>many of them</u> from school.

4.

Bunlar senin, <u>öbürleri</u> de benim.	These are yours and <u>the others</u> (<u>the rest</u>) mine.
<u>Öbürünü</u> nereye koydun?	Where did you put <u>the other</u> (<u>one</u>)?
<u>Öbürleriyle</u> ne zaman görüşecek?	When is he going to talk <u>with the others</u> (<u>the rest of them</u>)?

c.

<u>Dayısının yanında</u> oturuyor.	He lives <u>with his uncle</u> (<u>at his uncle's side</u>).
<u>Yanımda</u> hiç para yok.	I have no money <u>with me</u>.
Kitaplarınız <u>yanınızda</u> mı?	Are your books <u>with you</u>?
<u>Kızların yanında</u> böyle şeyler söyleme.	Don't say such things <u>in the presence of girls</u>.

ç.

<u>Sabahları</u> çok az yer.	He eats very little <u>in the morning(s)</u>.
<u>Öğleden sonraları</u> ne yapıyorsun?	What do you do <u>in the afternoon(s)</u>?
<u>Akşamları</u> her zaman evdeyiz.	We are always home <u>in the evening(s)</u>.
<u>Geceleri</u> çalışmaz.	He doesn't work <u>at night(s)</u>.
<u>Pazar günleri</u> sinemaya gidiyorum.	<u>On Sundays</u>, I go to the movies.
<u>Pazarları</u> sinemaya gidiyorum.	<u>On Sundays</u>, I go to the movies.

d.

<u>İki günde bir</u> bize uğrar.	He drops in on us <u>every other (two) day</u>. (Figuratively 'too often'.)
Bu ilâcı <u>dört saatte bir</u> alacaksınız.	You are (going) to take this medicine <u>every four hours</u>.
Taksim otobüsleri buradan <u>on beş dakikada bir</u> geçiyor.	Taksim buses pass by here <u>every fifteen minutes</u>.
Su parasını <u>kaç ayda bir</u> veriyorsunuz?	<u>How often</u> (<u>every how many months</u>) do you pay the water bill (water money)?

e.

<u>Günde iki defa</u> telefon eder.	He calls <u>twice a day.</u>
<u>Haftada bir (defa)</u> alışveriş yapar.	He shops <u>once a week.</u>
Çocuğu <u>ayda bir</u> doktora götürüyoruz.	We take the baby (child) to the doctor <u>once a month.</u>
<u>Senede üç dört defa</u> Ankara'ya giderler.	They go to Ankara <u>three or four times a year.</u>
Londra'ya <u>günde kaç defa</u> uçak var?	<u>How many times a day</u> are there planes to London?

f.
Balıkları <u>kiloyla</u> mı satıyorsunuz,
<u>taneyle</u> mi?

Are you selling the fish <u>by the kilo</u> or <u>singly (one by one)</u>?

g.
<u>Dayımlar</u> Ankara'da oturuyor.
<u>Dayılarım</u> Ankara'da oturuyor.
<u>Ağabeyimler</u> burada değil.
<u>Ağabeylerim</u> burada değil.

<u>My uncle's (family members)</u> live in Ankara.
<u>My uncles</u> live in Ankara.
<u>My brother's (family members)</u> aren't here.
<u>My brothers</u> aren't here.

<u>Note</u> : This contrast in the suffix order, i.e. dayı-m-lár - dayı-lar-ım, which cause a distinction in meaning is restricted to a number of words denoting kinship and the two possessive suffixes -ín (your) and -ím (my) : dayı-n-lár (your uncle's), ábla-m-lar (my older sister's), etc.

V. DİLBİLGİSİ

Possessive compounds
Possessive compounds + possessive suffixes
Possessive constructions with three or more nouns

(1) Değiştirme alıştırmaları

a. _____

| Ankara'ya gitmeği düşünmemişler. | Reportedly, they didn't think of going to Ankara.
|_____|

<u>Note</u> : Some of the suffixes that follow nouns may also occur after infinitives. These are -yí, -ye, -dé, -dén, and -yle : git-meğ-i,́ git-meğ-é,́ git-mek-te,́ git-mek-tén, git-mék-le.

/ Türk parası getirmek / hatırla / dönüşte Aksaray pazarına uğramak / iste / hafta sonu tatilini Yalova'da geçirmek / arzu et / deniz yoluyla seyahat etmek / dene / Türk kahvesi yapmak / öğren / bisiklete binmek / unut / alıştırmaları tekrarlamak / sev / / İstanbul'da dolmuşla gezmek /

b. _____

| Eve doğru yürümeğe başladık. | We began to walk towards (to, in the direction
|_____| of) the house.

/ istasyon / o / Taksim Sineması / öğretmenler odası / bizim araba / üniversite kütüphanesi / kuzey-batı / kuzey / Türk Hava Yolları binası / sokak kapısı / / Kapalıçarşı / kuyumcu dükkânı / dağ / gölün öbür tarafı / odanın ortası /

c.
| Ağabeyim daha otuz yaşında bile değil. | My older brother isn't even thirty years
|_____| old yet.

/ yirmi / dayısı / kırk / anneleri / elli / bizim Fransızca öğretmeni / yirmi beş / onların
bazıları / on beş / birçoğu / on sekiz / öğrencilerin çoğu / on üç on dört / kızlarından
birisi / on yedi /

ç.
| New York Amerika'nın doğusunda. | New York is in the east of the
|_____| United States.

/ İzmir - Türkiye - batı / İtalya - Almanya - güney / Yalova - Bursa - kuzey /
/ Ankara - Türkiye - orta / Rusya - Avrupa - doğu / Londra - İngiltere - güney-doğu /
/ Bulgaristan - Türkiye - kuzey-batı / Karadeniz - Türkiye - kuzey / Türkiye - İran -
kuzey-batı / bizim ev - şehir - güney-batı / Van şehri - Van Gölü - doğu / Kıbrıs -
Türkiye - güney / Yunanistan - Avrupa - güney-doğu / Ürdün - Mısır - kuzey-doğu /
/ Marmara Denizi - Türkiye - kuzey-batı / Almanya - Avrupa - orta / Orta Doğu Teknik
Üniversitesi - Ankara - güney-batı / Ege Denizi - Türkiye - batı / Mersin - Toros
Dağları - güney /

d.
| Yenisini siz alın, eskisini de bana verin. | You take the new one and give me
|_____| the old (one).

Note : Adjectives are nominalized by a following possessive suffix, especially -sí(n-) and -ler-í : yeni-
sí (the new one, the one which is new), yeni-ler-í (the new ones, those which are new).

/ büyük - küçük / pahalı - ucuz / sıcak - soğuk / beyaz - siyah / sarı - kırmızı / mavi -
yeşil / turuncular - kahverengiler / iyiler - fenalar / İngilizce - Fransızca /

(2) Çevirme alıştırmaları

a.
| Bu bilet maç için. | This ticket is for a (the) game.
| Bu bilet maç bileti. | This ticket is a (the) game ticket.
|_____|

Bu araba çocuklar için. Bu araba _____ _____
Bu seyahat iş için. Bu seyahat _____ _____
Bu oda misafirler için. Bu oda _____ _____
Bu kâğıt mektup yazmak için. Bu kağıt _____ _____
Bu vapur araba götürmek için. Bu vapur _____ _____

Bu <u>dolmuş</u> <u>Taksim</u>'e gidiyor. Bu dolmuş _____ _____

Bu <u>otobüs</u> <u>üçte</u> gidiyor (<u>veya</u> geliyor). Bu otobüs _____ _____

Bu <u>tren</u> <u>akşam</u> gidiyor (<u>veya</u> geliyor). Bu tren _____ _____

Bu <u>vapur</u> <u>İtalya</u>'ya gidiyor. Bu vapur _____ _____

Bu <u>üniversiteye</u> <u>Atatürk</u> ismini vermişler. Bu üniversite_____ _____

Bu <u>ismi</u> <u>erkek</u>lere veriyorlar. Bu isim _____ _____

Bu <u>dağlara</u> <u>Toros</u> ismini vermişler. Bu dağlar _____ _____

Bu <u>vapur</u> <u>İtalyan</u>ların. Bu vapur _____ _____

Bu <u>kütüphane</u> <u>okul</u>un. Bu kütüphane _____ _____

Bu <u>postane</u> <u>Beyazıt</u>'ta. Bu postane _____ _____

Bu <u>pazar</u> <u>Aksaray</u>'da. Bu pazar _____ _____

Bu <u>şöför</u> <u>otobüs</u>lerde çalışıyor. Bu şöför _____ _____

Bu <u>profesör</u> <u>üniversite</u>de çalışıyor. Bu profesör _____ _____

Bu <u>öğrenci</u> <u>üniversite</u>ye gidiyor. Bu öğrenci _____ _____

Bu <u>profesör</u> <u>fizik</u> okutuyor. Bu profesör _____ _____

Bu <u>öğretmen</u> <u>İngilizce</u> öğretiyor. Bu öğretmen _____ _____

Bu <u>şarabı</u> <u>Fransızlar</u> yapar. Bu şarap _____ _____

Bu <u>kahveyi</u> <u>Türkler</u> yapar. Bu kahve _____ _____

Bu <u>gazete</u> <u>sabahları</u> çıkıyor. Bu gazete _____ _____

Bu <u>gazete</u> <u>Ankara</u>'da çıkıyor. Bu gazete _____ _____

b. _____

(<u>Ben</u>-im) <u>tren bilet</u>-im.	(It's) my train ticket.
(Biz-im) tren bilet-imiz.	(It's) our train ticket.
(Sen-in) tren bilet-in.	(It's) your train ticket.
(Siz-in) tren bilet-iniz.	(It's) your train ticket.
(On-un) tren bilet-i.	(It's) his train ticket.
(Onlar-ın) tren bilet-ler-i.	(It's) their train ticket(s).

/ (biz) / misafir odası / Türkçe profesörü / (siz) / sınıf arkadaşı / öğle yemeği / telefon numarası / (sen) / ev adresi / yemek zamanı / fizik kitabı / (o) / tavsiye mektubu / / yemek masası / (onlar) / okul otobüsü / portakal suyu / (ben) / çay bardağı / sinema parası / tren bileti /

c. _____

<u>Fizik öğretmeni</u> nerede ?	Where's the physics teacher?
	Where's his physics teacher?
Fizik öğretmenleri nerede?	Where are the physics teachers?
	Where are his physics teachers?
	Where are their physics teacher?
	Where are their physics teachers?

/ Türkçe kitabı / vapur bileti / telefon numarası / bakkal dükkânı / iş adresi /
/ yemek parası / Almanca dersi / mektup kâğıdı /

ç. _____

Bu telefon numarası benim.	This telephone number is mine.
Bu benim telefon numaram.	This is my telephone number.
_____	

/ fizik kitabı / siz / onlar / o / domates salatası / sen / ben / biz / uçak bileti / o / siz /
/ onlar / tavsiye mektubu / biz / sen / ben / yol parası / onlar / biz / o / otel hesabı /
/ ben / siz / sen /

d. _____

Ben-im baba-m-ın ad-ı Kemal.	My father's name is Kemal.
Biz-im baba-mız-ın ad-ı Kemal.	Our ...
Sen-in baba-n-ın ad-ı Kemal.	Your ...
Siz-in baba-nız-ın ad-ı Kemal.	Your ...
On-un baba-sın-ın ad-ı Kemal.	His ...
On-lar-ın baba-lar-ın-ın ad-ı Kemal.	Their ...

Pınar'-ın Almanca öğretmen-in-in	Pınar's German teacher's name is
ad-ı Kemal.	Kemal.
Gönül'-ün ağabey-in-in [1] ad-ı Kemal.	Gönül's older brother's name is Kemal.
Türkçe öğretmen-in-in baba-sın-ın	The Turkish teacher's father's name is
ad-ı Kemal.	Kemal.
Biz-im öğretmen-(imiz-)in ad-ı Kemal.	Our teacher's name is Kemal.
_____	

[1] 'Ağabeyinin' is the written form. The spoken form is / á:bi:sinin /.

Note : Three or more nouns can be combined this way. Pınar-ın baba-sın-ın ad-ı (Pınar's father's
name), Pınar-ın baba-sın-ın arkadaş-ın-ın ad-ı (Pınar's father's friend's name). The first noun is
followed by -nín and the last by -sí(n-).
Each noun in the middle must have -sí(n-) followed by -nín. If the first word is a personal pronoun,
the second noun has the appropriate possessive suffix (-ím, -imíz, etc.) plus -nín. Ben-im baba-m-ın
arkadaş-ın-ın ad-ı (my father's friend's name).

/ o - arkadaş / ben - dayı / Ömer bey - odacı / biz - şoför / otobüs - biletçi / sen -
Fransızca öğretmeni / onlar - doktor / İngilizce profesörü - yardımcı / o kız - erkek
arkadaş / ben - bazı öğrenciler / okul - kütüphaneci / siz - okul doktoru / biz - eski fizik
profesörü / o - ağabey / ben - baba /

e. _____

Pınar'ın öğretmeninin adresini bilmiyorum.	
(siz - ev - telefon numarası)	
Siz-in ev(iniz)in telefon numarasını bilmiyorum.	
_____	

I don't know Pınar's teacher's address.
I don't know the telephone number of your home.

Bizim okul(umuz)un yanında bir kitapçı dükkânı var.

    (onlar - ev - karşı)

Bunu öğretmenin masasının altında bulmuşlar.

    (Pınarlar - otomobil - iç)

Onların arkadaşlarının birçoğunun resmini gördüm.

    (biz - öğrenciler - çok - test kâğıtları)

Benim kahvemin şekeri çok az.

    (siz - misafirler - zaman)

Geçen gün senin babanın bir arkadaşıyle konuşmuş.

    (ben - bir akraba - kız)

Oğuz'un dayısının eczanesi buralarda bir yerde.

    (o - ağabey - iş yeri)

(Benim) arkadaşımın otomobilinin rengini herkes beğeniyor.

    ((sen) - o Amerikalı arkadaş - çocuklar - isimler)

Sizin misafirlerinizin otel hesabını kim verdi?

    (biz - sinema biletleri - para)

f.
| Sizin bayramda bir yere gitmeğe niyetiniz var mı? |

Are you planning (do you have any intention) to go anywhere during the holiday?

/ -? / Pınar / müzeleri gez / onlar / - / biz / burada kal / o / +? / -? / İstanbul'a uğra / sen /
/ +? / onlarla görüş / Oğuz / + / biz / - / bir yere git / ben / onlar / -? / siz / +? /

g.
| Üç sene önce (evvel) profesör oldu. | He became a professor three years ago.
| Üç sene sonra profesör olacak. | He's going to be (become) a professor three years from now (later).

İki ay önce Avrupa seyahatine çıktı.

Türkiye'ye birkaç gün önce vardılar.

Üç gün önce, yani ağustosun on altısında iki yaşında oldu.

Ankara uçağı biraz önce gitti.

Öğle yemeğinizi yarım saat önce yediniz, değil mi?

Bu derse bir hafta önce başladık.

Üniversiteyi kaç sene önce bitirdiniz?

Sen onu dört ay önce mi gördün?

Mektubu biraz önce attım.

Tatillerinden iki hafta kadar önce döndüler.

h. _____

| Gelecek hafta dayımlara mektup yazacağız. |
| Geçen hafta dayımlara mektup yazdık. |
|_____|

We're going to write a letter to my uncle's next week.
We wrote a letter to my uncle's last week.

Gelecek sene tatilimizi Kartal'da geçireceğiz.

Fransızca derslerini gelecek sene kim okutacak?

Gelecek haziran otomobil fiyatlarını indirecekler.

Gelecek hafta başka bir filim göstermeğe başlayacaklar.

Gelecek pazar benim hatırım için okul maçımızı seyredecek.

Gelecek Cumhuriyet Bayramında Bolu'ya dayımın yanına gideceğim.

Seyahat planlarımız gelecek hafta belli olacak.

Gelecek ağustos Karadeniz'de her gün denize gireceğiz.

Gelecek cumartesi günü İstanbul'dan New York'a doğru yola çıkacağız.

Gelecek tatilde Türkiye'nin her tarafını gezeceksin, değil mi?

(3) Konuşma alıştırmaları

a. _____

| - Kaç treniyle gidiyorsunuz? |
| - Her halde yedi buçuk treniyle. |
|_____|

-What train (the train of what time) are you
 going on (by)?
-Probably, on (by) the seven-thirty train.

/ 11.30 / 4.30 / 5.00 / otobüs / 8.30 / 10.00 / 3.30 / vapur / 1.00 / 6.30/ 12.00 / uçak /
/ 4.00 / 11.30 / 2.30 /

b. _____

| - Nerede yemek yediniz? |
| - Ankara Lokantasında. |
|_____|

-Where did you eat?
-At the Ankara Restaurant.

/ kal - Otel / çalış - Üniversite / görüş - İstasyon / oku - gazeteler / seyret - Sinema /
/ konuş - otobüs / gez - sokaklar / bekle - Postane / bul - Eczane / soğuk al - yol /
/ ders ver - okullar /

c. _____

| - Kathy de sizinle beraber mi geliyor? |
| - Yok, o sonra gelecek. |
|_____|

-Is Kathy coming with you, too?
-No, she's going to come later (afterwards)

/ sen / Pınarlar / biz / ağabeylerin / ağabeyinler / onlar / öbürleri / o / Oğuz /
/ arkadaşları / öbür sınıf arkadaşlarınız /

ç.

- Ne zaman yola çıkıyorsunuz?	-When are you leaving?
- Öbür gün öğleden sonra.	-The day after tomorrow, in the afternoon.
- Ertesi gün Ankara'ya varır mısınız?	-Will you arrive in Ankara the following day?
- İnşallah.	- I hope so.

/ Bağdat / Paris / cuma sabahı / Lefkoşe / Diyarbakır / cumartesi günü öğleye doğru /
/ İngiltere / Kahire / on iki eylülde / Gaziantep / Kars / aralığın yirmi dördünde /
/ Roma / Londra / gelecek pazar / Moskova / Tahran / gelecek hafta salı günü /
/ Antalya / Şam /

d.

| - Oraya başka yoldan gitmek mümkün değil mi? |
| - Hayır. Muhakkak Eskişehir'den geçmek lâzım. |

-Isn't it possible to go there by another route (from a different road)?
-No. You have to go through Eskişehir. (To pass from Eskişehir is absolutely necessary.)

/ Kartal / Kapalıçarşı'nın içi / Beyazıt Kütüphanesinin önü / Adana'nın kuzeyi /
/ Orta Doğu Teknik Üniversitesinin yanı / şehrin ortası / İran / Yunanistan veya
Bulgaristan / bura- / o gölün güneyi /

VI. YAZI - ÇEVİRİ

Altı çizili sözcüklerin anlamlarını tahmin edin / Guess the meaning of the underlined words :

1. Bayramlarda, Ankara Ekspresinde yer bulmak biraz zor.

2. Üniversite öğrencilerinden bir grup on dokuz mayısta Akdeniz vapuruyla Samsun'a gidecek.

3. Bugünün postası hâlâ gelmedi mi?

4. Yeni <u>müzik</u> öğretmenimiz bizim okulun <u>piyano</u>sunu hiç beğenmedi.

_____ .

5. Fizik derslerini bazan sınıfta yapıyoruz, bazan da <u>laboratuvar</u>da.

_____ .

6. İki ayda bir, altı yüz elli bin lira <u>elektrik</u> parası veriyoruz.

_____ .

7. İş mektuplarını <u>sekreter</u>im yazıyor.

_____ .

8. Bizim Cemal Bey var ya? Geçen gün hakikaten çok hayırlı bir iş yapmış. Bir çocuk <u>hastane</u>sine yüz milyon lira vermiş.

_____ .

9. İstanbul <u>Radyo</u>sunda Türk Müziği <u>konser</u>i var. Dinlemek ister misin?

_____ .

10. <u>Banka</u>dan <u>dolar</u> mı almak niyetindesin, Türk parası mı?

_____ .

YİRMİ İKİNCİ DERS

I. KONUŞMA

(Pazartesi sabahı, Oğuz kafeteryada merakla arkadaşlarını bekliyor. Çok geçmeden Pınar'la Kathy geliyor. Anlatacakları o kadar çok şey var ki... / Monday morning, Oğuz waits anxiously for his friends at the cafeteria. Pınar and Kathy arrive before long. They have so much to tell.)

Oğuz : Ahmet Efendi, bize iki çay daha, lütfen. Kathy, sen şu iskemleye otur. Pınar, sen de şöyle gel. Karnınız aç mı?

Ahmet Efendi, two more teas for us, please. Kathy, you sit on this chair over here. And you, Pınar, come over this way. Are you hungry?

Ahmet (d)	a man's name
Efendi	Mr. (denotes a lower social status than ' bey')
Ahmet Efendi / A:méd Efendi /	Mr. Ahmet
iskemle	chair
aç	hungry
karn-ım aç	I'm hungry (my stomach is hungry)

Pınar : Teşekkür ederiz. Biraz evvel kahvaltı ettik. Hatta çay bile fazla gelecek.

Thank you. We just had breakfast. Even tea's going to be too much.

kahvaltı / ka:valtí /	breakfast
kahvaltı et-	(to) have breakfast
hattâ / hattá: /	even (usually followed by ' bile'), moreover
(-ye) fazla gel-	(to) be too much (for)

Oğuz : Yok, canım. Yavaş yavaş içersiniz. Şimdi anlatın bakalım, neler yaptınız.

Come on now. You can (will) drink it slowly. Now tell me what (all) you did.

yok, canım	come on (now) (expresses disbelief)
yavaş	slow, slowly
yavaş yavaş	slowly, without haste
anla-t-	(to) tell, explain
bak-alım	now (as in ' wait a minute now'), then, ' let's see'

Pınar : Tatil pek kısaydı, ama iyi vakit geçirdik, değil mi, Kathy?

The holiday was very short, but we had a good time, didn't we, Kathy?

kısa	short
kısa-ydı	it was short
vak(i)t	time (=zaman)
iyi vakit geçir-	(to) have (spend) a good time

Kathy : Hem de nasıl! Pınar'ın dayısıyla yengesi gayet iyi insanlar, Oğuz. Hele üç yaşında bir oğulları var. Pek tatlı, maşallah.

> And how! Pınar's uncle and aunt-in-law are extremely nice people, Oğuz. They have a three year old son, who is (he is), especially, ' God be praised', very sweet.

hem de ...	and also, moreover
yenge	aunt(-in-law) or sister-in-law (brother's wife)
gayet / gá:yet /	extremely
insan	person, one, man, human
hele	especially, particularly
oğ(u)l	son
tatlı	sweet
maşallah / má:şallah /	God be praised (used to ward off the evil eye and express admiration)

Oğuz : Ankara'yı nasıl buldun?

> How did you like (find) Ankara?

Kathy : Çok hoşuma gitti. Temiz, modern bir şehir. Cumartesi sabahı erkenden kalktık. Pınar beni Çankaya' ya, Anıt-Kabir'e, ve Ankara Kalesine götürdü. Sonra da Ulus'tan Kızılay'a kadar yürüdük. Kadın, erkek; genç, ihtiyar herkes sokaklardaydı. Hayatımda bu kadar kalabalık görmedim.

> I liked it very much. It's a clean, modern city. We got up very early Saturday morning. Pınar took me to Çankaya, Anıt-Kabir (Atatürk's Mausoleum), and the Ankara Castle. And then we walked from Ulus to Kızılay. Women, men, the young, the old, everybody was on the streets. I've never in my life seen such a big crowd.

hoş-un-a git-	(to) like
temiz	clean, neat
modern	modern
erken	early
erken-den	at an early hour, very early
kalk-	(to) get up, stand up, start, rise
Çankaya	a district in Ankara
anıt	monument
kab(i)r	tomb
Anıt-Kabir	Atatürk's Mausoleum
kale	castle, fortress
sonra	then
Ulus, Kızılay	district names in Ankara
-ye kadar	as far as, to; until
kadın	woman
sokaklarda-ydı	was on the streets
hayat (a:)	life
kalabalık	crowd, crowded

Oğuz : Ee, Ankara büyük şehir. Nüfusu üç milyonu geçiyor. Halbuki bundan altmış yetmiş yıl önce, köy gibi bir yermiş. Dönüşte Eskişehir'e uğradınız mı?

Well, Ankara is a big city. Its population exceeds three million. But, sixty or seventy years ago (before the present time) it was (reportedly) (a place) like a village. Did you stop in Eskişehir on the way back?

Ee / É:e /	well; well, of course
nüfus (u:)	population
-yi geç-	(to) exceed, surpass
halbuki / hal'búki /	however, whereas, but
köy	village
yer-miş	it was a place (reportedly)

Pınar : Evet. Oradan Bursa'ya, Bursa'dan Yalova'ya, Yalova'dan da araba vapuruyla Kartal'a geçtik. Dün, gece yarısına kadar yollardaydık.

Yes. From there, we went on to Bursa, from Bursa to Yalova, and from Yalova over to Kartal by car-ferry. Yesterday, we were on the road(s) until midnight.

-ye geç-	(to) pass on (over), go across to
yarı	half
gece yarısı	midnight
yollarda-ydı-k	we were on the roads

II. YENİ SÖZCÜKLER

ağabey : older brother	X	abla : older sister
büyükbaba : grandfather	X	büyükanne : grandmother
dayı : uncle (mother's brother)	X	amca : uncle : (father's brother)
teyze : aunt (mother's sister)	X	hala : aunt (father's sister)
erkek kardeş : brother	X	kız kardeş : sister
kısa : short	X	uzun : long
kardeş : brother or sister (sibling)		
adam : man		

III. SÖYLEYİŞ

Konuşma

Oğuz : Ahmét Efendi,\ bize-> iki çay dahá, lütfen.\ Káthy,\ sen / şu iskemleye otur.\ Pınár, / sen de -> şöyle gel.\ Karnınız áç mı?\

Pınar : Teşekkür ederiz.\ Bíraz evvel-> kahvaltı ettík. Hattá-> çay bile-> fazlá gelecek.\

Oğuz : Yók,\ caním. / Yavaş yavaş / içérsiniz.\ Şímdi-> anlátın bakalım,\ neler yaptınız.\

Pınar : Tatíl -> pek kısaydı,\ ama iyí vakit geçirdik,\ değíl mi, Kathy?\

Kathy : Hem de-> nasıl!\ Pınar'ın-> dayısıyla-> yengesi / gayet-> iyi insanlar,
Oğuz.\ Hele-> üç yaşında-> bir oğulları var. / Pek tatlı,\ maşallah.\

Oğuz : Ankara'yı-> nasıl buldun?/

Kathy : Çok hoşuma gitti.\ Temiz, / modern bir şehir.\ Cumartesi sabahı->
erkenden-> kalktık. \ Pınar-> beni-> Çankaya'ya, / Anıt-Kabir'e, / ve
Ankara Kalesine götürdü.\ Sonra da-> Ulus'tan/ Kızılay'a kadar->
yürüdük.\ Kadın, / erkek; -> genç, / ihtiyar-> herkes-> sokaklardaydı.\
Hayatımda / bu kadar-> kalabalık / görmedim.\

Oğuz : Ee,\ Ankara-> büyük şehir.\ Nüfusu-> üç milyonu-> geçiyor.\ Halbuki->
bundan-> altmış yetmiş yıl önce, / köy gibi-> bir yermiş.\ Dönüşte->
Eskişehir'e uğradınız mı?\

Pınar : Evet.\ Oradan-> Bursa'ya,/ Bursa'dan-> Yalova'ya, / Yalova'dan da->
araba vapuruyla-> Kartal'a geçtik. \ Dün, / gece yarısına kadar /
yollardaydık.\

IV. EK, SÖZCÜK VE SÖZCÜK GRUPLARININ ÇEŞİTLİ ANLAMLARI

a.1.

Ayda bir test var.
Her halde ayda hayat yok.
Ateşi fazlaymış, hemen bir
doktor çağırmış.

Çok üşümüşsün. Gel, ateşin
yanında otur.
Kahve mi istersiniz, çay mı?
Kadınlar kahveye gitmez.
Notlarımı evde unuttum.
Çalışmamış, fena notlar almış.

Yarım saat önce buradaydılar.
Saatım durmuş.

Sırada kaç kişi vardı?
Şimdi kimin sırası?
Her sırada iki öğrenci oturuyor.
Çayınızın şekeri iyi mi?
Çocuklara şeker aldık.
Nasıl bir yer arıyorsunuz?
Uçakta yer yokmuş.
Uçakta yerlerimiz gayet rahattı.

İskemle yoktu, onun için yerde oturduk.
Bunu, yerde buldum.

Once a <u>month</u>, there is a test.
Probably, there is no life on the <u>moon</u>.
His <u>temperature</u> (<u>fever</u>) was reportedly too high
(much). (Therefore) he reportedly called a doctor
immediately.
It seems you are very cold. Come (and) sit by
the <u>fire</u>.
Would you like <u>coffee</u> or (would you like) tea?
Women don't go to <u>coffee-houses</u>.
I forgot my <u>notes</u> at home.
He apparently didn't study. (Therefore) he got
bad <u>grades</u>.
They were here half an <u>hour</u> ago.
My <u>watch</u> (<u>clock</u>) seems to have stopped. (I've
just realized it.)
How many people were in the <u>line</u>?
Whose <u>turn</u> is it now?
Two students sit in each <u>desk</u>.
Is the <u>sugar</u> in (of) your tea all right?
We bought <u>candy</u> for the children.
What kind of <u>place</u> are you looking for?
Reportedly there isn't (wasn't) any <u>room</u> on the plane.
Our <u>seats</u> (<u>places</u>) on the plane were extremely
comfortable.
There weren't any chairs, so we sat on the <u>floor</u>.
I found this on the <u>ground</u> (<u>floor</u>).

2.

2.
Misafir odamız <u>büyük</u>, ama öbür
odalar <u>küçük</u>.
Bu filim <u>büyük</u>ler için.
Çocuklarınız <u>küçük</u> mü, <u>büyük</u> mü?
Atatürk hakikaten <u>büyük</u> bir
adammış.
Baklava çok <u>tatlı</u>ydı.
<u>Tatlı</u>lardan ne arzu ediyorsunuz?
Otobüs çok <u>kalabalık</u>tı.
İstasyonda büyük bir <u>kalabalık</u>
vardı.

Our drawing room is <u>large</u> (<u>big</u>), but the other
rooms are <u>small</u>.
This movie is for <u>adults</u> ('<u>big</u>' <u>ones</u>).
Are your children <u>little</u> (<u>young</u>) or <u>big</u> (<u>in age</u>)?
(I realize) Atatürk is (was) truly a <u>great</u> man.

The baklava was too (very) <u>sweet</u>.
(Which) of the <u>desserts</u> would you like?
The bus was very <u>crowded</u>.
There was a big <u>crowd</u> at the station.

b.
Öğretmeniniz <u>kadın</u> mı, <u>erkek</u> mi?
Ahmet <u>Bey</u> epeyce yaşlı bir <u>adam</u>.
Fatma <u>Hanım</u> genç bir <u>kadın</u>.
Yengesi çok iyi bir <u>hanım</u>.
Şu <u>bey</u> kim?
Amcamların çocuklarının biri <u>kız</u>,
biri <u>erkek</u>.
Onların <u>kızı</u> bizim <u>oğlu</u>muzla aynı
sınıftaydı.
Bu <u>çocuk</u> üniversiteyi yeni bitirdi.

Is your teacher a <u>woman</u> or a <u>man</u> (<u>male</u> or <u>female</u>)?
Ahmet '<u>Bey</u>' is quite an old <u>man</u>.
Fatma '<u>Hanım</u>' is a young <u>woman</u>.
His aunt (-in-law) is a very nice <u>lady</u>.
Who's that <u>gentleman</u> (over there)?
One of my uncle's (family's) <u>child</u>ren is a <u>girl</u>
(<u>female</u>), one a <u>boy</u> (<u>male</u>).
Their <u>daughter</u> was in the same class as our
<u>son</u>.
This <u>boy</u> (<u>young man</u>) has just finished the
university.

c.
<u>Sizden evvel</u> (<u>önce</u>) başlayacaklar.
Annem akşamları <u>bizden sonra</u>
yatar, sabahları da <u>hepimizden önce</u>
(<u>evvel</u>) kalkar.

They're going to begin <u>before you</u>.
My mother goes to bed <u>after we do</u>, and (but)
gets up <u>before all of us</u>.

ç.
<u>İçinizde</u> doktor var mı?
<u>İçlerinden</u> yalnız bunu beğendim.
<u>İçimizde</u> öyle birisi yok.
<u>Bunların içinden</u> hangisini isti-
yorsunuz?

Is there a doctor <u>among you</u>?
I liked only this one <u>of</u> (<u>from</u>) them.
There's no such person <u>among us</u>.
<u>Which of these</u> do you want?

IV. DİLBİLGİSİ

-ydi / was
-ymiş / is (reportedly), was (reportedly)
Echo questions with <u>mi</u>

(1) Değiştirme alıştırmaları

a. _____

| <u>Bu dondurma</u> <u>bana</u> <u>fazla</u> geldi. |

This ice-cream was (is) too much for me.

/ o yeşil pardesü - Gönül - büyük / iki bardak şarap - o - çok / yeni ders - biz - epeyce zor / Türkçe - bazı yabancı öğrenciler - kolay / yüz bin lira - Pınar - pahalı / o kadar vakit - onlar - az / orası - teyzemler - küçük / kahve - ben - biraz tatlı /

b. _____
| Cemal çok iyi bir çocuk. Hele <u>ablası</u> fevkalâde bir insan. |
|_____|
Cemal is a very nice boy. His older sister, particularly, is a wonderful person.

/ ağabey / baba / anne / kız kardeş / erkek kardeş / dayı / amca / teyze / hala / yenge / / büyükbaba / büyükanne / kardeş /

c. _____
| <u>Bizim</u> <u>kadar</u> çalışıyor. | He works as much (hard) as we do.
|_____|

/ sizin / için / getir / onlar / git / bir iş / gel / senin / al / arkadaşları / yap / gibi / onun / / öğret / Sevim Hanım / konuş / Uğur / yüz / benim / düşün / bir iş adamı / pazarlık et / / kadar / bizim / anla / çalış /

<u>Note</u> : Personal and demonstrative pronouns preceding <u>kadár</u>, <u>için</u>, and <u>gibi</u> are followed by -<u>nín</u> : ben-<u>ím</u> kadar, siz-<u>ín</u> için, bun-<u>ún</u> gibi.

ç. _____
| Hayatımda <u>bu kadar</u> kalabalık görmedim. | I've never in my life seen such a
|_____| big crowd.

/ o kadar / bunun kadar / bunun gibi / böyle / öyle / bu kadar büyük / o kadar büyük / / bunun kadar büyük / böyle büyük / öyle büyük / bunun gibi büyük /

d. _____
| Kızılay'a kadar otobüsle gittik, sonra da yürüdük. |
|_____|
We went as far as (to) Kızılay by bus, and then walked.

/ Lâleli / Şişli / Beyazıt / bankanın önü / Ulus / Çankaya / Fatih / şu sokağın köşesi / / Karadeniz Lokantası / Taksim /

e. _____
| <u>Saat dokuz buçuğ</u>a kadar oradaydık. | We were there until half-past nine.
|_____|

/ geçen sene / on yedi nisan / geçen haftanın ortası / 1958 / dün / bu sabah on / gece yarısı / pazar günü / aralığın yirmisi / akşam / Cumhuriyet Bayramı / geçen haziranın ilk günleri /

f.

| Ahmet Efendi'nin oğullarından biri Ankara'daymış. |

One of Ahmet Efendi's sons is (was) reportedly in Ankara.

/ Jale - hala / o - amca / ben - eski sınıf arkadaşı / bizim Türkçe öğretmeni - çocuk / / Oğuz - dayı / Uğur - ağabey / siz - kardeş / onlar - teyze / yengem - kız kardeş / Kemal Bey - erkek kardeş / İnci - abla / o kadın - kız /

g.

| Hesap beş milyon liraydı. Halbuki, yanımızda üç milyon liradan başka para yoktu. |

The bill was five million lira. But (whereas), we didn't have more (other money) than three million lira with us.

/ yanında / bende / bizde / yanlarında / onda / onlarda / yanımda / Oğuz'da / Oğuz'la bende / Oğuz'un yanında /

h.

| Yedi yaşında bir oğulları varmış. | Reportedly, they have (had) a seven year old son.

/ altı / üç / kız / dokuz / iki / çocuk / on bir / beş / kardeş / on altı / yirmi / ağabey / on beş / yirmi beş / abla /

(2) Çevirme alıştırmaları

a. -ydi

+ (Ben) iyi-ydi-m.	+? (Ben) iyi mi-ydi-m?
(Biz) iyi-ydi-k.	(Biz) iyi mi-ydi-k?
(Sen) iyi-ydi-n.	(Sen) iyi mi-ydi-n?
(Siz) iyi-ydi-niz.	(Siz) iyi mi-ydi-niz?
(O) iyi-ydi.	(O) iyi mi-ydi?
(Onlar) iyi-ydi-ler. [1,2]	(Onlar) iyi mi-ydi-ler? [2]
I was well, etc.	Was I well, etc.

- (Ben) iyi değil-di-m.	-? (Ben) iyi değil mi-ydi-m?
(Biz) iyi değil-di-k.	(Biz) iyi değil mi-ydi-k?
(Sen) iyi değil-di-n.	(Sen) iyi değil mi-ydi-n?
(Siz) iyi değil-di-niz.	(Siz) iyi değil mi-ydi-niz?
(O) iyi değil-di.	(O) iyi değil mi-ydi?
(Onlar) iyi değil-di-ler.	(Onlar) iyi değil mi-ydi-ler?
veya	veya
(Onlar) iyi değil-ler-di. [3]	(Onlar) iyi değil-ler mi-ydi? [3]
I wasn't well, etc.	Wasn't I well, etc.

[1] The use of -lér by itself to express non-person subjects is generally avoided. That is,plural non-person subjects such as kitap-lár, bun-lár, on-lár are generally present : Kitap-lar masada-ydı (-lar). Bun-lar böyle-ydi(-ler). On-lar küçük-tü(-ler). On the other hand, -lér mostly represents plural person subjects in the absence of explicit subjects : Burada-ydı-lar. (They (people) were here.)

[2] iyi-ler-di and iyi-ler mi-ydi are also possible, usually with adjectives denoting physical or mental disposition of people : rahat, yorgun, memnun, etc.

[3] No difference in meaning. For practical purposes, use the sequences given first, i.e. iyi değil-di-ler and iyi değil mi-ydi-ler.

Note : The same set of personal suffixes is used after both -dí and -ydi.

/ (biz) / İstanbul'da [1] / - / -? / +? / hazır / + / - / -? / (siz) / öğrenci / +? / + / - / yorgun / -? / +? /
/ + / (sen) / içeride / +? / -? / - / memnun / -? / +? / + / (o) / doktor / +? / -? / - / temiz / + / +? /
/ -? / (onlar) / Türk / +? / + / - / evde / (ben) / -? / +? / + / iyi /

[1] İstanbul'da-lar-dı and İstanbul'da-lar mı-ydı are also possible.

b. -ymiş

+ (Ben) iyi-ymiş-im.	+? (Ben) iyi mi-ymiş-im?
(Biz) iyi-ymiş-iz.	(Biz) iyi mi-ymiş-iz?
(Sen) iyi-ymiş-sin.	(Sen) iyi mi-ymiş-sin?
(Siz) iyi-ymiş-siniz.	(Siz) iyi mi-ymiş-siniz?
(O) iyi-ymiş.	(O) iyi mi-ymiş?
(Onlar) iyi-ymiş-ler.	(Onlar) iyi mi-ymiş-ler?
(It is said) I'm (was) well, etc.	Is it said that I'm (was) well, etc.
- (Ben) iyi değil-miş-im.	-? (Ben) iyi değil mi-ymiş-im?
(Biz) iyi değil-miş-iz.	(Biz) iyi değil mi-ymiş-iz?
(Sen) iyi değil-miş-sin.	(Sen) iyi değil mi-ymiş-sin?
(Siz) iyi değil-miş-siniz.	(Siz) iyi değil mi-ymiş-siniz?
(O) iyi değil-miş.	(O) iyi değil mi-ymiş?
(Onlar) iyi değil-miş-ler.	(Onlar) iyi değil mi-ymiş-ler?
veya	veya
(Onlar) iyi değil-ler-miş.	(Onlar) iyi değil-ler mi-ymiş?
(It is said) I'm not (wasn't) well, etc.	Is it said that I'm not (wasn't) well, etc.

Yukarıdaki sözcüklerle.

Note : Footnotes given for -ydi also apply to -ymiş.

c.

Onlar çocuk-tu(-lar).	They were children.
Onlar çocuk-muş(-lar).	They're (were) reportedly children.
Onlar çocuk-lar-dı.	It was (those were) the children.
Onlar çocuk-lar-mış.	It's (was) (those are (were)) reportedly the children.

/ satıcı / genç [1] / Türk / meşhur / profesör / beyaz / Amerikalı / sekreter / meraklı /
/ futbol oyuncusu / garson / uzun / İngiliz / turist / büyük / erkek / Alman / çocuk
doktoru / öğretmen / Atatürk Üniversitesi öğrencisi /

[1] Adjectives are nominalized by an immediately following -lér : iyi-lér-di (it was the good ones), pahalı-lár-dı (it was the expensive ones), etc. (For still another use of this suffix order, see Note 2, p.212.)

ç.

Onların otomobili eski.	Their car is old.
Onların otomobili eskiydi.	Their car was old.
Onların otomobili eskiymiş.	Their car is (was) reportedly old.

For each of the following sentences, supply the other two by changing the underlined words as in the example above :

Hiç yorgun değildik.	We weren't tired at all.
Londra'da değil miymişler?	Aren't (weren't) they reportedly in London?
Çok az paramız varmış.	They say we have (we had) very little money.
Hazır mıydınız?	Were you ready?
Ben amcamın yanındaymışım.	They say I'm (was) with my uncle.
Köyün nüfusu çok azdı.	The population of the village was very small (little).
Neredeydiler?	Where were they?
Bugün evdesin, değil mi?	You're at home today, aren't you?
Başka iskemle yok mu?	Aren't there any more (other) chairs?
O çocuk kimmiş?	Who do they say that boy is (was)?
Biz de onlar gibi miyiz?	Are we also like them?
Bileziklerin tanesi kaçaymış?	Reportedly, how much are (were) the bracelets each?
Dışarıdalar.	They're outside.

214

O paranın yarısı <u>bizim</u>.	Half of that money is ours.
Yirmi yaşında <u>değil miyim</u>?	Am I not twenty years old?
Onunla aynı <u>okuldaymışız</u>.	It seems we were in the same school.
Türkçe bilmek lâzım <u>değil miydi</u>?	Wasn't it necessary to know Turkish?
Erken dönmek <u>mümkün mü</u>?	Is it possible to come back (return) early?
Onların başka işi <u>yok mu</u>?	Don't they have anything else (any other work) to do?
Orada her çeşit dükkân <u>vardı</u>.	There were all kinds of shops there.

d.

I Memnun-<u>um</u>. I	I'm pleased.
I Memnun-<u>muş</u>. I	She says (I heard, etc.) she's pleased.
I Memnun-<u>du-m</u>. I	I was pleased.
I Memnun-<u>muş</u>. I	She says (I heard, etc.) she was pleased.
I Oda-<u>m</u>-a doğru yürü-<u>dü-m</u>. I	I walked towards my room.
I Oda-<u>sın</u>-a doğru yürü-<u>müş</u>. I	She says (I heard, etc.) she walked towards her room.

All second-hand information, including stories, is reported by use of -<u>miş</u> and -<u>ymiş</u>. The following is an account of Kathy's trip to Ankara as she describes it herself. Report it to someone making all the necessary changes which are illustrated in the frame above. Words in which changes must be made are underlined.

Perşembe sabahı erkenden <u>kalktım</u>. <u>Karnım</u> pek aç <u>değildi</u>. Onun için kahvaltı falan <u>etmedim</u>. Taksim'e kadar dolmuşla <u>gittim</u>, çünkü <u>yanımda</u> yalnız küçük bir bavul <u>vardı</u>. Sabahları yarım saatte bir Taksim'den Ankara'ya otobüs <u>var</u>. <u>Benim biletim</u> sekiz buçuk otobüsü <u>içindi</u>. Yerim sol tarafta, şöförün tam <u>arkasındaydı</u>. Önce araba vapuruyla Üsküdar'a <u>geçtik</u>. Kadıköy'de otobüse birkaç kişi daha <u>bindi</u>. Ankara yolu çok <u>hoşuma gitti</u>. Otobüsler de fevkalâde <u>rahat</u>. Üstelik gayet <u>ucuz</u>. Yolda iki defa <u>durduk</u>: İzmit'te çay <u>içtik</u>, Bolu'ya yakın bir yerde de öğle yemeği <u>yedik</u>. Saat beşe doğru Kızılay'daydık. Ankara'da <u>babamın</u> eski arkadaşlarından birinin kızı <u>var</u>. İsmi <u>Judy</u>. Orta Doğu Teknik Üniversitesinde <u>öğrenci</u>. Hemen ona telefon <u>ettim</u>. Judy <u>geldi</u>, <u>beni</u> evine <u>götürdü</u> ve o akşam bazı arkadaşlarıyla <u>tanıştırdı</u>. Ertesi gün de sabahtan akşama kadar şehri <u>gezdik</u>. Anıt-Kabir'le Ankara Kalesini çok <u>beğendim</u>. Cuma akşamı <u>konserdeydik</u>. Cumartesi akşamı da Judy bir parti <u>verdi</u>. Yani Ankara'da çok iyi vakit <u>geçirdim</u>. Rahat bir tren yolculuğundan sonra İstanbul'a <u>döndüm</u>. Biraz <u>yorgunum</u>, ama çok <u>memnunum</u>. <u>Niyetim</u> bundan sonra her tatil böyle seyahatlere <u>çıkmak</u>.

e.

| Burası <u>ben</u>im hoşuma gitti. | I liked this place.

/ biz / - / onlar / + / +? / -? / siz / +? / sen / -? / ablanız / +? / o / -? / - / + / büyükbabaları /
/ +? / -? / - / ben / + /

(3) Konuşma alıştırmaları

a.

| - <u>Sana bir şey anlat</u>acağım. | -I'm going to tell you something.
| - Peki, anlat bakalım. | -O.K., then tell it. (Go ahead and tell it.)

/ birisine telefon et / ben biraz daha bekle / ona yardım et / birkaç dakika dinlen /
/ radyo dinle / bunları giy / adresi şu adama sor / şimdi sana bir resim göster /

b.

| - Bu otobüs nereye kadar gidiyor? | -How far (as far as what place) does this bus go?
| - <u>Çankaya</u>'ya kadar. | -As far as Çankaya.

/ Ulus / Beyazıt / Aksaray / Fatih / Kadıköy / Kartal / Üsküdar / Taksim / Şişli /
/ Kızılay /

c.

| - Büyükbabam <u>yetmiş beş</u> yaşında.
| - Yok canım. Hiç göstermiyor, maşallah.
| - Ee, erken yatar, erken kalkar, yemeğine falan
| da çok dikkat eder.

-My grandfather is seventy-five years old.
-Really? (That's unbelievable.) 'God be praised,' he doesn't show it at all.
-Well, he goes to bed early, gets up early, and is very careful about (for) his food and so forth.

/ 78 / 80 / 85 / 70 / 73 / 82 / 79 / 77 /

ç.

| - Geçen sene Avrupa'daydım. | -I was in Europe last year.
| - Avrupa'da mıydın? Neresinde? | -You were in Europe? Where (what part of it)?
| - Neresinde mi? <u>Paris</u>'te, tabii. | -Where? In Paris, of course.

/ Fransa / İngiltere / Roma / Almanya / Berlin / İtalya / Londra /

d.

- Dün <u>Kapalıçarşı</u>'daymışsınız.	- I heard you were at the Covered Bazaar yesterday.
- Kapalıçarşı'da mıymışım?	-You heard I was at the Covered Bazaar yesterday?
- Evet. Jale görmüş.	-Yes, it seems Jale saw you.
- Yanlış görmüş. Çünkü dün sabahtan akşama kadar evdeydim.	-Apparently, she was mistaken (she saw wrong), because I was at home from morning till night yesterday.

/ sinema / Pınarların evi / istasyon / konser / Beyazıt kütüphanesi / maç / Teknik Üniversite / Gönül'ün yanı / Ankara Lokantası / müze /

e.

- Kapıda birisi var, efendim.	-There's someone at the door, sir.
- Sor bakalım, kimmiş.	-Ask (him) then, who he is (who he says he is).
....	
- <u>Amcanızın oğlu</u>ymuş, efendim.	-He says he is your uncle's son.
- Öyleyse, içeri çağır.	-Call him in, then.

/ bir akrabanız / eski arkadaşlarınızdan biri / Turgut Bey / bir öğrenciniz / teyzenizin kızı / yengenizin kardeşi / Amerikalı bir arkadaşınız / Gönül Hanım /

VI. YAZI - ÇEVİRİ
Altı çizili sözcüklerin anlamlarını tahmin edin / Guess the meaning of the underlined words :

1. Geçen akşam Ankara'nın meşhur gece <u>klüp</u>lerinden birindeymişsiniz. Hep o Amerikalı kızla dans etmişsiniz. Hem de sabaha kadar!

2. Söyleyin bakalım, çocuklar. <u>Tiyatro</u>ya mı gitmek istersiniz, sinemaya mı?

3. Bu <u>ceket</u> sana kısa değil. Hattâ uzun bile.

4. Uçağımızın <u>pilotu</u>, 'Şimdi, Toros Dağlarını geçiyoruz. Biraz sonra Adana'da olacağız,' dedi.

5. Gönül'ün halasının kızlarından biri Türk Hava Yollarında <u>hostes</u>miş.

6. Sizin okulun yanında bir <u>park</u> var ya? İşte seni orada bekleyeceğim.

7. İsterseniz, arabanızı buraya <u>park ed</u>in.

8. Bizim <u>berber</u>in yaşı herhalde yetmişi geçiyor, ama hâlâ çalışıyor, maşallah.

9. İki <u>aspirin</u> aldım. Ondan sonra ateşim yavaş yavaş düşmeğe başladı.

10. Aman, yavaş gidelim. Arkamızda bir <u>polis</u> otomobili var.

YİRMİ ÜÇÜNCÜ DERS

I. KONUŞMA

(Şimdi, anlatma sırası Oğuz'da. O hiç bir yere gitmemiş, ama anlaşılan, İstanbul'da epeyce
eğlenmiş. / Now, it is Oğuz's turn to speak. He says he did not go anywhere, but it seems he had a
lot of fun in İstanbul.)

Kathy : Şimdi de sıra sende, Oğuz. Anlat bakalım, senin yolculuğun nasıl geçti.

>   Now, it's your turn, Oğuz. Tell us now, how your trip was.

sıra sen-de	it's your turn (=sıra sen-in)

Oğuz : Ben hiç bir yere gitmedim. Bütün tatil buradaydım.

>   I didn't go anywhere. I was here the whole vacation.

bütün	whole, entire, all

Pınar : Niye? Hani Antalya'ya gidecektin?

>   Why? You were going to go to Antalya, remember?

niye	why, what for
hani	remember, you know; where?
gid-ecek-ti-n	you were going to go, you would go

Oğuz : O işten vazgeçmek zorunda kaldım. Bavulumu bile hazırlamıştım. Fakat
ağabeyimden bir telgraf geldi, mühim bir iş için İzmir'e gidiyormuş.

>   I had to give that (project, thing) up. I had even packed (prepared) my suitcase. But
>   I received a telegram from my older brother. (It said) he was going to go to İzmir for
>   some important matter.

(-den) vazgeç-	(to) give up, change one's mind
zor	compulsion; difficulty, difficult
kal-	(to) be left, remain
vazgeçmek zor-un-da kal-	(to) be forced to give up,' be left under the compulsion of giving up'
hazır-la-	(to) prepare
hazırla-mış-tı-m	I had prepared
telgraf	telegram, cable
mühim	important
gid-iyor-muş	he is (was) reportedly going

Kathy : Sonra ne yaptın, peki?

>   Well, what did you do then?

Oğuz : Ne mi yaptım? Bavulumu açtım, elbiselerimi tekrar dışarı çıkardım.

What did I do? I opened my suitcase, (and) I took my clothes out again.

aç-	(to) open
elbise / elbi:se´ /	clothes, dress, suit
tékrar	again
tekrár	repetition

Pınar : Amaan, Oğuz, senin de bu şakaların ...

Oh, Oğuz, you and your jokes! (These jokes of yours!)

amaan / amá:n /	more emphatic than 'aman'
şaka	joke

Oğuz : Ne diyordum? Haa, bir akşam Beyoğlu'nda Hans'a rastladım. Tom, Amal,
Michelle falan karar vermişler, bayramda İstanbul'un tarihî yerlerini
gezeceklermiş. Ayasofya'yı bile görmemişlermiş. ' Sen de bizimle gelmez
misin?' dedi. Ertesi sabah buluştuk. Topkapı Sarayını, Ayasofya'yı ve Sultan
Ahmet Camisini ziyaret ettik. Bir gün de vapurla Boğaz'a gittik. Çok
eğlendik. O günü hiç unutmayacağım.

What was I saying? Oh, yes, I ran into Hans in Beyoğlu one evening. (He said) Tom,
Amal, Michelle, and others (had) decided (that they were going) to tour the historical
sites of İstanbul during the holiday. (He said) they hadn't even seen Saint Sophia.
'Won't you come with us?' he said. We met the following day. We visited the Topkapı
Palace, Saint Sophia, and the Mosque of Sultan Ahmet. (And) one day, we went (to)
up the Bosporus by ferry. We had a lot of fun. I'll never forget that day.

di-yor-du-m	I was saying
haa / há:a /	oh; oh, yes
Beyoğlu	shopping and entertainment district in İstanbul
(-ye) rastla- / raslá /	(to) run into, meet by chance
karar	decision
(-ye) karar ver-	(to) decide, give decision
tarihi / ta:rihí: /	historical
gez-ecek-ler-miş	reportedly they are (were) going to tour, reportedly they would tour
Ayasofya	Saint Sophia
gör-me-miş-ler-miş	reportedly they haven't (hadn't) seen
bul-uş-	(to) meet, get together
saray	palace
Topkapı Saray-ı	the Topkapı Palace
sultan	sultan
cami / ca:mí /	mosque
Sultan Ahmet Camisi	the Mosque of Sultan Ahmet,
(Camii) / Ca:misi, Camií /	the Blue Mosque
ziyaret / ziya:rét /	visit

ziyaret et-	(to) visit
Boğaz	the Bosporus, straits
eğlen-	(to) have fun

Pınar : Büyükannem anlatırdı. Eskiden biz de Boğaz'da, Bebek'te bir yalıda
otururmuşuz.

My grandmother used to tell (us) (that) formerly, we (also) used to live in a seaside house on
the Bosporus, in Bebek (according to what she said).

anlat-ır-dı	she used to tell, she would tell
eski-den	formerly, in the old times
Bebek	a district on the Bosporus
yalı	seaside house
otur-ur-muş-uz	reportedly we used to live, they say we live

II. YENİ SÖZCÜKLER

aç- : (to) open X kapa- veya kapat- : (to) close, shut
elbise / el'bi:sé / : clothes, dress, suit; şapka : hat, gömlek : shirt, pantalon : pants, trousers;
kravat : tie, etek : skirt, bulüz : blouse, kazak : sweater, manto : ladies' coat, palto : men's top coat,
çorap (b) : sock(s), stocking(s); çanta : hand-bag, purse, briefcase; ayakkabı [1] : shoe(s)

[1] ayakkabı-lar, ayakkabı-sı, ayakkabı-ya, etc. See Lesson 21, (6) on page 195

Bayramlar :

1 Ocak	Yılbaşı Günü : New Year's Day (yıl=sene, baş : beginning,' head')
23 Nisan	Ulusal Egemenlik ve Çocuk Bayramı : Day of National Sovereignty and Children (ulusal: national, egemenlik : sovereignty)
19 Mayıs	Atatürk'ü Anma, Gençlik ve Spor Bayramı : Atatürk Memorial Day and Holiday of Youth and Sports (anma : remembering, commemoration; gençlik : youth, spor : sports)
30 Ağustos	Zafer Bayramı : Victory Day (zafer : victory)
29 Ekim	Cumhuriyet Bayramı : Republic Day
	Şeker Bayramı : Candy Holiday (As popularly called. It is a religious holiday marking the end of the fasting month. It comes ten days earlier each year following the Arabic calendar.)
	Kurban Bayramı : Holiday of Sacrifices (kurban : sacrifice. This is another religious holiday with dates rotating in accordance with the Arabic calendar.)

ayakkabı-cı : shoe salesman, shoe maker,
    shoe store
banka-cı : banker, bank official
elektrik-çi : electrician
fizik-çi : physicist, physics teacher

gazete-ci : newspaper seller, journalist

iş-çi : workman, laborer

saat-çi : watch or clock seller, maker, store
spor-cu : sportsman, athlete
şaka-cı : joker, a person with a sense of
    humor
yol-cu : passenger, traveller
ziyaret-çi : visitor

III. SÖYLEYİŞ

Konuşma

Kathy : Şimdi de-> sıra sende, Oğuz.\ Anlat bakalım,\ senin yolculuğun nasıl geçti.\

Oğuz : Ben-> hiç bir yere / gitmedim.\ Bütün tatil / buradaydım.\

Pınar : Niye?/ Hani-> Antalya'ya gidecektin?/

Oğuz : O işten-> vazgeçmek zorunda kaldım.\ Bavulumu bile / hazırlamıştım.\
Fakat-> ağabeyimden-> bir telgraf geldi, / mühim-> bir iş için / İzmir'e
gidiyormuş.\

Kathy : Sonra ne yaptın, peki?/

Oğuz : Ne mi yaptım?/ Bavulumu-> açtım, / elbiselerimi / tekrar-> dışarı
çıkardım.\

Pınar : Amaan,-> Oğuz, / senin de-> bu şakaların -> ...

Oğuz : Ne diyordum? / Haa,\ bir akşam-> Beyoğlunda-> Hans'a rastladım. \
Tom,-> Amal,-> Mişel falan / karar vermişler, / bayramda-> İstanbul'un ->
tarihi yerlerini-> gezeceklermiş.\ Ayasofya'yı bile / görmemişlermiş.\' Sen
de-> bizimle-> gelmez misin?' dedi.\ Ertesi sabah-> buluştuk. \Topkapı
Sarayını, / Ayasofya'yı / ve Sultan Ahmet Camisini-> ziyaret ettik.\ Bir gün
de-> vapurla-> Boğaz'a gittik.\ Çok eğlendik.\ O günü / hiç->
unutmayacağım.\

Pınar : Büyükannem-> anlatırdı.\ Eskiden-> biz de\ Boğaz'da, / Bebek'te-> bir
yalıda otururmuşuz.\

IV. EK, SÖZCÜK VE SÖZCÜK GRUPLARININ ÇEŞİTLİ ANLAMLARI

a.

Mektupları Kadıköy Postanesinden
atacaktım.

I was going to mail the letters at (from)
the Kadıköy Post Office.

Bu kâğıtlar lâzım değil. Atıyorum.

I don't need these papers. I'm throwing
them (away).

Bütün odayı arayacakmış.

He's (was) reportedly going to search the
whole room.

Kravatını arıyordu.

He was looking for his tie.

Yanlış yere bakıyorsun.

You're looking in the wrong place.

Kardeşlerine o bakıyormuş.

He is (was) reportedly looking after his
sisters and brothers.

Daha işim bitmedi.

My work hasn't finished (ended) yet.

Paramızın hepsi bitmişti.

All our money had run out.

Bavulundan elbiselerini çıkarıyor.

He's taking his clothes out of his suitcase.

Ceketimi çıkaracağım, çünkü burası
çok sıcak.

I'm going to take off my coat, because it's
too warm here.

Hangi istasyonda inecektiniz?

At which station were you going to get off?

Uçak İstanbul'a kaçta inecek?

What time is the plane going to land in
(to) İstanbul?

Ucuz otellerde kalırdı. — He used to stay at inexpensive hotels.

Hiç paramız kalmadı. — We have no money left. (No money of ours remained.)

Sabahları erken mi kalkıyorsun? — Do you get up early in the morning(s)?

Tren onda kalkıyor. — The train leaves (starts) at ten.

Uçak da onda kalkıyordu. — The plane was also leaving (taking off) at ten.

Gazeteyi okudun mu? — Have you read the paper?

Hangi üniversitede okuyorsunuz? — Which university are you studying at?

Kısa zamanda Türkçe öğrenmek zorundaydım. — I had to (was compelled to) learn Turkish within a short period of time.

Adresinizi Oğuz'dan öğrendim. — I got (found out about) your address from Oğuz.

Kapıyı kapamış mıymış? — Do you know if he had closed the door? (Had he reportedly closed the door?)

Radyoyu kapamağı unutmuşum. — It seems I forgot to turn the radio off.

Dükkânını sabahları altıda açarmış. — He reportedly opens (used to open) his shop at six.

Radyoyu açar mısın? — Would you turn on the radio?

b.

İki saate kadar gelecek. — He's going to come in two hours.

Saat ikiye kadar gelecek. — He's going to come by (until) two o'clock.

c.

Soğuktan dışarı çıkmıyor. — He doesn't go out because of the cold (weather).

Uçak sisten Ankara'ya inmemiş. — The plane reportedly did not land in Ankara because of the fog.

ç.

İnsanlar aya gitmeğe başladılar. — People (men) have started to go to the moon.

Şu adamlar iş arıyorlarmış. — I was told that those men are (were) looking for a job.

Bu masada kaç kişi oturacak? — How many people (persons) are going to sit at this table? (' Kişi' is used with numerals.)

d.

Yanımızdan yürüyordu. — He was walking by us.

Önümden gidiyor. — He's walking (going) in front of me.

Hepsi arkanızdan gelecek. — They're all going to come after (behind) you. (... follow you.)

Biz önden gidelim, siz de arkadan gelin. — Let's go ahead (in front), (and) you come (from) behind.

Soldan yürümeyin. — Don't walk on the left.

Her sabah buradan geçer. — He passes by here every morning.

e.

Onlar bizim orada (bir yerde) oturuyor. — They live (some place) near us.

Postanenin orada modern binalar var. — There are modern buildings near the post office.

Ona sizin evin orada (bir yerde) rastladım. — I ran into him (some place) near your house.

Note : 'sizin orada, etc.' are used in informal context.

f.

Turgut isminde biri(si)ni tanıyor musun? — Do you know anyone by the name of Turgut?

V. DİLBİLGİSİ

-ydi and -ymiş after participles
Echo questions : Question-word questions + mi
Shift of sentence stress causing change of meaning (continued)

(1) Değiştirme alıştırmaları
a.

| Eskiden Bebek'te oturuyormuşuz. | I was told that formerly we (were living)
|_____| used to live in Bebek.

/ Boğaz / Beyoğlu / başka bir ev / buralarda bir yer / sizin ora- / Çankaya / Bolu /
/ şu binalardan biri / Aksaray Postanesinin arkası / Yalova'nın bir köyü / bir yalı /

b.

| Elbisesini Kapalıçarşı'dan değil, Beyoğlu'ndan almışmış. |
|_____|
She said she had bought her dress in (from) Beyoğlu, not in (from) Kapalıçarşı.

/ ayakkabılar / palto / beyaz bulüz / yeni manto / çoraplar / kahverengi çanta /
/ şapka / kırmızı kazak / kravatlar / gömlekler / pantalon / siyah etek / ceket /
/ pardesü /

c.

| Karar vermiştim, bütün tatil Türkçe çalışacaktım. |
|_____|
I had decided (that) I was going to study Turkish during the entire vacation (all vacation long).

/ gün / fizik / hafta / ders / gece / İngilizce / yıl / Rusça / tatil / Türkçe /

ç.

| Önce Ankara'ya gitmeğe karar vermişlerdi, ama sonra vazgeçtiler. |
|_____|
First, they had decided to go to Ankara, but later they changed their minds.

/ Topkapı Sarayı / tiyatro / Sultan Ahmet Camisi / Bebek / kahve / Ankara Kalesi /
/ Beyoğlu / Ayasofya / bir gece klübü / müzeler /

(2) Çevirme alıştırmaları

a. -ydi with participles. Review forms and meanings of participles :

Yürü-yor.	He's walking (walks, is going to walk, has been walking).
Yürü-yecek.	He's going to walk (will walk).
Yürü-müş.	He reportedly (etc.) walked.
Yürü-r.	He walks ('ll walk).

Compare the change in form and meaning with -ydi added :

Yürü-yor-du.	He was walking (used to walk, walked, was going to walk, had been walking).
Yürü-yecek-ti.	He was going to walk (would walk).
Yürü-müş-tü.	He had walked. (Note that there is no 'reportedly' meaning in this sequence.)
Yürü-r-dü.	He used to walk ('d walk, walked).

Note : Additional meanings given in parentheses are determined by linguistic context such as time expressions as well as the situational context.

/ çalış / -yecek / -ir / -miş / üşü / -ir / -iyor / -yecek / yemekleri hazırla / -iyor / -ir / -miş /
/ hastalan / -ir / -yecek / -iyor / kahve iç / -yecek / -ir / -miş / yürü / -iyor /

b.

+	(Ben) yürü-yor-du-m.	+?	(Ben) yürü-yor mu-ydu-m?
	(Biz) yürü-yor-du-k.		(Biz) yürü-yor mu-ydu-k?
	(Sen) yürü-yor-du-n.		(Sen) yürü-yor mu-ydu-n?
	(Siz) yürü-yor-du-nuz.		(Siz) yürü-yor mu-ydu-nuz?
	(O) yürü-yor-du.		(O) yürü-yor mu-ydu?
	(Onlar) yürü-yor-lar-dı.[1]		(Onlar) yürü-yor-lar mı-ydı?
	I was walking, etc.		veya
			(Onlar) yürü-yor mu-ydu-lar?
			Was I walking, etc.
-	(Ben) yürü-mü-yor-du-m.	-?	(Ben) yürü-mü-yor mu-ydu-m?
	(Biz) yürü-mü-yor-du-k.		(Biz) yürü-mü-yor mu-ydu-k?
	(Sen) yürü-mü-yor-du-n.		(Sen) yürü-mü-yor mu-ydu-n?
	(Siz) yürü-mü-yor-du-nuz.		(Siz) yürü-mü-yor mu-ydu-nuz?
	(O) yürü-mü-yor-du.		(O) yürü-mü-yor mu-ydu?
	(Onlar) yürü-mü-yor-lar-dı.[1]		(Onlar) yürü-mü-yor-lar mı-ydı?
	I wasn't walking, etc.		veya
			(Onlar) yürü-mü-yor mu-ydu-lar?
			Wasn't I walking, etc.?

/ konuş / -ir / -[2] / -? / +? / (siz) / -? / - / + / (onlar) / - / -? / +? / (sen) / + / - / -? / (biz) / +? / + / - /
/ (o) / -? / +? / + / bekle / -miş / - / -? / +? / (sen) / -? / - / + / (siz) / - / -? / +? / (ben) / -? / - / + /
(onlar) / - / -? / +? / (biz) / -? / - / + / kâr et / -yecek / - / -? / +? / (siz) / -? / - / + / (o) / +? / -? /

/ - / (ben) / + / +? / - / -? / (onlar) / +? / + / - / (sen) / -? / +? / + / eğlen / -iyor / - / -? / +? / (biz) / -? /
/ - / + / (onlar) / - / -? / +? / (o) / -? / - / + / (siz) / - / -? / +? / (ben) / -? / - / + / yürü /

1
Yürü-yor-du-lar and yürü-mü-yor-du-lar are seldom heard.

2
Before -ydi, -mé-z is the negative form of -ír with all persons. That is, (ben) bekle-me-z-di-m, (ben) bekle-me-z mi-ydi-m; (biz) bekle-me-z-di-k, (biz) bekle-me-z mi-ydi-k; (sen) bekle-me-z-di-n, (sen) bekle-me-z mi-ydi-n; (siz) bekle-me-z-di-niz, (siz) bekle-me-z mi-ydi-niz.

c. -ymiş with participles. Compare the following forms and meanings with those given in (2)a, p223

Yürü-yor-muş.	He's (was) reportedly walking (walks, walked, used to walk, is (was) going to walk, has (had) been walking).
Yürü-yecek-miş.	He's (was) reportedly going to walk (will (would) walk).
Yürü-müş-müş.	He had reportedly walked.
Yürü-r-müş.	He reportedly walks (used to walk, walked, 'll ('d) walk).

(2)a' daki sözcüklerle.

ç.

+	(Ben) yürü-yor-muş-um.	+?	(Ben) yürü-yor mu-ymuş-um?
	(Biz) yürü-yor-muş-uz.		(Biz) yürü-yor mu-ymuş-uz?
	(Sen) yürü-yor-muş-sun.		(Sen) yürü-yor mu-ymuş-sun?
	(Siz) yürü-yor-muş-sunuz.		(Siz) yürü-yor mu-ymuş-sunuz?
	(O) yürü-yor-muş.		(O) yürü-yor mu-ymuş?
	(Onlar) yürü-yor-lar-mış.		(Onlar) yürü-yor-lar mı-ymış?
	I'm (was) reportedly (etc.) walking.		veya
			(Onlar) yürü-yor mu-ymuş-lar?
			Am (was) I reportedly (etc.) walking?
-	(Ben) yürü-mü-yor-muş-um.	-?	(Ben) yürü-mü-yor mu-ymuş-um?
	(Biz) yürü-mü-yor-muş-uz.		(Biz) yürü-mü-yor mu-ymuş-uz?
	(Sen) yürü-mü-yor-muş-sun.		(Sen) yürü-mü-yor mu-ymuş-sun?
	(Siz) yürü-mü-yor-muş-sunuz.		(Siz) yürü-mü-yor mu-ymuş-sunuz?
	(O) yürü-mü-yor-muş.		(O) yürü-mü-yor mu-ymuş?
	(Onlar) yürü-mü-yor-lar-mış.		(Onlar) yürü-mü-yor-lar mı-ymış?
	Reportedly (etc.) I'm (was) not walking.		veya
			(Onlar) yürü-mü-yor mu-ymuş-lar?
			Reportedly (etc.) am (was) I not walking?

Note (2) above also applies here.
(2) b' deki sözcüklerle.

d.

- <u>Nerede</u> oturuyordunuz?	- Where were you living (did you used to live, etc.)?
- <u>Nerede</u> mi oturuyorduk? Bebek' te.	- Where were we living? In Bebek.

The question suffix -<u>mi</u> follows question words or phrases which are underlined. Make necessary changes in possesive and person suffixes :

<u>Niçin</u> gelmeyecekmiş? - Parası yokmuş, onun için.

<u>Hangi kitabı</u> arıyordunuz? - Fizik kitabını.

<u>Kaç liran</u> kalmıştı? - Yirmi bin lira kadar.

<u>Hanginiz</u> Amerikalısınız? - Bu arkadaş.

<u>Nereniz</u> ağrıyor? - Boğazım.

<u>Kaç kişisiniz</u>? - İki. Bir ben, bir de arkadaşım.

<u>Neye</u> karar vermişmiş? - Otomobilini satmağa.

<u>Niye</u> satıyormuş? - Çünkü parası kalmamışmış.

<u>Nerelerden</u> geçeceğiz? - Bursa'yla Eskişehir'den.

<u>Neyle</u> seyahat ederlermiş? - Tren veya otobüsle.

<u>Kimin</u> sırası? - Herhalde senin.

<u>Kime</u> uğrayacaktın? - Oğuz'a.

<u>Saat kaçta</u> dönmüşler? - On ikiden sonra.

<u>Ne zaman</u> kahvaltı ederdiniz? - Yedi, yedi buçukta.

<u>Ne parası</u> lâzımmış? - Sinema parası.

<u>Nereye kadar</u> yürümüştünüz? - Hani küçük bir cami var ya, işte oraya kadar.

<u>Nasıl</u> konuşuyorlarmış? - Yavaş yavaş.

<u>Kaçta</u> tren var? - Bilmiyorum, vallahi.

<u>Kimden</u> telgraf aldınız. - Kızkardeşimden.

<u>Kaç yaşındaydı</u>? - On sekiz.

e.

Yürü-yor.	He's walking.	Yürü-yor-muş.	He says (I heard, etc.) he's (was) walking.
Yürü-yor-du.	He was walking.	Yürü-yor-muş.	
Yürü-yecek.	He's going to walk.	Yürü-yecek-miş.	He says (I heard, etc.) he's (was) going to walk.
Yürü-yecek-ti.	He was going to walk.	Yürü-yecek-miş.	
Yürü-müş.	He reportedly walked.	Yürü-müş-müş.	He says (I heard, etc.) he had walked.
Yürü-müş-tü.	He had walked.	Yürü-müş-müş.	

```
| Yürü-r.        He walks.          Yürü-r-müş.     He says (I heard, etc.)      |
|                                                   he walks (used to walk)?     |
| Yürü-r-dü.     He used to walk.   Yürü-r-müş.                                  |
|_____|
```

The following is Oğuz's account of his holiday. Report it to someone else making use of the above illustration. (See also Lesson 22, (2)d, p214). Forms which must be changed are underlined :

Tatilimi Antalya'da ağabeyimin yanında geçirecektim. Uçak biletimi almamıştım, ama bavulumu falan hazırlamıştım. Perşembe akşamı bir telgraf aldım. Ağabeyim mühim bir iş için İzmir'e gitmiş. Tabii ben de seyahatten vazgeçmek zorunda kaldım. Bir gün Beyoğlunda yürüyordum. Hans'a rastladım. Biraz konuştuk. Öbür arkadaşlarla beraber camileri, sarayları ve müzeleri gezmeğe karar verdik. Ertesi gün Topkapı Sarayı'nın önünde buluştuk. Sonra da bütün gün gezdik. Yabancılara İstanbul'un tarihî yerlerini göstermeği çok severim. Zaten eskiden de turistlere yardım ederdim. Hattâ İngilizceyi öyle öğrenmiştim. Bundan sonra onları her hafta başka bir yere götüreceğim. Meselâ pazar günü Boğaz'a gidiyoruz.

f.

```
| Bütün arkadaşlarım oradaydı.    |     All my friends were there.
| Arkadaşlarımın hepsi oradaydı.  |     All of my friends were there.
|_____|
```

/ kitaplar / mühim kâğıtlarımız / işçiler / öğrencileri / otobüs yolcuları / parası /
/ mektupların / tarihî yerler / gömlekleriniz / fizik notlarım / kadın ayakkabıları /
/ ayakkabılarım /

g.

```
| Bütün öğrenciler / orayı görmemişlermiş.  |   All students reportedly had not
| (=Bir tanesi bile görmemişmiş.)           |   seen that place. =Not even one had seen it.
|                                           |
| Bütün öğrenciler orayı görmemişlermiş.    |   Not all students had reportedly
| (=Yalnız birkaçı görmüşmüş.)              |   seen that place. =Only a few had seen it.
|_____|
```

Her sabah -> kahvaltı etmezdik.
Bütün Amerikalı arkadaşlarım / yoğurt sevmiyordu.
Bütün gece / odasında değilmiş.
Her gece / saat on ikiden evvel -> yatmıyormuşsunuz.
Bütün işçilerin / evi yoktu.
Bütün soruları / anlamamıştım.

Her zaman -> çok çalışmazlarmış.
Bütün gömleklerimiz -> temiz değildi.
Bütün eczanelerde -> o ilâç yokmuş.
Bütün sene / burada olmayacakmış.

(3) Konuşma alıştırmaları

a.
```
| - Oğuz nerede, biliyor musun?                        |
| - Biraz evvel gördüm. Odasında kitap okuyordu.       |
|_____|
```
-Where's Oğuz, do you know?
- I saw him a while ago. He was reading a book(s) in his room.

/ ders çalış / mektup yaz / bavullarını aç / radyo dinle / yat / birisiyle konuş /
/ seni bekle / dinlen / gazetelere bak / çay iç / derslerini hazırla / yeni elbiselerini
dene /

b.
```
| - Evinizi satacakmışsınız, doğru mu? |
|                                       |
| - Hayır, öyle bir niyetimiz yok.      |
|_____|
```
-I heard you're going to sell your
    house. Is it true?
-No, we have no such intention.

/ bayramı Bursa'da geçir / yeni bir araba al / fiyatları indir / tekrar Ankara'ya dön /
/ ona bazı şeyler tavsiye et / öğleden sonra çarşıya git / bütün akrabalarınızı davet
et / dönüşte onlara uğra / lüks bir otelde kal / ondan yardım iste /

c.
```
| - Hiç İngilizce konuşmaz mıymış?   |
|                                     |
|                                     |
| - Konuşurmuş, ama her zaman değil.  |
|_____|
```
-Didn't he used to (doesn't he) speak any
 English at all?
 (According to what you hear.)
-Apparently he did (does) but not all the time.

/ yardım et / erken kalk / ona rastla / o kızla buluş / camiye git / pazarlık et /
/ çalış / dans et / buradan geç / müzik dinle / uçağa bin / rakı iç /

ç.
```
| - Geçen yıl bizim sınıfta Kaya isminde bir çocuk vardı ya? |
| - Hani hep kızlarla gezerdi?                               |
| - Tamam. O işte. Birkaç güne kadar Amerika'ya gidiyormuş.  |
|_____|
```
-Last year there was a boy by the name of Kaya in our class. Remember?
-He always used to go around with girls?
-Right. That's the one. I heard he's going to the States in a few days.

/ Oğuz / Ahmet / Kemal / Osman / Burhan / Ömer / Turgut / Uğur / Cemal / Süleyman /

d. _____

Kathy : <u>29 ekim</u>de bayram mı var?	-Is there a holiday on October 29th?
Pınar : Evet.	-Yes.
Kathy : Ne bayramı?	-What holiday? (Holiday of what?)
Pınar : <u>Cumhuriyet</u> Bayramı.	-The Republic Day.

/ 19 Mayıs - Atatürk'ü Anma, Gençlik ve Spor / 30 ağustos - Zafer / gelecek hafta -
Şeker / 23 Nisan - Ulusal Egemenlik ve Çocuk / birkaç gün sonra - Kurban /

VI. YAZI - ÇEVİRİ

Altı çizili sözcüklerin anlamlarını tahmin edin / Guess the meaning of the underlined words:

1. 1956 yılında bir Fransız gazeteciler grubuyla beraber ben de <u>Çin</u>'i ve <u>Japonya</u>'yı ziyaret etmiştim.
2. Amerika'da üniversite öğrencilerinin pek çoğu <u>Noel</u> ve Yılbaşı tatillerini evlerinde anneleri, babaları ve kardeşleriyle beraber geçirir.
3. <u>Piknik</u> için kâğıt tabak bardak ve <u>plastik</u> çatal kaşık alalım. Yemeğimizi yer, atarız. Çok <u>pratik</u> olur.
4. Kathy'nin ders <u>programı</u> daha belli değilmiş, ama Türkçe'den başka Almanca, <u>tarih</u>, fizik ve <u>matematik</u> de almak istiyormuş.
5. Onun şakalarını hiç <u>komik</u> bulmuyorum.
6. Teyzemlerden bir <u>kart</u> aldık. Kurban bayramını geçirmek için İzmir'e gitmişler. Çok eğleniyorlarmış.
7. Uçağın <u>motor</u>larından biri durmuştu. Pilot yolculara,' Tekrar Roma'ya inmek zorundayız,' dedi.
8. <u>Pijama</u>mın ceketini buldum, ama pantalonunu nereye koymuşum hatırlamıyorum.
9. Eski evimizin büyük bir <u>balkonu</u> vardı. Sabahları, çayımızı orada içerdik.
10. Türkiye - <u>Yugoslavya</u> <u>voleybol</u> maçını görmeği çok istiyordum, fakat bilet kalmamış.

YİRMİ DÖRDÜNCÜ DERS - TEKRAR

(1) Konuşma alıştırmaları

a.

| Garson : Çayınızla <u>limon</u> arzu eder misiniz? |
| Oğuz : İstemem, teşekkür ederim. |

-Would you like lemon with your tea?
-No, (I don't want), thank you.

/ yemek - salata / kebap - yoğurt / pilav - ayran / köfte - pilav / kahve - su /
/ şiş kebap - şarap / bira - başka bir şey /

b.

| - Size bunu kim <u>verdi</u>? |
| - Geçen gün sizi birisiyle tanıştırmıştım ya? İşte o. |

-Who gave you this?
- Remember, I (had) introduced you to someone the other day? He (she)'s the one.

/ söyle / getir / sat / tavsiye et / öğret / anlat / sor / okut / göster / yaz /

c.

| - Size bunu kim <u>indirdi</u>? | -Who brought this down for you?
| - Arkadaşlardan birisi. | -One of my (the) friends.

/ hazırla / aç / kapa / çıkar / oku / öğren / iste / ara / bul / al / yaz / yap /

ç.

| - Dayısı ne iş yapıyor, bilmiyorum. |
| - Ben de emin değilim, ama galiba <u>doktor</u>. |

-I don't know what (work) his (maternal) uncle does.
-I'm not sure either, but I think he's a doctor.

/ kitapçı / denizci / profesör / kütüphaneci / odacı / elektrikçi / gazeteci / bankacı /
/ öğretmen / şöför / manav / kasap / bakkal / pilot / berber / polis / garson /

d.

| - Bu kitabı <u>pazartesiye kadar</u> bitirmek şart mıymış? |
| - Yok canım, bizim öğretmen öyle bir şey söylemedi. |

- Are we supposed (is it an absolute necessity for us) to finish this book by (until) Monday?
- No (not possibly), our teacher didn't say anything like that.

230

/ cumadan önce / salı gününe kadar / öbür güne kadar / bir haftada / gelecek
çarşambadan önce / yarın / birkaç güne kadar / 18 aralıktan evvel / bir iki güne kadar /
/ yılbaşından evvel /

e.

```
I - Gelin bakalım, çocuklar. Oturun. Bir çay içersiniz, değil mi?      I
I - Teşekkür ederiz, ama zahmet etmeyin.                               I
I - Zahmet falan değil. Çay hazır zaten. Konser kalabalık mıydı?       I
I - Hem de nasıl! Zor yer bulduk.                                      I
I_____I
```

   - Come on in boys (girls). Sit down. You'll have some tea, won't you?
   - Thank you, but don't go to any trouble.
   - No trouble at all. (It isn't trouble or anything.) In fact, the tea is ready. Was the concert
     crowded?
   - And how! We found seats (room) with (great) difficulty.

/ maç / sinema / park yeri / tren / otobüsler / tiyatro / kütüphane /
f.

```
I - Bana bunların hiç birisi lâzım olmayacak.      I
I - O halde, iki tanesini bize verir misiniz?      I
I - Gayet tabii. Hattâ isterseniz, hepsini alın.   I
I_____I
```

   - I'm not going to need any of these.
   - Then would (will) you give us two of them?
   - (Most) certainly. If you'd like, (you can even) take them all.

/ birkaç tane / yarı / biraz / bir iki tane / bir /
g.

```
I - Et almak için nereye gitmek lâzım?      I     -Where does one have to go to buy meat?
I - Kasaba.                                 I     -To the butcher's.
I_____I
```

/ ilâç - eczane / aspirin - eczane veya bakkal / bilezik - kuyumcu / kitap, defter, kalem
falan - kitapçı / tuz - bakkal / şeker - bakkal / şarap, rakı, bira gibi şeyler - bakkal /
/ balık - balıkçı / domates - manav / ayakkabı - ayakkabıcı /

(2) Çevirme alıştırmaları

a.1.

```
I (Biz) radyoyu kapatmıştık.      I      We (had) turned the radio off.
I_____I
```

/ (ben) / - / (sen) / -? / (siz) / -ymiş / (onlar) / (o) / +? / + /

2.

| (Biz) onları satıyorduk. |
|_____|

We were selling them.

/ - / (siz) / -? / (onlar) / (o) / -ymiş / +? / + / (ben) / (sen) /

3.

| (Biz) Yunanistan'dan geçecektik. |
|_____|

We were going to go through Greece.

/ +? / (sen) / -? / (siz) / -ymiş / (o) / (onlar) / - / (ben) / + /

4.

| (Biz) onlarla buluşurduk. |
|_____|

We used to see a lot of (meet) (get together with) them.

/ - / (ben) / (sen) / -? / (siz) / (onlar) / -ymiş / +? / (o) / + /

5.

| (Bizim) cevabımız doğruydu. |
|_____|

Our answer was correct.

/ +? / (siz) / (onlar) / -? / -ymiş / (ben) / - / (sen) / + / (o) /

6.

| (Bizim) zamanımız vardı. |
|_____|

We had time.

/ - / (ben) / (sen) / -? / -ymiş / (onlar) / (o) / +? / (siz) / + /

b. Olumsuz şekle çevirin / Change to the negative :

1. O gün çok işim vardı.
2. Eskiden Ankara'da oturuyorduk.
3. Erken kalkarlarmış.
4. Orada iyi vakit geçirmiş miydin?
5. Yolculuklarını anlatıyorlardı.
6. Laboratuvardaydılar.
7. Güney Amerika'dalardı.

232

8. Daha evvel aynı dersleri okutmuş muydunuz?
9. Dün evdeymişler.
10. O zaman sekiz yaşındaymışım.
11. Dayımlarda kalacakmışız.
12. Onlar öğrencilermiş.
13. Tekrar deneyecektik.
14. Bu elbiseler sizin çocuklarınızın mıydı?
15. Onlarla daha önce görüşmüş müymüşsünüz?
16. Bizi tanıyorlar mıymış?
17. Çocuklara siz bakardınız.
18. Londra'ya uğrayacaklarmış.
19. İşlerini çok dikkatle yaparlarmış.
20. Kararınızı hemen verecek miydiniz?

c. -mi' li soru şekline çevirin / Change to mi-questions :

1. Ertesi gün karar vermek zorundaymışlar.
2. O filmi bir defa seyretmiştik.
3. Beni beklemeyeceklerdi.
4. Oraya üçte varacakmışız.
5. Hiç dikkat etmiyormuş.
6. İkisi de aynıydı.
7. Onları bize göstermemişlermiş.
8. Bunlar onun da hoşuna giderdi.
9. Onlar Pınarlardı.
10. Uçak hemen kalkacaktı.
11. Hiç kızkardeşi yokmuş.
12. Eskiden de dondurma sevmezdiniz.
13. Kızılay'a kadar yürüyorlardı.
14. Türk müziğine meraklıymışlar.
15. Akşama kadar her şeyi hazırlayacaklardı.
16. Bunu size daha önce söylememiştik.
17. Orası uzak değildi.
18. Eskiden böyle düşünmezdin.
19. Bu bizimmiş.
20. Biz de onun gibiymişiz.

(3) Cevaplandırma alıştırmaları

1. Dün bize bir misafir geldi. Onu yemeğe götürmek istiyorum. Hangi lokantayı tavsiye edersiniz?
2. Acaba yer için telefon etmek lâzım mı?
3. Akşam yemeğinizi kaçta yiyorsunuz?
4. Türkler akşam yemeklerini erken mi yiyorlar, geç mi?
5. Yemeklerden önce veya sonra ne içersiniz?
6. Peki, ya yemeklerinizle beraber ne içersiniz?
7. Türkiye'de yemekte neler içiyorlar?
8. Kahvaltıda?
9. Peki, siz kahvaltıda ne içiyorsunuz?
10. Şimdiye kadar hangi Türk yemeklerini denediniz?
11. Dün bir arkadaşımla ucuz lokantalardan birinde yemek yedik. Döner yetmiş bin lira, ayran on beş bin lira, baklava da yirmi bin lirydı. İkimiz de dönerle baklava yedik. Ben bir de ayran içtim. Garson geldi, bizden iki yüz kırk beş bin lira aldı. Şu hesabı bir de siz yapar mısınız?
12. Hesap doğru muymuş, yanlış mıymış?
13. Ne kadar fazla para vermişiz?
14. Ayranı neden yapıyorlar?
15. Ya yoğurdu?
16. Bazan biz kahvaltıda süt içiyoruz. İçine de şeker koyuyoruz. Siz sütü nasıl içersiniz?
17. Bayramlarda ve hafta tatillerinde ne yaparsınız?
18. Buralarda dinlenmek için güzel yerler var mı?
19. Neyle seyahat etmeği seversiniz?
20. İstanbul'un tarihi yerlerinden hangilerini gördünüz?
21. Gelecek tatilinizi nerede geçirmeği düşünüyorsunuz?
22. İstanbul-Ankara tren yolu hangi şehirlerden geçiyor?
23. Tren yolculuğu mu hoşunuza gidiyor, uçak yolculuğu mu?
24. Hostesler uçakta ne çeşit işler yaparlar?
25. Saraylarda eskiden kimler otururmuş?
26. Sultanlardan hangilerinin isimlerini biliyorsunuz?
27. Türkler İstanbul'u kaç senesinde almışlar?
28. Yani kaç sene önce?
29. İstanbul'da eğlence yerlerinin çoğu nerede?
30. Kravatınızın rengi çok hoşuma gidiyor. Nereden aldınız?
31. Hangi mağazalardan alışveriş yapıyorsunuz?

32. Şimdi yanınızda ne kadar para var?

33. Bu parayla neler almak mümkün?

34. Ahmet Efendi'nin beş yüz bin lirası varmış. Bakkaldan iki kilo şekerle, üç tane limon, kasaptan da bir buçuk kilo et almış. Şekerin kilosu otuz bin lira, limonun tanesi iki bin lira, etin kilosu da iki yüz elli bin liraymış. Acaba Ahmet Efendi'nin kaç lirası kalmış?

35. Türkiye'de ağustos ayında kaç ulusal bayram var?

36. Neler?

37. Şeker ve Kurban bayramları her sene on gün önce mi geliyor, on gün sonra mı?

38. Noel aralığın kaçında?

39. 29 ekimde hangi bayram var?

40. Ulusal Egemenlik ve Çocuk Bayramı hangi ayın yirmi üçünde?

41. Avrupa'nın büyük şehirlerinden birkaçının ismini söyleyin.

42. Bu şehirlerin hangilerini gördünüz?

43. Türkiye'nin nüfusu ne kadar?

44. Çin'de kaç yüz milyon kişi var?

45. Siz kaç kardeşsiniz?

46. Kardeşlerinizin isimleri ne?

47. Benim birçok yakın akrabalarım, yani teyzelerim, amcalarım falan var. Sizin de var mı?

48. Kimler?

49. Nerelerde oturuyorlar?

50. Benim saatim yanlış galiba. Sizin saatiniz kaç?

(4) Değiştirme - çeviri

a. Altı çizili sözcüklerin yerine karşıt anlamlı sözcükleri koyun ve cümleleri İngilizce'ye çevirin. / Replace the underlined words by their semantic opposites and translate each sentence :

1. Tarih profesörünüz çok yaşlıymış, öyle mi?

2. Niye oraya o kadar geç gitmişlermiş?

3. Burası çok pahalı bir mağaza.

4. Şurası hanımlar için.

5. Fizik öğretmeninin oğluyla çok iyi arkadaşız.

6. O evi kaça satıyorlarmış?

7. Kısa bir yolculuktan sonra köye varmışlardı.

8. Pembe bulüzünüzle siyah eteğiniz çok güzel gidiyor.

9. Şu adamı görüyor musun? Tam doksan sekiz yaşındaymış.

10. Seni büyükbabamla tanıştırmamış mıydım?

11. Hemen <u>başla</u>mağa karar vermemiş miydik?

12. Dolmuş şöförüne, 'Ben <u>bin</u>miyorum,' dedim.

13. Köşede <u>eski</u> bir bina var ya? Pınarların okulu orasıymış.

14. Matematikten her zaman <u>fena</u> notlar alırdım.

15. Onu da partiye <u>getir</u>mek niyetindelermiş.

16. Herşeyi <u>yavaş yavaş</u> yaparlardı.

17. Nedense, vapurda hiç <u>ihtiyar</u> yolcu yoktu.

18. <u>Aşağı</u>da gayet modern bir fizik laboratuvarımız var.

19. Benim kahveme <u>az</u> şeker koyun, lütfen.

20. 'Radyoyu <u>aç</u>' demiştim, ama duymadın galiba.

21. Bütün vaktini <u>kız</u> arkadaşıyla beraber geçiriyormuş.

22. Türkiye'nin <u>güney-batı</u>sında hakikaten fevkalâde güzel yerler göreceksiniz.

23. O dükkânda <u>kadın</u> elbiselerinin her çeşidini bulursunuz.

24. Cevaplarımızın hepsi <u>yanlış</u>mış.

25. Gönül'ün küçük kardeşleri <u>önü</u>müzden yürüyorlardı.

26. Size saat on<u>a</u> çeyrek <u>kala</u> muhakkak telefon ederiz.

27. Pilot olmak o kadar <u>kolay</u> bir şey değilmiş.

28. <u>Abla</u>sının kazağı ona büyük geliyor.

29. Evlerinin <u>sol</u>unda bir kitapçı, tam karşısında da büyük bir bakkal dükkânı varmış.

30. Öğrencilerin çoğu okula <u>yakın</u> yerlerde oturuyormuş.

31. Dışarısı çok mu <u>sıcak</u>mış?

32. Bu, <u>geçen</u> haftanın radyo programı, değil mi?

33. Öğleden sonra <u>anne</u>siyle bir yere gidecekmiş.

34. Eskiden burada şubattan <u>önce</u> kar yağmazdı.

35. Önce siz mi <u>gir</u>miştiniz, onlar mı?

36. İsterseniz, çaylarımızı <u>dışarı</u>da içeriz.

37. Tiyatro biletlerinizi benim masamın <u>altı</u>nda buldum.

38. Çocuğa ayakkabılarını <u>giy</u>mek zor geliyordu.

39. Sizde bu defterlerin <u>büyük</u>lerinden yok mu?

40. Turistlere <u>Güney</u> Kıbrıs'a girmek için vize lâzım mı?

b. Örnekte olduğu gibi, bazı sözcüklerin yerine başkalarını koyarak aşağıdaki cümlelerde anlam yanlışlarını düzelt / As in the example below, replace certain words by others to correct the factual errors in the following sentences :

| <u>Bakkal</u>dan bize de bir kilo <u>et</u> alır mısın? |
| .... |
| <u>Kasap</u>tan bize de bir kilo et alır mısın? |
| <u>veya</u> |
| Bakkaldan bize de bir kilo şeker alır mısın? |

1. İstanbul'dan New York'a otobüsle gitmek niyetindeyiz.
2. Ahmet Bey bulüzüyle eteğini çıkardı iskemlenin üstüne koydu.
3. Beyaz insanlar Amerika'ya ilk defa 1645'te gitmişlerdi.
4. Yeni sekreterimiz şubatın otuzunda işe başlamıştı.
5. Bizim köyün kadınları akşamları kahvede oturur, çay falan içerler.
6. Babamın ablası, yani teyzem tatilini geçirmek için bize gelecekmiş.
7. Türkiye'nin güneyinde büyük bir göl göreceksiniz. İşte Van Gölü, orası.
8. Sabahları hemen elbiselerimizi çıkarır, pijamalarımızı giyer, ve dolmuşla okula geliriz.
9. Hayret! Hâlâ gelmediler. Halbuki on ikiye kırk beş kala burada olacaklardı.
10. Ankara'da Anıt-Kabir'i ve Topkapı Sarayını gezdik. Çok beğendik.

(5) Tamamlama - çeviri

a. Boş yerlere -de, -dén veya -ye koyun ve cümleleri İngilizce'ye çevirin. / Put -de, -dén, or -ye in the blank spaces and translate each sentence :

1. Yol_____ kimleri gördünüz?
2. Şimdi_____ kadar neredeydiniz?
3. Bizim uçak Kahire'_____ inmeyecekti.
4. Oraya bisikletle gitmek_____ vazgeçtim.
5. Pazar günü_____ sonra epeyce vaktimiz olacak.
6. Bu sıcakta palton sen_____ fazla gelmiyor mu?
7. Boğaz_____ vapurla gezeceklermiş.
8. Gençliği_____ çok güzelmiş.
9. Atina'dan Roma'_____ geçtik.
10. Hayatım_____ bu kadar lüks bir otelde kalmamıştım.
11. Sakın bunları başkaları_____ göstermeyin.
12. Şu kahveler_____ birinde oturur, bir çay içeriz.
13. Ne yapmak_____ karar verdiniz?
14. Bugün çok çalışmak niyeti_____ değilim.
15. Topkapı Sarayı_____ doğru yürüdük.
16. Dönüş_____ de aynı uçakla mı geleceksiniz?
17. Adresinizi Ahmet Efendi_____ öğrenmişler.
18. Yanınız_____ bir kalem var mı?
19. O_____ önce sıra kimdeymiş?
20. Bizim üniversitede de o dersi okutmak_____ başladılar.
21. Elektrik ve su paralarını kaç ay_____ bir veriyorsunuz?
22. Sis_____ şu öbür binayı görmek mümkün değildi.

23. Arkamız_____ birisi mi geliyor?

24. Bu işi bir hafta_____ kadar bitiririz inşallah.

25. Kâğıtlarımızı yer_____ kim attı?

b. Parantez içindeki sözcükleri tercüme ederek aşağıdaki cümleleri tamamlayın. İki ihtimal olan yerlerde her iki sözcüğü de verin (örnek : yukarı veya yukarıya, burayı veya burasını) / Complete the following sentences by translating the words in parentheses. Give both words wherever there are two possibilities (e.g. yukarı or yukarıya, burayı or burasını) :

1. (that place) daha evvel görmüş müydünüz?

2. (inside) mi girmek istiyorlarmış?

3. (what places) ziyaret etmek niyetindesiniz?

4. (outside) çok soğuk galiba.

5. (here) bakın, lütfen.

6. (that place over there) kimin evi?

7. (what place) uğrayacaklarmış?

8. (outside) kaç kişi bekliyor?

9. Hâlâ (from inside) çıkmadılar.

10. (here) iki tane iskemle var.

11. (there) kadar yürümek ister misiniz?

12. (upstairs) çıktı, yattı.

13. (downstairs) niçin bu kadar soğuk?

14. (outside) çıkma. Üşüyeceksin.

15. (this place) ne zaman hazırlayacaklar?

c. Parantez içinde verilen sözcükleri iyelik grupları şeklinde birleştirerek aşağıdaki cümleleri tamamlayın / Complete the following sentences by combining the words given in parentheses to form possessive constructions :

1. (siz - resimler - birçok) ondaymış.

2. (babanız - maç bileti - numara) kaçtı?

3. (hastane - ziyaret saatları) öğleden sonraydı.

4. (babam - hayat - yirmi sene) denizlerde geçmiş.

5. (biz - Üsküdar - sokaklar) hoşunuza gidecek.

6. (Kurban Bayramı - ilk gün) muhakkak büyükbabasını ziyaret eder.

7. (siz - Fatma Hanım - oğul) üniversitede okuyormuş.

8. (bura - nüfus - çok) başka yerlerden gelmiş.

9. (sen - o arkadaş - bazı şakalar) çok komikti.

10. Onların yaşı (biz - yaş - yarı) kadarmış.

(6) Karşılaştırmalı çeviri

a.1. Bunların hangisi sizin, hangisi bizim?

How many of those are mine, how many hers?

2. İkimiz de o gece çok eğlenmiştik.

All three of them had studied (a) little that day.

3. Otobüste matematik öğretmenlerinden biri(si)ne rastladım.

I entered one of the jewelry shops in the Covered Bazaar.

4. Size birisinin ev adresini soracaktım.

(It seems) he's going to bring me someone's physics book.

5. Paramızı her zaman ayın birinde alırdık.

Every year they used to finish their classes in the middle of June.

6. Amcasından başka hiç bir akrabası yoktu.

(Reportedly) he had (has) nothing except for his books.

7. Pazarda bunların kilosunu yedi bin beş yüz liraya satıyorlardı.

I used to buy (was buying) these at Ulus for ten thousand lira apiece.

8. Uğur'un odasında bir iki fazla iskemle varmış.

There were no extra pencils on the teacher's table.

9. İçimizde yalnız iki arkadaş İngilizce biliyordu.

Only one of them (among them only one person) understood (was understanding) Italian.

10. Dokuz buçuğa kadar evde olacaktık.

They were outside until twelve thirty.

b.1. Which one of these is yours, which is ours?

Onların kaçı (kaç tanesi) benim, kaçı (kaç tanesi) onun?

2. We both had a lot of fun that night.

(Onların) üçü de o gün az çalışmışlardı.

3. I ran into one of the math teachers on the bus.

Kapalıçarşı'da kuyumcu dükkanlarından biri(si)ne girdim.

4. (It seems) he's going to ask you someone's home address.

Bana birisinin fizik kitabını getirecekmiş.

5. We always used to get our money on the first (day) of the month.

Her sene (yıl) derslerini haziranın ortasında bitirirlerdi.

6. He had no relatives except his uncle.

Kitaplarından başka hiç bir şeyi yokmuş.

7. They were selling these for 7500 lira a kilo in the market place.

Ulus'ta bunların tanesini on bin liraya alıyordum.

8. (It seems) there are (were) a couple of extra chairs in Uğur's room.

Öğretmenin masasında hiç fazla kalem yoktu.

9. Only two of us (among us only two friends) spoke (was knowing) English.

İçlerinde yalnız bir kişi İtalyanca anlıyordu.

10. We were going to be at home till half-past nine.

Yarıma kadar dışarıdaydık.

(7) Okuma - cevaplandırma

Aşağıdaki parçayı dikkatle okuyun. Sonra kitaplarınızı kapayıp öğretmeninizin soracağı soruları cevaplandırın / Read the following text carefully. Then close your books and answer the questions which your teacher will ask :

Pınar'ın babası Turgut Uysal isminde fevkalâde iyi bir insan. Gençliğinde doktor olmak istiyormuş, fakat sonra vazgeçmiş, tarih okumağa başlamış. 1921 senesinde üniversiteyi bitirmiş. Türkiye'nin birçok şehirlerinde çalışmış. Geçen seneye kadar da İstanbul Üniversitesinde tarih profesörüymüş.

Cumhuriyetin ilk yıllarında, Turgut Bey Ankara okullarından birinde ders veriyormuş. Bir gün Atatürk, yanında bazı arkadaşlarıyla beraber okula uğramış. Tarih dersini de dinlemek istemiş. Dersten sonra Atatürk Turgut Bey'e teşekkür etmiş ve arkadaşlarına, 'İşte Türkiye'ye böyle öğretmenler lâzım,' demiş.

Şimdi Turgut Bey doksan yaşında. Bütün vaktini odasında okumak ve yazmakla geçiriyor. Her bayram eski öğrencileri gelir, onu ziyaret ederler.

1. Pınar'ın babasının ismi ne?
2. Turgut Bey nasıl bir insan?
3. Gençliğinde ne olmak istiyormuş?
4. Peki, sonra ne olmuş?
5. Üniversiteyi ne zaman bitirmiş?
6. Türkiye'nin hangi şehirlerinde çalışmış?
7. Ne zamana kadar profesörmüş?
8. Ne profesörüymüş?
9. Hangi üniversitede?
10. Cumhuriyetin ilk yıllarında neredeymiş?
11. Orada ne yapıyormuş?

12. Atatürk nereye uğramış?
13. Atatürk'ün yanında kimler varmış?
14. Atatürk hangi dersi dinlemek istemiş?
15. Dersi beğenmiş mi?
16. Arkadaşlarına ne demiş?
17. Peki, Turgut Bey'e ne demiş?
18. Turgut Bey şimdi kaç yaşında?
19. Vaktini nasıl geçiriyor?
20. Bayramlarda onu kimler ziyaret ediyor?

(8) Oyun

1. <u>Making small words out of a large word</u>. The teacher writes a long Turkish word or phrase (such as a person's first and last name) on the blackboard. Each student tries to make as many correct small words as he can using the letters in the long word or phrase. A given letter may be used in a short word only as many times as it appears in the long word. All words must be regular words (not suffixes alone) found in the dictionary.

Example : <u>Pınar Uysal</u> - su, sarı, para, salı, nasıl, etc.

2. <u>Word order game</u>. The teacher writes the following across the blackboard :

time   place

Adjective - noun - -<u>yle</u> - adjective - noun - adverbial - adverbial - verb stem

Following this list, each student first writes an adjective on the left side of a sheet of paper. He then folds his paper to conceal the word and passes it to the left. Each student now writes a noun (common or person name) on the paper he has received, folds it and passes it on. This continues until each type of word or phrase designated on the blackboard has been written. The students then open out the papers and take turns completing the resulting sentences by making appropriate additions and corrections.

Example : temiz - Ahmet - yeşil - Sevim - dün gece - müze - yüz

        Temiz Ahmet'le yeşil Sevim dün gece müzede yüzdüler.

GLOSSARY

Index to the glossary :

1. General vocabulary
2. Personal names
3. Place names
4. Cultural words and expressions
5. List of suffixes used in Volume I

Numbers after the Turkish words indicate the lessons in which they were first used. In the case of suffixes, numbers refer to the lessons where they were treated in full. Optional reverse vowel harmony which occurs after words ending in -at is shown by (i). Thus, saat (i) indicates the variations saat-i , saat-ı , saat-e and saat-a.

1. General vocabulary

A

a   bir / bir, bi / 2
above   yukarıda / yukarda / 8
         yukarıya 20
absolutely   muhakkak 21
account   hesap (a:, b) 19
ache v.   ağrı- 17
actor   artist 16
actress   artist 16
actually   zaten / za:ten / 16
address n.   adres 11
admire (like)   beğen- 16
adult   büyük 22
adventageous (good, lucky)   hayırlı 21
affair   iş 21
after   -den sonra 20
afternoon (in the afternoon)   öğleden sonra 21
again   bir daha / bi daa / 4, tekrar (a:) 23
age   yaş 21
air   hava 8
airman   havacı 19

alive (living)   sağ 7
all   bütün 23

    all of them, they all, all of it, it all   hepsi 17
    all of you, you all   (sizin) hepiniz 17
    all of us, we all   (bizim) hepimiz 17
    all four (five, etc.) of them   (onların) dördü (beşi, vs.) de   19
    all right   peki (pek iyi) / peki: /   7

    all the time   hep 2
also (too)   de / de \ / 5
also (in addition)   bir de 17
always   hep 2, her zaman 11
amazement   hayret 15
America, the United States   Amerika 2
American (person) n.   Amerikalı 2
American adj.   Amerikan 14
among (us, you, them)   içimizde, içinizde, içlerinde 22
amount (in the amount of)   kadar 11
amusement   eğlence 21
and   ve 5, de / de-> / 5, -yle 20
answer n.   cevap (a:, b) 9
answer v.   (-ye) cevap ver- 9
another   başka (bir) 19
anything   hiç bir şey 14
April   nisan 10
Arab   Arap (b) 2
Arabic   Arapça 3
arithmetic   hesap (a:, b) 19
arm   kol 17
arrive   (-ye) var- 21
as   gibi 20

    as a matter of fact   zaten / za:ten / 16
    as far as (distance)   -ye kadar 22
    as for   de / de-> / 5
ask (a question)   (-ye soru) sor- 15
ask (for something)   iste- 11
aspirin   aspirin 22
assistant   yardımcı 19
astonishment   hayret 15

at   -de 4

at all   hiç 3
athlete   sporcu 23
attention   dikkat (i) 17

   pay attention   dikkat et- 17
August   ağustos 10
aunt   teyze (mother's sister) 22, hala (father's sister) 22
aunt(-in-law)   yenge (uncle's wife) 22

B

back (the space at the back)   arka 17
bad   fena / fena: / 17
badly   fena / fena: / 17
balcony   balkon 23
bank banka 21
banker, bank official   bankacı 23
barber   berber 22
bargain v.   pazarlık et- 20
bargaining   pazarlık 20
bathroom, toilet   tuvalet 19
be   ol- 7
   be careful   dikkat et- 17
   be late   geç kal- 2
   be pleased   memnun ol- 7
   be sure   emin ol- / emi:n ol / 20
   be too much (for)   (-ye) fazla gel- 22
beautiful   güzel 4
beautifully   güzel 4, 20
because   çünkü 7
   because of   -den 23
become   ol- 7
   become ill   hastalan- 15
beer   bira 14
before   evvel 13, -den önce 20
begin   (-ye) başla- 4
beginning   baş 23

clean adj.　temiz　22

clear (known)　　belli　21

clock　　　saat (i)　22

　　　clock seller (maker, store)　　saatçi　23

close v.　　kapa-, kapat-　23

closed　　　kapalı　20

clothes　　　elbise / el'bi:se /　23

club　klüp (b)　22

coat　manto (ladies' coat)　23, palto (men's top coat)　23

coca-cola　　koka kola　14

coffee　　　kahve　16

coffee-house　　　kahve　22

cold　　　soğuk　8

　　　be (feel) cold　　üşü-　16

　　　catch cold, have a cold　　soğuk al-　17

color n.　　renk (g)　13

come　　　gel-　7

　　　come back, return　　dön-　20

　　　come down, fall　　düş-　17

　　　come on, come!　　　haydi / hadi /　20

　　　come out　　　(-den) çık-　15

comfortable　　　rahat　5

command n.　　em(i)r　19

commemoration　　　anma　23

compulsion　　　zor　23

　　　be compulsed, be forced to　　-mek zorunda kal-　23

concert　　konser　21

condition, absolute necessity　　　şart　20

cool　　　serin　16

corner　　　köşe　20

correct adj.　doğru　5

correctly　　doğru　20

(a) couple　　bir iki　17

covered　　kapalı　20

crowd　　　kalabalık　22

crowded　　　kalabalık　22

Cyprus　　　Kıbrıs　20

D

damage	zarar 17	
dance n.	dans 20	
dance v.	dans et- 20	
daughter	kız 4	
day	gün 14	
one day, some day	bir gün 20	
the day after tomorrow	öbür gün 21	
December	aralık 10	
decide	(-ye) karar ver- 23	
decision	karar (a:) 23	
definitely	muhakkak 21	
delicious	nefis 14	
desire n.	arzu 19	
desire v.	arzu et- 19	
desk	sıra 22	
dessert	tatlı 22	
different	başka 19	
difficult, hard	zor 5	
with difficulty	zor 20	
dinner	yemek 20, akşam yemeği 21	
direction (side)	taraf 11	
disappear (pass)	geç- 17	
discuss (talk together)	görüş- 7	
dish	yemek 19	
disturb	rahatsız et-	
disturbed (uncomfortable)	rahatsız 8	
do	yap- 9	
doctor (physician)	doktor 17	
school doctor	okul doktoru 17	
dollar	dolar 21	
door	kapı 13	
door keeper (concierge)	kapıcı 19	
down	aşağı / aşai, aşa: / 20	
downstairs	aşağıda / aşa:da / 8 , aşağı(sı) / aşa:(sı) / , aşağıya / aşa:ya / 20	
downtown	çarşı 20	
drawing room	misafir odası 21	
dress n.	elbise / el'bi:se / 23	

film   fil(i)m 16

find   bul- 5
    find out   öğren- 23

fine   iyi 1

finish   bitir- 15

fire   ateş 22

first   ilk (adj.) 11, önce (adv., first of all) 16

fish n.   balık 19
    swordfish   kılıç (c), kılıç balığı 19
    fisherman, fish seller (shop)   balıkçı 19

five   beş 2

floor   yer 22

fog   sis 16

following, next   ertesi 21

food   yemek 19

for   için 7, -ye 11
    for example, for instance   meselâ / mesel'a: / 20
    for now   şimdilik / şindil'ik' / 2
    for that reason, that's why   onun için 19

foreign   yabancı 2

forgive   affet- 4

forget   unut- 15

fork   çatal 19

former   eski 19

formerly, previously, earlier, before   daha evvel 13

formerly (in the old times)   eskiden 23

fortress   kale 22

forty   kırk 7

four   dört (d) 2

fourteen   on dört (d) 7

France   Fransa 14

French (language)   Fransızca 3

Frenchman, French   Fransız 2

frequently   sık sık 17

Friday   cuma / cuma: / 14

friend   arkadaş 2

from   -den 11

front (the space in front)   ön 17
    in front of   önünde 17, önünden 23

fun   eğlence 21

    Have fun!   İyi eğlenceler! 21

    have fun   eğlen- 23

funny   komik 23

furthermore, in addition üstelik 19

G

gain n.   kâr (a:) / k'ar / 20

game, play oyun 19

gentleman bey 3

German   Alman 2

German (language)   Almanca 3

Germany   Almanya 14

get   al- 11

    get in   (-ye) bin- 11

    get out (of a car, etc.)   (-den) in- 15

    get sick   hastalan- 15

    get together   buluş- 23

    get up   kalk- 22

girl   kız, kız çocuk 4

give   ver- 9

    give up   (-den) vazgeç- 23

glass   bardak 19

go   git- 4

    go across to   (-ye) geç- 22

    go around   gez- 2

    go back, return   dön- 20

    go by way of, go through   (-den) geç- 21

    go down, fall   düş- 17

    go (come) in   (-ye) gir- 11

    go out   (-den) çık- 15

    go past   (-yi) geç- 11

    go to bed   yat- 17

    going to (future)   -yecek 10

God   Allah 16

goldsmith   kuyumcu 20

good   iyi 1, hayırlı 21

goodbye   allahaısmarladık / allasmaladık / (said by the person leaving) 2, güle güle (said by the person staying) 2

good heavens   aman 2

Good morning.   Günaydın. 1

goodness   iyilik 7

grade   not 22

grandfather   büyükbaba 22

grandmother   büyükanne 22

great   büyük 22

Greece   Yunanistan 20

green   yeşil 13

greeting   selâm (a:) / sel'ám / 17

   send greetings, say ' hello'   selâm söyle- 17

grill, grilled   ızgara 19

grocer, grocery shop   bakkal 20

ground   yer 22

group   grup (u:, b) 21

guest   misafir / misa:fir / 8

H

half   buçuk 6, yarı 22

   at half past four   dört buçukta 7

   first half of the book   kitabın ilk yarısı

handbag   çanta 23

happen (to)   (-ye) ol- 15

hard, difficult   zor 23

harm   zarar 17

hat   şapka 23

have   -de... var 10, -im (-imiz, vs.) var 20

   have not   -de... yok 10, -im (-imiz, vs.) yok 20

he   o 5

head   baş 17

health   sağlık 7

hear   duy- 15

hello   merhaba 1, alo (talking on the telephone only) 7

help n.   yardım 5
help v.   (-ye) yardım et- 5
helper   yardımcı 19
her   o 5, onu 13
her (possessive)   (onun) ...-si(n-) 17
here   burada / burda / 5, buraya / burıya / 9, burası 19
        around here, in these parts   buralarda 13
Here!   İşte! 16
hers   onun 19
highway   yol 21
him   o 5, onu 13
his (possessive adj.)   (onun) ...-si(n-) 17
his (possessive pronoun)   onun 19
historical   tarihî / ta:rihî: / 23
history   tarih / ta:rih / 23
holiday   tatil / ta:til / (vacation) 21, bayram (national or religious) 21
hospital   hastane / hasta:ne / 21
hot   sıcak 8
hotel   otel 5
        hotel keeper (manager)   otelci 19
hour   saat (i) 2
        for two hours, for a long time   iki saat (figurative) 16
house   ev 8
how   nasıl 1
        how much (many)   kaç 2
        for how much   kaça 11
however   halbuki / hal'buk'i / 22
human   insan 22
hundred   yüz 7
hungry   aç 22
        I'm hungry.   Karnım aç. ' My stomach is hungry.' 22
hurt (ache)   ağrı- 17

I

I   ben 1, -yim 8, -m 14
ice-cream   dondurma 19
ice-cream man (shop)   dondurmacı 19
illness   hastalık 17

J

July   temmuz 10

June   haziran / hazi:ran / 10

junkman (used goods salesman)   eskici 19

just adv.   yeni 14

     I've just started.   Yeni başladım.

     just a while ago   biraz evvel 15

K

kilogram   kilo 19

kilometer   kilometre 19

kind   çeşit (d) 20

kitchen   mutfak 14

knife   bıçak 19

know   bil- 3

known, clear   belli 21

L

laboratory   laboratuvar 21

laborer   işçi 23

lady   hanım 4

lake   göl 21

land v.   in- 23

large   büyük 5

last adj.   geçen 21

     last night   dün gece 21

late geç 2

     be late   geç kal- 2

learn   öğren- 3

Lebanon   Lübnan 20

left adj.   sol 11

leftist   solcu 19

leg bacak 17

lemon   limon 19

lemonade   limonata 19

letter   mektup (b) 13

library   kütüphane / kütüpa:ne / 17

librarian   kütüphaneci / kütüpa:neci / 19

lie (down), stay in bed, go to bed   yat- 17

M

me   ben, beni 13

meal   yemek 19

meat   et 19

    meat ball   köfte 19

medicine   ilâç (c) / il'aç / 17

meet   buluş- 23

    meet by chance, run into   (-ye) rastla- / rastla, rasla / 23

menu   yemek listesi 19

middle   orta 21

midnight   gece yarısı 22

milk   süt 19

milkman   sütçü 19

million   milyon 7

mine   benim

minute   dakika / dak'i:ka, dakka / 5

Miss   Hanım (used after first names) 4

miss v.   kaçır- 16

mistake   yanlış 8

misunderstand   yanlış anla- 8

modern   modern 22

Monday   pazartesi 14

money   para 20

month   ay 10

monument   anıt 22

moon   ay 22

more   daha / daa / 4

    once more   bir daha / bi daa / 4

    some more, any more   başka 20

moreover, and also   hattâ / hatta: /, hem de 22

morning   sabah 4

    Good morning.   Günaydın. 1

    in the morning   sabah 17

mosque   cami / ca:mi / 23

motel   motel 20

mother   anne 8

motor   motor 23

mountain   dağ 21

not   değil / diil' / 3, -me 7
notebook   defter 9
nothing   hiç bir şey 14
notice v.   dikkat et- 17
November   kasım 10
now   şimdi / şindi / 4
number   numara 11

O

October   ekim 10
of   -nin 17, -den (partitive) 14
oh (surprise)   oo / o:o / 4
    oh (I see.)   haa / ha:a / 4
    oh no   aman 2
    oh; oh, well   eh 17
    oh; oh, yes   haa / ha:a / 23
OK   peki (pek iyi) / pek'i: / 7, olur 20
old   ihtiyar, yaşlı 21, büyük 22 (for people), eski (referring to things) 19
    thirty years old   otuz yaşında 21
on   -de 4, üstünde 17, üstüne 17
once (one time)   bir defa / bir defa: / 21
    once a week   haftada bir (defa) 21
one   bir 2, insan 22
    one or two, a couple   bir iki 17
only   yalnız 7, 8
open v.   aç- 23
opposite (side, direction)   karşı 20
or   veya / veya: / 20, mi...mi 9
orange   turuncu (color) 13, portakal (fruit) 14
    orange juice   portakal suyu 14
order n.   em(i)r 19
other   öbür 2, başka 19
    other than   -den başka 20
    others   başkaları 20
    the other day (morning, evening, night)   geçen gün (sabah, akşam, gece) 21
our   (bizim)...-imiz 17
ours   bizim 19
outside   dış 17, dışarı(sı), dışarıda / dışarda /, dışarıya 20

P

pain (trouble)   zahmet 5

pajamas   pijama 23

Pakistan   Pakistan / Pa:k'istan / 20

palace   saray 23

pants   pantalon 23

paper   kâğıt (d) / k'aat, k'aıt / 10

park n.   park 22

park v.   park et- 22

particularly   hele 22

party   parti 13

pass (disappear)   geç- 17

    pass (go past)   (-yi) geç- 11

    pass on (over)   (-ye) geç- 22

passenger   yolcu 23

passport   pasaport 20

pencil   kalem 9

people   kişi 8, 23; insanlar 23

pepper   biber 19

perhaps   belki 5

person   kişi 8, 23; insan 22

pharmacy, drugstore   eczane / ecza:ne / 20

photographer, photo shop   resimci 19

physics   fizik 21

physicist, physics teacher   fizikçi 23

piano   piyano 21

picnic   piknik 23

picture   res(i)m 19

pilot (of a plane)   pilot 22

pink   pembe 13

place   yer 5, 21

plan   niyet 21, plan 21

plane   uçak 20

plastic   plastik 23

plate   tabak 19

play, game   oyun 19
player   oyuncu 19
please   lütfen 14
       Please (come in, etc.)   buyrun 3
pleased   memnun 7
police, policeman   polis 22
population   nüfus (u:) 22
possible   mümkün 20
postcard, card   kart 23
postman   postacı 23
post office   postane / posta:ne / 13, PTT / pe te te / (posta, telgraf, telefon) 13
potato   patates 20
practical   pratik 23
prepare   hazırla- 23
presumably   galiba / gal'ba: / 8
pretty   güzel 4
previously   daha evvel 13
price   fiyat 20
probably   her halde / heral'de / 7
problem   problem 20
professor (at a university)   profesör 21
profit n.   kâr (a:) / k'ar / 20
       make profit   kâr et- / k'a:ret / 20
program   program 23
purple   mor 13
purse   çanta 23
put   koy- 11
       put on (clothes)   giy- 16

Q

quarter   çeyrek 20
quick, quickly   çabuk 9
       (very) quickly   çabuk çabuk 9
quite   epeyce / epi:ce / 19, pek 20

R

road   yol 21

room   oda 5

room (place)   yer 22

     roommate   oda arkadaşı 21

row n.   sıra 16

run into, meet by chance   (-ye) rastla / rastla, rasla / 23

run out   bit- 23

Russia   Rusya 14

Russian (language)   Rusça 3

Russian (people)   Rus 2

S

sacrifice n.   kurban 23

     Holiday of Sacrifices   Kurban Bayramı 23

sailor   denizci 19

sake   hatır 20

salad   salata 19

salesman   satıcı 20

salt   tuz 19

same   aynı 20

     same as   (-nin) aynı(sı) 20

     at the same time aynı zamanda 20

sandwich   sandviç 19

Saturday   cumartesi 14

say   söyle- / sö:l'e / 4, de- 8

     that's to say, that means, I mean, in other words   yani / ya:ni / 16

school   okul 2

schoolmate   arkadaş 2, okul arkadaşı 21

sea   deniz 15

seaside house   yalı 23

search v.   (-yi) ara- 23

season   mevsim 17

seat n.   yer 22

secretary   sekreter 21

see   gör- 4

     see each other   görüş- 13

     I see. (realizing)   haa / ha:a / 4

sell   sat- 20
seller   satıcı 20
September   eylül 10
set out   yola çık- 21
seven   yedi 2
seventeen   on yedi 7
seventy   yetmiş 7
shall, will   -ir 16, -yecek 10
shared cab   dolmuş 20
she   o 5
ship n.   vapur 20
shirt   gömlek 23
shoe(s)   ayakkabı 23

    shoe salesman (maker, store)   ayakkabıcı 23

shop n.   dükkân / dük'k'an / 20
shop v.   alışveriş yap- 20
shopping   alışveriş 20
shopping area   çarşı 20
short   kısa 22
show v.   göster- 21
shut   kapa-, kapat- 23
sickness   hastalık 17
side   taraf 11, yan 17
sir (in addressing)   efendim 3
sister   kardeş, kız kardeş 22

    sister-in-law   yenge (brother's wife) 22
    older sister   abla 22

sit (down)   otur- 3
six   altı 2
sixteen   on altı 7
sixty   altmış / atmış / 7
skewer   şiş 19
skirt   etek 23
slow   yavaş 22
slowly (without haste)   yavaş, yavaş yavaş 22
small   küçük 5
snow n.   kar 16
snow v.   kar yağ- 16
so (like that, that way)   öyle / ö:l'e / 15

soccer futbol / futbol, futbol' / 19

soccer player futbolcu

sock(s) çorap (b) 23

some birkaç 14, bazı / ba:zı / 15

somehow, for some reason nedense 16

someone biri(si) 19

sometimes bazen / ba:zen / 20

son oğ(u)l 22

sort çeşit (d) 20

soul, life can 20

soup çorba 19

south güney 21

  southeast güney-doğu 21

  southwest güney-batı 21

sovereignty egemenlik 23

speak konuş- 2

spend (time) geçir- 21

spit n. şiş 19

spoon kaşık 19

  spoonful kaşık 20

sports spor 23

sportsman , athlete sporcu 23

stand v. dur- 14

  stand up kalk- 22

start (-ye) başla- 4, kalk- 22

  start on a trip yola çık- 21

state (condition) n. hal (a:) / hal' / 20

station istasyon 20

stay kal- 5, otur- 8, dur- 14

stewardess hostes 22

still daha / daa / 16, hâlâ / ha:l'a: / 17

stocking(s) çorap (b) 23

stomach (belly, mid-section of the body) kar(ı)n 17

stop v. dur- 14

  stop in, at uğra- 14

store n. dükkân / dük'k'an /, mağaza 20

  department store mağaza 20

street sokak 11

student   öğrenci 2

study v.   çalış- 17, oku- 23

submarine   denizaltı 21

suddenly, all of a sudden   birdenbire 15

sugar   şeker 19

suit n.   elbise / el'bi:se / 23

suitcase   bavul 11

sultan   sultan 23

summon   çağır- / çaır, çaar, ça:r / 13

Sunday   pazar 14

supper   yemek 20, akşam yemeği 21

sure   emin (i:) 20, tabiî / tabi: / (of course) 13
    Be sure (I assure you).   Emin olun. 20

surpass, exceed   (-yi) geç- 22

sweater   kazak 23

sweet   tatlı 22

swim   yüz- 15
    go for a swim (in the sea)   denize gir- 15

sword   kılıç (c) 19

Syria   Suriye / Su:riye / 20

T

table   masa 10

take   al- 9
    take off (start)   kalk- 23
    take off (clothes)   çıkar- 23
    take out   çıkar- 10

take (something or someone to a place)   götür- 11

talk   konuş- 2

talk together   görüş- 7

taxi   taksi 11

tea   çay 19

teach   öğret- 15, okut- 21

teacher   öğretmen 4

technical   teknik 21
    Technical University   Teknik Üniversite 21

telegram, cable   telgraf 23

telephone n.   telefon 5

telephone v.   telefon et- 5

tell   söyle- / sö:l'e / 4, anlat- 22

ten   on 2

test n.   test 10

test (try on, etc.) v.   dene- 19

thank   (-ye) teşekkür et- 1
    Thanks.   Teşekkürler. 7

that   o 2, şu 4
    that much, so   o (şu) kadar 11, 16
    that way, like that   şöyle / şö:l'e / 8, öyle / ö:l'e / 15

the   -yi (in object position only) 13

theater   tiyatro 22

their   (onların)...-ler-i 17

theirs   onların 19

them   onlar, onları 13

then (if so, in that case)   öyleyse / ö:l'i:se / 7, o halde 20

then (afterwards)   sonra 22

there is (are)   var 2

there is (are) not   yok 7

There!   İşte! 16, Tamam! 13

there   orada / orda / 7, oraya / orıya /, orası 19
    over there   şurada / şurda / 11, şuraya / şurıya /, şurası 19

these   bunlar 11

they   onlar 11, -ler 8

thing   şey 8, iş 21

think (of, about)   düşün- 21
    I think   galiba / gal'ba: / 8

thirteen   on üç 7

thirty   otuz 7

this   bu 2
    this much   bu kadar 11
    this way, like this   böyle / bö:l'e / 5

those   onlar 8, şunlar 11

thousand   bin 7

three   üç 2

throat   boğaz 17

throw   at- 13, 23

Thursday   perşembe 14

ticket   bilet 16

       ticketman, ticket seller, bus conductor   biletçi

tie n.   kravat 23

time   zaman (a:) 11, vak(i)t 22

       all the time   her zaman 11

       have (spend) a good time   iyi vakit geçir, 22

time (three times, etc.)   defa / defa: / 19, 21

       how many times a day   günde kaç defa 21

tired   yorgun 8

to   -ye 11

to (infinitive marker)   -mek 7

to, in order to   -mek için 16

today   bugün 14

together   beraber / bera:ber / 9

       all together   hep beraber 9

toilet, bathroom   tuvalet 19

tomato   domates 19

tomb   kab(i)r 22

tomorrow   yarın 4

too, also, either   de / de \ / 5

too (too much)   çok 20, fazla 11, 20

       be too much (for)   (-ye) fazla gel- 22

top (the space over or outside)   üst 17

tourist   turist 19

towards   -ye doğru 21

traffic   trafik 20

train   tren 20

travel n.   seyahat (i) 21, yolculuk 21

travel v.   seyahat et- 21

traveller   yolcu 23

trip   seyahat (i) 21, yolculuk 21

trousers   pantalon 23

truly   vallahi / valla:hi, valla: / 7, hakikaten / hak'i:katen, hakkaten / 19

trunk (of a car)   bagaj 11

try (to do something)   (-ye) çalış- 13

try on , experiment   dene- 19

Tuesday   salı 14

Turk, Turkish   Türk 2

Turkey   Türkiye 14

Turkish (language)   Türkçe 3

turn n.   sıra 22

turn v.   dön- 20

    turn off   kapa-, kapat- 23

    turn on   aç- 23

twelve   on iki 2

    twelve-thirty (hour)   yarım 2

twenty   yirmi 7

twice   iki defa 21

    twice a day   günde iki defa 21

two   iki 2

U

uncle   dayı (mother's brother) 21, amca (father's brother) 22

uncomfortable (disturbed)   rahatsız 8

under   (-nin) altında 17

understand   anla- / anla, anna / 4

university   üniversite 5

until, till   -ye kadar 22

up   yukarı 20

upstairs   yukarıda / yukarda / 8, yukarı(sı), yukarıya 20

us   biz 5, bizi 13

used to   -ir-di, iyor-du, -ir-miş (reportedly), -iyor-muş (reportedly) 23

V

vacation   tatil / ta:til' / 21

variety   çeşit (d) 20

very   çok 4, 20; pek 8, 20

vicinity   yan 17

victory   zafer 23

village   köy 22

visa   vize 20

visit n.   ziyaret / ziya:ret / 23

visit v.   ziyaret et- 23

visitor   misafir / misa:fir / 8, ziyaretçi / ziya:retçi / 23 vitamin   vitamin 19

vodka   votka 14

volleyball   voleybol / vol'eybol, vol'eybol' / 23

W

wait   (-yi) bekle- 5

waiter   garson 19

walk   yürü- 20

    walk about   gez- 2

wall   duvar 19

want   iste- 3, arzu et- 19

was   -ydi 22, -ymiş (reportedly) 22

watch n.   saat (i) 22

watch maker (seller, store)   saatçi 23

watch v.   seyret- 14

    watch out   dikkat et- 17

water   su 14

    water vender, waterman   sucu 19

way   yol 21

we   biz 5, -yiz 8, -k 14

wear   giy- 16

weather   hava 8

Wednesday   çarşamba 14

week   hafta 14

weekend   hafta tatili 21

Welcome.   Hoş geldiniz. 4

well   iyi 1

    well (to tell the truth)   vallahi / valla:hi, valla: / 7

    well; well, of course   ee / e:e / 22

    oh well (incomplete satisfaction)   eh 17

    well known   meşhur 19

were   -ydi(-ler) 22, -ymiş(-ler) (reportedly) 22

west   batı 21

what   ne 4, kaç (with numbers) 2, hangi (which) 1

    what for   niye 23

    what does ...mean?   ... ne demek? 7

where   nerede / nerde / 5, nereye / neriye /, neresi 19

    Where?   Hani? 23

whereas	halbuki / hal'buk'i / 22
which	hangi 1
whisky	viski 19
white	beyaz 13
who	kim 2
whom	kimi 13
whole	bütün 23
whose	kimin 17, 19
why	niçin 15, niye 23
that's why, for that reason	onun için 19
will, shall	-ir 16, -yecek 10
wind n.	rüzgâr / rüzg'ar / 16
wine	şarap (b) 19
wish n.	arzu 19
wish v.	arzu et- 19
with	-yle 20
woman	kadın 22
work n.	iş 21
work v.	çalış- 17
workman	işçi 23
write	yaz- 9

Y

year	sene 2, yıl 23
New Year's Day	Yılbaşı 23
yellow	sarı 13
yes	evet 1
yesterday	dün 2
yet	daha / daa / 21
yogurt	yoğurt (d) 19
yogurt drink	ayran 19
yogurt vender	yoğurtçu
you	sen 7, -sin 8, -n 14; siz 1, -siniz 8, -niz 14
young	genç (c) 21, küçük 22
your	(senin)...-in 17, (sizin)...-iniz 17
yours	senin 19, sizin 19
youth	gençlik 23
Yugoslavia	Yugoslavya 23

Z

zero sıfır 7

2. Personal names

(m : male, f : female)

Amal (Arabic name) f	Kemal / K'emal' / m
Ahmet (d) m	Mişel (French name) f
Burhan m	Oğuz m
Cemal / Cemal' / m	Osman m
Çetin m	Ömer m
Fatma f	Öztürk (family name)
Gönül f	Pınar f
Hans (German name) m	Sevim f
İnci f	Süleyman m
İsmet m , f	Turgut m
Jale / Ja:l'e / f	Uğur m
Kaya m	Uysal (family name)

3. Place names

(Names of countries are given in the general vocabulary.)

Adana 4   city in southern Turkey

Akdeniz 21   Mediterranean Sea

Aksaray 9   large district in Istanbul

Anıt-Kabir 22   Atatürk's Mausoleum

Ankara 4   Ankara

Antalya / Antal'ya / 21   city in southern Turkey

Atina 20   Athens

Ayasofya 23   Saint Sophia

Bağdat 20   Baghdad

Bebek 23   small district on the European side of the Bosporus

Berlin 20   Berlin

Beyazıt 9   district in Istanbul, site of Istanbul University

Beyoğlu 23   shopping and entertainment district in Istanbul

<u>Boğaz</u> 23   the Bosporus, Straits

<u>Bolu</u> 21   city located half way on the Istanbul-Ankara highway

<u>Bursa</u> 4   city to the south of the Marmara Sea

<u>Çankaya</u> 22   a district in Ankara

<u>Diyarbakır</u> 4   city in southeastern Turkey

<u>Edirne</u> 4   city in European Turkey

<u>Ege Denizi</u> 21   Aegean Sea

<u>Eskişehir</u> 4   city located half-way on the Istanbul-Ankara railroad

<u>Fatih</u> / Fa:tih / 9   large district in Istanbul

<u>Gaziantep</u> (b) / Ga:ziantep / 4   city in southeastern Turkey

<u>İstanbul</u> 4   Istanbul

<u>İzmir</u> 4   Izmir

<u>İzmit</u> 4   city on the eastern shore of the Marmara Sea

<u>Kadıköy</u> 9   large district on the Asian part of Istanbul

<u>Kahire</u> / Ka:hire / 20   Cairo

<u>Kapalıçarşı</u> 20   the Covered Bazaar in Istanbul

<u>Karadeniz</u> 21   Black Sea

<u>Kars</u> 4   city in northeastern Turkey

<u>Kartal</u> 22   small town near Istanbul

<u>Kızılay</u> 22   district in Ankara

<u>Lâleli</u> / L'a:l'el'i / 9   district in Istanbul

<u>Lefkoşe</u> 20   Nicosia

<u>Londra</u> 20   London

<u>Marmara Denizi</u> 21   Marmara Sea

<u>Mersin</u> 4   city in southern Turkey

<u>Moskova</u> 20   Moscow

<u>New York</u> / Nev York / 20   New York

<u>Paris</u> / Pa:ris / 20   Paris

<u>Roma</u> 20   Rome

<u>Samsun</u> 4   city on the Black Sea

<u>Sivas</u> 4   city in eastern central Anatolia

<u>Sultan Ahmet Camisi</u> (Camii) 23   The Mosque of Sultan Ahmet, The Blue Mosque

<u>Şam</u> 20   Damascus

<u>Şişli</u> 9   district in Istanbul

<u>Tahran</u> 20   Teheran

<u>Taksim</u> 5   district in Istanbul

<u>Tokat</u> 4   city in north central Turkey

<u>Topkapı Sarayı</u> 23   Topkapı Palace

Toros Dağları 21   Taurus Mountains
Tuz Gölü 21   Lake Tuz ' Salt Lake'
Ulus 22   district in Ankara
Üsküdar 9   large district in Istanbul on the Asian side of the Bosporus
Van 4   city in eastern Turkey
Van Gölü 21   Lake Van
Washington / Vaşink'ton / 20   Washington
Yalova 22   small town near Istanbul

4. Cultural words and expressions

acaba / acaba: / 7 I wonder (if), do you know (if)

Allah rahatlık versin. 16   Good night. ' May God give you comfort.'

bakalım 22   now (as in ' wait a minute now'), then, ' let's see'

baklava 19   pastry with nuts and syrup

Baş üstüne. / ba:ş üstüne / 19 Certainly. Very well. ' It'll be a great honor for me to
              do what you wish.'

börek 14   Turkish pastry with cheese or meat inside

canım 20   my dear, my good man, ' my soul'

dolmuş 20 shared cab

döner kebap (b) 19   slices of meat roasted on a rotating spit by vertical charcoal
          fire

Elinize sağlık. 14   ' Health to your hands. Blessed be your hands.'

Estağfurullah. 7 Don't mention it.

falan 14   and / or the like, so forth

Geçmiş olsun. 17   I hope it's (will be) over. ' May it be passed.'

Hayırlı yolculuklar. 21 Have a nice trip.

Hayret! 15   That's surprising!

inşallah 16   God willing, I hope

kebap 19 roast meat

kuruş 11   kuruş (= 1/100th of a lira)

lira 11   lira (Turkish monetary unit = 100 kuruş)

manav 20   fruit and vegetable shop (seller)

maşallah / ma:şallah / 22   ' God be praised.' (used to ward off the evil eye and
           express admiration)

neci 19 of what occupation? seller (manager, etc.) of what?

Ne var, ne yok? What's new?

pilâv / pil'av / 19 cooked rice

rakı 14   anise flavored liquor

Sağol. 17   Thank you. ' Be safe (alive) and in good health.)

sakın 16   (whatever you do) don't... (for more emphasis with negative commands)

şiş köfte 19   long meat balls grilled on a spit

tamam 13   that's it, right, there!

ya... 15   well then, how about

...ya 20   so, you see; as you can see; you see, don't you? Right?

yok, canım 22   come on (now) (expresses disbelief)

Zararı yok.   It doesn't matter. Never mind. ' It has no harm.'

5. List of suffixes used in Volume I

a. Suffixes which have been taught:

-cí	professional	19
-de	locative	in, at, on 4
de / de \ /	conjunctive	also, too, either 5
de / de-> /	conjunctive	and, as for 5
-den	ablative	from 11, of (partitive) 14
		because of 23
-di	past tense	14
-im	first person singular possessive	my 17
-imiz	first person plural possessive	our 17
-in	second person singular possessive	your (sg.) 17
-iniz	second person plural possessive	your (pl.) 17
-ir	habitual-future participle	(alternants: -er, -z) 16
-iyor	continuative participle	9
-k	first person plural	we (occurs after -di and -ydi) 14
-ler	plural	plural of nominals: -s 2, plural of third person: they 8
-ler-i	third person plural possessive	their 17
-m	first person singular	I (occurs after -di and -ydi) 14
-me	negative for verbs	not 7
-mek	infinitive	to (infinitive marker) 7
mi	question	regular question 3, emphatic question 10, 14; echo question 22, 23
...mi...mi		or 9
-miş	presumptive-past participle	15
-n	second person singular	you (sg.) (occurs after -di and -ydi) 14
-nin	genitive	of (alternant: -im) 17

-niz	second person plural	you (pl.) (occurs after -dı and -ydi) 14
-si(n-)	third person singular possessive	his, her, its 17
-sin	second person singular	you (sg.) 8
-siniz	second person plural	you (pl.) 8
-ydi	past postclitic	was 22
-ye	dative	to, for 11
-yecek	future participle	going to, will, shall 10
-yi	definite object	the (in object position only)
-yim	first person singular	I 8
-yin	plural imperative	7
-yiz	first person plural	we 8
-yle	concomitive postclitic	with, by (means of), and 20
-ymiş	presumptive postclitic	is, was (reportedly) 23

b. Suffixes which have occurred but have not yet been covered:

-ce		eğlen-ce	amusement
-ce		İngiliz-ce	English
-dir	causative	in-dir-	make it come down
	(Alternants:	-er	çık-ar-	make it come out
		-ir	bit-ir-	make it come to an end
		-t)	oku-t-	make him (read) study
-i:		tarih-i	historical
-iş	reciprocal	bul-uş-	find each other, meet
-le		hazır-la-	make ready, prepare
-li	attributive	Amerika-lı	American
-lik		iyi-lik	goodness
-sin	optative third person singular	geçmiş ol-sun	let it (may it) be passed
-siz	privative	pazarlık-sız	without bargaining
-yelim	optative first person plural	gid-elim	let's go
-yeyim	optative first person singular	telefon ed-eyim	let me phone
-yiş		al-ış-ver-iş	shopping (taking-giving)
-yse	conditional postclitic	iste-r-se-niz	if you wish